ON L'APPELAIT
LE DAHLIA NOIR

JOHN GILMORE

ON L'APPELAIT
LE DAHLIA NOIR

*traduit de l'américain
par Emmanuel Dazin*

l'Archipel

Ce livre a été publié sous le titre
Severed
par Amok Books, Los Angeles, 1994.

Si vous souhaitez recevoir notre catalogue
et être tenu au courant de nos publications,
envoyez vos nom et adresse, en citant ce
livre, aux Éditions de l'Archipel,
34, rue des Bourdonnais 75001 Paris.
Et, pour le Canada, à
Édipresse Inc., 945, avenue Beaumont,
Montréal, Québec, H3N 1W3.

ISBN 978-2-84187-88-5

15 JANVIER **1947**

1

C'était la première fois de l'hiver, cette nuit-là, qu'on laissait brûler les braseros pour protéger les agrumes. Le froid s'était installé, descendu d'un ciel sans nuage qui, dès l'aube, prit un éclat métallique, morne et gris, ne laissant plus voir aucune ombre.

Il était un peu plus de 6 heures lorsqu'un jeune garçon, poussant sa bicyclette, s'engagea dans les herbes folles d'une zone de parcelles vacantes au sud d'Hollywood. La rosée qui recouvrait les terrains vagues mouilla ses revers de pantalon. Plus tard, il expliquerait à la police qu'il avait l'habitude d'emprunter ce raccourci pour aller faire sa tournée de distribution de journaux sur Crenshaw Boulevard. De chaque côté de Norton Avenue, entre la 39e Rue et Coliseum, s'étendait une zone plate, bordée à l'ouest par Crenshaw, qui faisait partie de Leimert Park, un quartier de Los Angeles. Les trottoirs, la chaussée, les bouches d'incendie, tout était en place, mais la guerre avait donné un coup d'arrêt à la construction, et les terrains à bâtir avaient été envahis par les mauvaises herbes.

Le garçon ralentit pour jeter un œil en arrière, au bruit d'une voiture – une vieille conduite intérieure noire, peut-être une Ford. La lumière du petit matin se reflétait sur le pare-brise, et il ne put voir qui se trouvait au volant. Il se souviendrait toutefois de l'aile tachée de boue et de la carrosserie cabossée côté passager. On roulait encore phares allumés sur Crenshaw, vers le nord comme vers le sud, mais l'auto qui glissait entre les terrains vides avait éteint les siens. Elle stoppa contre le bord du trottoir et resta là, moteur au ralenti, ses gaz d'échappement s'élevant dans l'air.

Il n'y avait rien d'inhabituel à ce que des couples se garent dans ces rues lorsqu'il faisait nuit, mais on s'y arrêtait rarement pendant la journée. La semaine précédente, le garçon avait remarqué des types du service de lutte contre le feu qui s'activaient autour d'une bouche d'incendie. Il ne se souvenait pas avoir aperçu qui que ce soit d'autre à cet endroit.

N'étant pas en avance, il ne s'intéressa pas davantage à la voiture solitaire arrêtée sur Norton. Il allait pourtant bientôt apprendre que l'occupant de la voiture, quelle que soit son identité, avait laissé sur le terrain vague une chose horrible – si horrible qu'il se souviendrait toute sa vie de ce pare-brise, essayant de se représenter l'image du conducteur derrière la glace sans jamais y parvenir.

Il fallut attendre 10 heures passées, ce matin-là, alors que la rosée s'évaporait, pour que l'on remarque ce qui avait été déposé à deux ou trois pas de l'endroit où le garçon avait vu la voiture.

Betty Bersinger, une jeune et séduisante femme au foyer, marchait sur Norton en direction du sud, précédée de sa fille de trois ans dans une poussette. Elle se rendait chez un cordonnier dont la boutique était située deux blocs après le croisement avec la 39e. Elle stoppa net, apercevant une masse blanche juste devant elle, près du trottoir.

Quelqu'un paraissait allongé sur le sol. Elle avança de plusieurs pas et s'immobilisa à nouveau, perplexe devant la blancheur cireuse de cette forme vague. Elle fit pivoter la poussette, protégeant l'enfant de l'horreur qu'elle sentait instinctivement. Il devait s'agir d'un mannequin. La moitié inférieure d'un mannequin, dépourvu de vêtements. Il devait être tombé d'un camion et avait dû se briser en deux. Quelqu'un l'avait sans doute ramassé et placé près du trottoir. Jambes et hanches paraissaient détachées du buste, comme dans la vitrine d'un grand magasin, lorsqu'on change leurs vêtements. Le buste se trouvait tout à côté de la partie basse ; le mannequin était allongé dos au sol.

La jeune femme remarqua ce qui semblait être des stries rouge sombre, puis une espèce de boursouflure rouge d'un côté de la poitrine. C'était un morceau de sein. À côté, l'autre était intact. Les bras étaient levés au-dessus de la tête, le visage tourné vers la chaussée. Elle ne se souviendrait plus avec certitude si les yeux étaient ouverts ou fermés. Elle expliquerait qu'ils étaient peut-être ouverts, que le visage était d'une pâleur de cire. Un instant seulement, elle resta là, debout, avec sa petite fille. L'air était empli du bourdonnement sonore des mouches, qui grouillaient autour de la forme étendue dans l'herbe.

Rapidement, elle dirigea la poussette vers la maison la plus proche, à un long bloc de là, en direction du sud. Elle frappa bruyamment à la porte. Une femme lui ouvrit, à qui elle expliqua qu'une personne gisait sur le sol, en haut de la rue, et qu'elle devait appeler la police. « Il faut s'en occuper », dit-elle. Betty Bersinger utilisa le téléphone des voisins. Elle déclara au policier de permanence au Service des plaintes que la personne couchée par terre ne portait aucun vêtement. « Il y a des mouches tout autour, et il vaudrait mieux que quelqu'un fasse quelque chose. » Puis elle raccrocha sans donner son nom.

En moins de quelques minutes, le poste de police d'University lança un appel radio : « code 390 », *man down,* un individu à terre à l'angle de la 39e et de

Norton. Les agents Will Fitzgerald et Frank Perkins, qui roulaient sur Exposition Boulevard en direction de l'ouest, répondirent à l'appel et bifurquèrent aussitôt dans Coliseum. Ils continuèrent sur huit blocs, puis prirent vers le sud, dans Norton.

À mi-chemin avant le croisement avec la 39e, ils aperçurent un garçon grand et mince, debout près d'une bouche d'incendie. Voyant approcher la patrouille, celui-ci fit un signe de la main. Lorsque les policiers se rangèrent le long du trottoir, il pointa le bras en direction des herbes folles, tout en s'avançant vers eux.

« Il avait une quinzaine d'années, racontera Frank Perkins. On aurait dit qu'il était sous le choc, ou comme stupéfait. »

Les policiers descendirent, coiffant leur casquette. Fitzgerald demanda au garçon s'il avait appelé à propos d'un type saoul ou d'un homme endormi sur l'une des parcelles.

— C'est une femme morte, répondit le garçon. Pour moi, on dirait ça…

— Bon Dieu ! s'exclama Perkins.

Fitzgerald, parvenu à la limite du trottoir, se tourna vers son équipier :

— La fille a été coupée en deux…

Il se pencha, fixant le corps.

— Lance un appel radio, lui dit Perkins, mets-toi directement en ligne avec le chef. Demande-leur d'envoyer tout de suite du monde.

Un instant, Fitzgerald sembla vaciller, puis il remonta rapidement dans la voiture et détacha le micro de son support. Il signala « un corps sans vie au croisement de la 39^c et de Norton ». Ça a l'air d'être un homicide, ajouta-t-il, demandant à ce qu'on lui passe directement le lieutenant Paul Freestone, chef des patrouilles.

Perkins interrogea l'adolescent. Depuis combien de temps se trouvait-il là ? Le garçon répondit qu'il venait de traverser la rue et qu'il avait vu cette femme morte juste avant d'apercevoir la voiture de police. Guère plus de deux ou trois minutes s'étaient écoulées depuis. Le policier voulut savoir s'il n'avait rien remarqué d'autre : un piéton, un véhicule, un individu quelconque dans les environs. Le garçon déclara n'avoir vu personne. Jusqu'à leur arrivée, il était seul.

Selon Perkins, « le gamin paraissait de plus en plus choqué ». Il prit son nom, ainsi que son adresse, et lui demanda de patienter de l'autre côté de la rue, le temps que les inspecteurs arrivent.

Le garçon lui fit savoir que des amis l'attendaient, mais Perkins répondit qu'il les rejoindrait plus tard. Le garçon approuva de la tête, soulagé de pouvoir s'éloigner du cadavre, même s'il continuait tout de même à le regarder fixement.

Difficile de faire autrement, songea Perkins, vu l'emplacement du corps. C'était immanquable, même si l'on se trouvait de l'autre côté de la chaussée, au bord du trottoir, là où le garçon était allé s'asseoir.

Sans déranger l'herbe à proximité du cadavre, Perkins observa les entailles sur le visage et sur la poitrine de la morte. Il prit des notes, détaillant les marques de coups de couteau sur la partie inférieure. La toison pubienne de la fille, qui ne devait pas être beaucoup plus âgée que l'adolescent de tout à l'heure, était quasi absente. Mais cette toison qui recouvrait peut-être l'entrejambe pouvait aussi bien avoir été scalpée, se dit-il, parce qu'il y avait à cet endroit un grand nombre de stries ressemblant à des marques de couteau. Le pied droit se trouvait à quelques pouces du trottoir, avec lequel le buste formait un angle. La fille avait été coupée en deux au niveau de la taille, à l'endroit le plus étroit, entre le bas des côtes et le nombril. Les deux morceaux étaient plus ou moins alignés, seulement séparés d'environ 25 centimètres. Les jambes étaient largement écartées, et les bras inclinés à angle droit, levés au-dessus des épaules. Perkins remarqua les deux joues tailladées des coins de la bouche pratiquement jusqu'aux lobes des oreilles.

Il nota que la victime devait avoir entre quinze et dix-sept ans. Elle était complètement nue et « sa peau était aussi blanche qu'un lis ». Il n'y avait de décoloration des tissus qu'au niveau des plaies et de la partie visible des organes internes. Le foie pendait et, à hauteur de la cuisse gauche, un large périmètre de chair avait été évidé, pratiquement jusqu'à l'os de la jambe. Outre les traces de contusion, signe que la victime avait été sévèrement battue, les poignets, le cou et les chevilles portaient des marques de cordes.

Elle avait une chevelure d'un noir de jais, qui par endroits était mouillée et tirait sur le rouge. Pas à cause de traces de sang, cependant. Il n'y en avait absolument pas sur le corps. Aucun signe de sang coagulé au bord des plaies, et pas non plus autour du cadavre. Ni fluide interne, ni sang par terre, entre les deux tronçons. Il était impossible d'examiner tout de suite ce qui se trouvait en dessous ; il fallait attendre que les inspecteurs arrivent et que le coroner fasse enlever le cadavre.

Perkins pouvait discerner le blanc grisâtre de la colonne vertébrale, là où elle avait été sectionnée, entre deux vertèbres. On avait, semblait-il, retiré certains organes de la cavité. La façon dont elle avait été tranchée en deux lui fit penser au ventre ouvert d'un requin, trouvé sur la jetée de Santa Monica – la peau, pâle et épaisse, et l'intérieur exposé aux regards.

Paul Freestone, chef des patrouilles, avait demandé à Fitzgerald et à Perkins de rester sur place en attendant l'arrivée du lieutenant Jess Haskins. Fitzgerald avait à peine achevé son rapport à University qu'une autre unité l'avait rejoint, lui et son équipier. La voiture d'un sergent de la police d'Inglewood était venue se coller juste derrière la sienne, presque pare-chocs contre pare-chocs. Celui-ci s'était approché des deux agents, qui fixaient le corps. Le sergent, qui connaissait Perkins depuis les bancs de l'école de police, expliqua qu'il était en maraude sur Slauson au moment où il avait entendu annoncer « code 390 » à la radio et capté l'appel de Fitzgerald au sujet d'un cadavre. Il resta un instant bouche bée. Il secoua la tête, puis répéta : « Mon vieux, oh mon vieux... »

Un coupé avec un autocollant « PRESSE » fixé sur le pare-brise vint se garer contre la voiture du sergent. Se retournant, les policiers virent descendre une petite femme rousse vêtue d'un imper, aussitôt suivie par le conducteur, un photographe chargé d'un gros appareil photo, un Speed Graphix.

Le policier d'Inglewood leur dit d'attendre une minute mais la femme passa devant lui. Ignorant Fitzgerald, elle s'adressa à Perkins :

— Je vous connais et vous me connaissez aussi. Je suis Underwood, du *Herald Express*. Mon photographe vous a pris en photo une demi-douzaine de fois... À deux reprises lors d'incendies, et plusieurs fois après des accidents mortels, quand vous étiez à la circulation. Qu'est-ce que vous avez, là ?

Elle s'avança, baissa le regard et se figea, un pied sur le trottoir, l'autre pratiquement posé sur la jambe gauche du cadavre.

Perkins devait se souvenir d'elle dans cette position, immobile pendant deux ou trois secondes. « On l'a vue se vider complètement de ses couleurs, comme si on avait ouvert un robinet à la base », expliquera-t-il.

— Dieu du ciel ! Cette gamine a été coupée en deux ! Mais d'où sort le type qui a pu faire une chose pareille ?

Envoyée sur les affaires criminelles importantes, Aggie Underwood passait pour une journaliste particulièrement endurcie. Perkins n'avait jamais entendu dire qu'elle tournait de l'œil à la vue d'un cadavre. « Ça nous a presque amusés de la voir ainsi hésiter, puis reculer de plusieurs pas à deux doigts de tomber à la renverse », racontera-t-il.

— Je ne peux rien vous dire de plus pour le moment, déclara Perkins à Underwood. Voyez vous-même...

— On peut faire quelques clichés?

— Allez-y. De toute façon, vous allez les prendre, vos clichés... Mais merci d'en faire au moins la demande, Aggie.

Les ampoules de flash crépitèrent l'une après l'autre à un rythme rapide. Puis, le lieutenant Jess Haskins arriva et pria les policiers en tenue de tenir tout le monde à distance du trottoir. Il annonça à Fitzgerald et à Perkins que les gars du labo étaient en chemin et qu'il avait demandé à deux autres inspecteurs de venir.

— Personne en ville ne va vouloir imprimer la moindre photo de ça, dit Underwood à Haskins. C'est pire que tout ce que j'ai jamais vu, Jess. On ne nous laisse pas grand-chose à imaginer, cette fois.

— Je ne sais pas qui se cache derrière ce « on », répondit l'inspecteur, mais dès que je le saurai, je vous tiendrai au courant.

Haskins la regarda s'appuyer contre la portière droite du coupé. À cet endroit, le véhicule de police lui cachait la vue du terrain vague. Très raide, son sac à main et son bloc-notes plaqués contre le ventre, elle adressa à Haskins un sourire triste, comme pour lui dire : « Bon Dieu, dans quel genre d'affaire on est tombés? »

Haskins n'avait pu remonter la piste du premier signalement. Il savait seulement que l'appel avait été passé par une femme non identifiée. Il observa le corps et ses environs immédiats, avant de dire à Perkins et à Fitzgerald de commencer les recherches sans déranger la zone autour du cadavre. Il demanda au sergent d'Inglewood où se situait la ligne téléphonique la plus proche et conseilla aux deux agents de ne pas toucher à leur radio. « Sinon, on va être envahis de curieux... Et on va aussi se retrouver avec plus de flics que nécessaire », ajouta-t-il.

Seul indice a priori exploitable, un sac de ciment moucheté de sang clair fut découvert par Haskins. Fitzgerald remarqua aussi une trace de sang sur le trottoir, et on en trouva une autre sur la chaussée, partiellement brouillée par une empreinte de pneu.

Le corps était froid. D'après les marques sur le cou, la mort avait dû être donnée par strangulation – pas à mains nues, avec une corde. Haskins se dit qu'on avait sans doute laissé tremper le cadavre et qu'on l'avait soigneusement nettoyé, de façon à faire disparaître les indices. On l'avait aussi probablement vidé de son sang.

Mis à part les taches de sang, l'empreinte de pneu et le sac de ciment, on ne trouva rien. C'était le genre d'homicide qui risquait de déboucher sur une dispute entre la police et la presse, songea Haskins. Ce corps nu indiquait pour lui un crime sexuel ; il n'était pas seulement en face d'un cadavre démembré, résultat d'un meurtre sauvage, déjà en lui-même d'une grande brutalité. Il y avait quelque chose qui allait *au-delà* de l'anormal, du bizarre.

Il eut l'impression qu'avec cet assassinat les forces de l'ordre se retrouvaient confrontées à un « défi ». C'était un crime sexuel mais avec une dimension supplémentaire. Le tueur avait déposé son œuvre à leurs pieds et, par ce crime, il semblait vouloir braver toute notion d'humanité. S'ils ne s'y mettaient pas tout de suite, et s'ils ne le pinçaient pas illico, ça allait être une sacrée mêlée avec les journaux et les radios – « un vrai bazar, une cocotte-minute prête à exploser ».

Le corps avait un air de propreté, de « fraîcheur », nota Haskins. Selon sa description, il était arrangé et déployé « comme si quelqu'un avait imaginé une petite carte postale obscène qui se serait brusquement matérialisée ».

Ce n'était pas nouveau, cette idée de « faire étalage » d'un crime sexuel. Le commentaire d'Aggie Underwood, selon qui « on » n'avait pas cherché à dissimuler grand-chose, lui revenait sans cesse en tête. *Dissimuler* avait été le cadet des soucis du meurtrier. Quelque chose clochait... Pour commencer, Haskins était surpris que le corps n'ait pas été découvert plus tôt. Toute personne passant par là aurait dû le remarquer. Pour comprendre ce meurtre, ils allaient au moins devoir faire appel à leur expert en psychiatrie.

Il compila les comptes rendus de Fitzgerald et de Perkins, y ajouta ses propres commentaires, puis se rendit en voiture jusqu'à la cabine publique la plus proche, sur Crenshaw. Il appela le capitaine Jack Donahoe, au bureau des Homicides de Central. Haskins ne pouvait imaginer les futures rivalités entre policiers, ni les problèmes qui allaient surgir ; toutefois, plus tard, il évoquera son hésitation spontanée à passer le relais à la division de Central. Insistant sur la nécessité de ratisser le voisinage, il expliqua qu'il était peu probable que la fille ait été découpée loin de l'endroit où l'on avait trouvé son corps.

« Il y a dans ce crime une présentation macabre, sans doute délibérée, déclara-t-il à Donahoe. On a aussi toutes ces incisions bien particulières, faites avec beaucoup de soin. La fille n'a pas été grossièrement taillée en pièces. Même cette coupure nette au niveau de la taille, elle a été pratiquée avec un certain savoir-faire. Le type pourrait être un médecin ou alors quelqu'un qui a des connaissances médicales... Difficile de déterminer ce qu'elle a subi pendant qu'elle était encore en vie, vu la façon dont le corps a été lessivé. De plus, pour ce que je peux en dire avant l'arrivée du coroner, il n'y a pas de sang à l'intérieur, donc pas de lividités cadavériques.

« Ça ressemble à une strangulation, mais on dirait qu'elle a été ligotée avec des cordes, voire avec un câble, d'après certaines marques. Peut-être a-t-elle été étendue bras et jambes écartés, ou attachée la tête en bas, comme une carcasse de viande, ce qui aurait permis de la vider de son sang... De tout ce que j'ai vu dans ma carrière, Jack, c'est pas loin d'être le pire. Et à mon avis, le taré qui a fait ça est fin prêt à recommencer. »

Jack Donahoe contacta le sergent Harry Hansen, l'officier de police supervisant la plupart des enquêtes criminelles de la métropole de Los Angeles. Hansen était membre des forces de l'ordre depuis 1926, et après avoir été affecté à la division des Homicides, il avait rédigé un manuel expliquant la manière de recueillir et de conserver les preuves sur le lieu d'un crime.

Avec son partenaire habituel, Finis Brown, il s'occupait d'une autre affaire, dans le sud-ouest de L.A., où le coroner était également attendu. Se servant de la radio, Donahoe dit à Hansen : « Harry, University a du sérieux. Une fille coupée en deux, dans un terrain vague. Complètement nue, et les photographes sont déjà sur le coup. Ça sent les ennuis. Faites-vous remplacer par un agent et allez, Brown et vous, au croisement de la 39ᵉ et de Norton. » Puis Donahoe répéta : « Ça a l'air d'être sérieux, Harry. »

Le temps qu'Hansen et Brown arrivent à destination, les reporters de la presse écrite s'étaient amassés, jonchant la chaussée et le trottoir de mégots et d'ampoules de flash noircies. Plusieurs policiers, ainsi que des badauds, étaient également apparus – certains

19

s'étaient même mis debout sur le toit de leur voiture pour avoir une meilleure vue.

Immédiatement, Hansen se sentit inquiet.

Pour lui, le lieu d'un crime avait sa « vie » propre, sa signature bien particulière. Même si la fille avait été tuée ailleurs et son cadavre déposé sur cette parcelle de terrain, l'endroit où on l'avait trouvée constituait pour lui un « site sacré ». Le moindre indice, même en apparence le plus insignifiant, pouvait donner une indication de temps, renseigner sur les circonstances du décès. Et ces éléments pouvaient permettre de faire la lumière non seulement sur la victime, mais aussi sur son meurtrier. Une simple poignée de curieux à la recherche de détails sordides pouvait compromettre toute chance de boucler l'affaire avec succès.

« Un homicide, c'est une union qui ne meurt jamais, devait dire Hansen. Un lien se forme entre deux sujets placés dans un ensemble de circonstances qui les lient d'une façon plus étroite que s'ils étaient mariés – et pour toujours. On n'a donc pas besoin que quelqu'un vienne flanquer tout ça en l'air.

« C'est "sacré", parce ce qu'une fois qu'on est allé sur ce terrain, il est impossible d'y revenir. On peut se marier trois fois avec la même personne, mais on ne peut la tuer qu'une fois. L'acte est irréversible, ses détails ne peuvent pas être retouchés. Et qu'il s'agisse du lieu du crime ou de celui où l'on a découvert le corps… bon Dieu, c'est pratiquement la même chose ! Parce que celui qui est mort et celui qui est en vie s'y sont trouvés ensemble. Même quand on parvient à attraper celui qui est vivant et, avec un peu de chance, à la conduire jusqu'à la mort, il y a *toujours* cette union entre eux. Et ça, c'est irréversible, depuis la seconde même où ça s'est produit. »

Selon Hansen, s'il manquait un seul indice, tout le tableau en était changé. Le moindre bout de preuve révélait une signature, spécialement dans la disposition du cadavre. Pour un vrai détective, le lieu du crime ressemblait à une œuvre d'art en fac-similé. Il reflétait une pensée, une personnalité, les *traits* de l'assassin autant que ceux de sa victime. Grâce aux indices les plus ténus, certaines circonstances bien particulières de leur vie pouvaient y apparaître comme dans un miroir. Les preuves devaient être préservées dans leur ensemble, ou bien la signature devenait diffuse, finissait par s'effacer, puis disparaissait.

Des policiers, en tenue ou en civil, avançaient maintenant d'un pas prudent à l'intérieur de la parcelle, au milieu des herbes folles.

— On examine le terrain, dit Haskins à Hansen. Si on trouve quelque chose, ce sera pour l'équipe du labo. Ils arrivent.

Hansen fit remarquer qu'apparemment l'endroit avait déjà été passé en revue par à peu près tout le monde et qu'il ne leur resterait peut-être pas grand-chose.

— Demandez à Ray Pinker de venir, ajouta-t-il.

Il s'accroupit à la limite du trottoir et fixa brièvement le visage de la fille. D'après Brown, la froide objectivité qu'il avait acquise en vingt ans de service semblait sur le point de lui échapper. Il fallait bien connaître Hansen pour remarquer ça. Selon Brown, très peu de gens savaient quel genre d'homme il était, et ils étaient encore moins nombreux à le comprendre. Hansen vivait dans son propre monde, agissant comme il pensait devoir le faire. Il laissait peu de place à la contradiction.

— Celle-là, on a passé du temps dessus..., déclara-t-il. Je ne me souviens pas avoir vu un visage cisaillé de cette façon-là. On dirait que les joues ont été proprement découpées de l'intérieur.

Haskins, Brown et Hansen spéculèrent sur la cause du décès en attendant l'arrivée du coroner. Le corps avait-il été coupé en deux à l'aide d'un couteau à lame dentelée?

— Il ne semble pas y avoir ce genre de marque au niveau des plaies, dit Brown. On a dû utiliser un grand couteau pour trancher au travers, comme quand on coupe une miche de pain. Elle a été tellement lessivée qu'il ne reste aucune trace de sang coagulé ni aucune indication de ce qui a foutrement bien pu se passer.

La large plaie au front laissait imaginer une commotion, et Brown fit observer les traces de liens autour du cou. Hansen ne pensait pas que cela suffise à prouver la strangulation.

— On va devoir faire un *post mortem* tout de suite pour savoir au moins à quoi on a affaire, dit-il.

Inspecteurs, journalistes, membres du labo, tous les hommes ressentaient quelque chose d'étrange, et c'était une sensation qu'ils emporteraient avec eux. Un sentiment de malaise régnait. On évitait de se regarder droit dans les yeux, n'échangeant que des paroles évasives, empruntées. Sans réellement le formuler, chaque policier présent savait que c'était le pire crime de toute l'histoire de la ville. Il y avait dans l'air comme une incitation à saisir la nature spectaculaire de ce meurtre.

Comme le soleil perçait à travers les nuages, Hansen demanda à ce que l'on recouvre le cadavre jusqu'à l'arrivée du coroner, afin d'éviter une décoloration de la peau. On se servit de feuilles de journal: étendues en couches successives, elles se chevauchèrent pour former comme un toit protecteur au-dessus du cadavre et les éventuels indices qu'il recelait. Seuls les pieds nus, avec leurs ongles vernis, dépassaient encore.

Ray Pinker, le chef du labo, estima que le corps avait été déposé peu avant les premières lueurs de l'aube, juste après l'apparition de la rosée. Il établit que le buste avait d'abord été installé dans l'herbe, face contre terre, avant d'être retourné. La partie inférieure, placée sur le sac de ciment, avait ensuite été apportée depuis un véhicule et laissée là où elle se trouvait toujours. Le sac avait simplement été abandonné dans l'herbe. Pinker ne pouvait immédiatement déterminer avec précision quel type d'arme avait été utilisé, mais il confirma ce que pressentait Harry : le décès devait s'expliquer à la fois par les contusions au niveau de la tête, résultant peut-être de coups portés avec un instrument contondant, et par les lacérations du visage.

— Sans disposer de la température rectale, ajouta Pinker, je ne peux pas avoir de certitude, Harry, mais je dirais qu'elle est morte depuis une dizaine d'heures.

Il préleva sur la peau de minuscules fragments d'espèces de poils qui avaient dû se détacher de la paille d'un balai, ou d'une brosse – mais ils pouvaient aussi provenir d'un tapis de voiture. Pinker confirma l'avis d'Haskins : les cheveux de la fille avaient été lavés et passés au shampoing après sa mort.

— L'essentiel de ce à quoi on a affaire, en termes de plaies, est postérieur au décès, dit-il.

— Ça me suffit largement, fit Hansen.

Pinker le regarda droit dans les yeux :

— Comme meurtre de femme, je n'ai jamais vu pire.

Selon les suppositions d'Hansen, l'individu qui avait abandonné le corps à cet endroit avait stoppé sur la chaussée puis, pour une raison quelconque, il avait fait marche arrière. Le corps de la fille n'avait pas été traîné sur place ; elle n'avait pas été transportée dans cette position, avec les jambes largement écartées. La partie inférieure avait été déposée sur le sol avant d'être arrangée de cette manière. Celui qui l'avait laissée dans cet état était ensuite remonté en voiture.

Quand le fourgon du California Hearse Service[1] arriva, les deux employés placèrent les morceaux du cadavre dans un simple cercueil de transfert. À l'emplacement du corps, l'herbe restait sombre, humide et tassée, alors que, tout autour, elle était sèche et d'un vert plus clair. Hansen était maintenant certain que le cadavre avait été déposé là peu avant l'aube.

Pendant que les enquêteurs continuaient de ratisser le terrain à la recherche d'indices, les reporters de la presse écrite allèrent frapper chez les habitants du quartier, les harcelant pour leur soutirer tout ce qui pourrait servir à identifier la victime ou les mettre sur une éventuelle piste concernant le lieu du meurtre.

Plusieurs journalistes avaient reçu l'ordre de suivre le fourgon jusqu'à la morgue, qui occupait le sous-sol du palais de justice, en centre-ville. Sur place, le corps fut réceptionné par les adjoints du coroner, qui le déchargèrent et apposèrent sur la « fiche de signalement individuel d'une personne décédée non identifiée » l'inscription *« Jane Doe Numéro 1 »*, désignant une inconnue. À 14 h 45, Sears, coroner adjoint, signa la fiche de dépôt du cadavre à la morgue du comté de Los Angeles. Le barème permit d'établir un poids de 52 kilogrammes. « Teint clair, nez petit, menton rond, sourcils bruns, faible corpulence, dents en médiocre état, yeux gris-vert, âge estimé entre quinze et trente ans », inscrivit Sears sur la fiche. La taille de la victime, 1,65 mètre, avait été déterminée en la mesurant depuis le haut du front jusqu'à l'endroit où elle avait été sectionnée, puis du talon jusqu'au bord de la coupure entre les deuxième et troisième vertèbres.

Les deux morceaux du corps furent alignés sur une table d'acier, un support métallique surélevant la tête pour réaliser une série de photographies en noir et

---

1. Service chargé de l'enlèvement des corps.

blanc. À titre expérimental, on prit également plusieurs clichés couleur. Les lacérations de la face furent suturées pour réajuster la mâchoire et, tandis qu'on enregistrait les empreintes, Brown patienta dans une pièce cloisonnée de verre jouxtant la salle d'examen. On lui apprit qu'un *post mortem* serait pratiqué le lendemain par le chirurgien en chef. Un assistant déclara que la morte avait peut-être été conservée dans de la glace : les crêtes de ses empreintes digitales paraissaient rabougries et la peau de ses doigts se plissait en formant des sillons. L'adjoint chargé de prendre les empreintes estima toutefois possible d'en développer un jeu qui autorise une classification. S'il y avait quelque part le moindre enregistrement sur elle, alors on aurait son identité.

Une photo du visage, retouchée, permettrait d'avoir une idée de ce à quoi la fille ressemblait. « L'original n'est pas très parlant, expliqua Brown à Donahoe au téléphone. Le visage est couvert de bleus, les traits sont bouffis et déformés. On pense qu'elle a été tuée un bon moment avant de finir sur ce terrain vague et que son cadavre a séjourné dans l'eau, ce qui rend l'identification difficile. D'où la nécessité de ce portrait d'artiste. Avec un peu de veine, il lui donnera peut-être une apparence reconnaissable. »

Deux cents copies en furent imprimées à la hâte, et les enquêteurs se préparèrent à travailler sans relâche jusqu'à ce qu'ils aient une identité à proposer, voire une piste conduisant au meurtrier.

Dès la sortie des premières éditions spéciales contenant le portrait supposé de « Jane Doe », les lignes téléphoniques de la police furent saturées d'appels au sujet de mineures ou d'épouses en fuite. Les disparitions furent vérifiées et revérifiées, et la Juvénile de Georgia Street eut bientôt des indics à chaque porte, à chaque fenêtre, qui guettaient leur chance de découvrir l'identité de « Jane Doe ».

Dans les bureaux de l'*Examiner,* à l'angle de la 11ᵉ et de Broadway, Warden Woolard, le directeur adjoint de la rédaction, était en train d'activer la sortie d'une deuxième édition spéciale, quand il songea tout à coup à la Soundphoto. Les types chargés de réécrire les textes composaient des articles à toute allure, le temps de répondre aussi vite au téléphone ; on battait le rappel des équipes habituelles et les reporters faisaient entrer des infos toutes les demi-heures.

Les empreintes de la victime avaient été envoyées en express par avion aux gens du FBI, à Washington, mais le secrétaire de rédaction de nuit se lamentait déjà : il craignait de gros retards à cause des tempêtes qui clouaient les avions au sol. « Ça peut prendre une semaine avant qu'on ait des nouvelles », disait-il.

« On pourrait envoyer les empreintes par câble en se servant de la Soundphoto, proposa alors Woolard. Ça n'a jamais été fait, mais je ne vois pas pourquoi ça ne fonctionnerait pas. »

Si les lignes télégraphiques étaient fermées durant la nuit, l'International News Photowire allait rouvrir à 4 heures du matin. « Il ne faudra pas plus de temps pour envoyer une feuille d'empreintes que pour n'importe quel autre type de photo », dit Woolard. Il suggéra d'appeler Donahoe afin d'obtenir une copie des clichés. « On pourrait les câbler demain matin en priorité. Il suffira qu'un agent du FBI vienne attendre au Hearst Bureau ; dès leur arrivée, il ira les porter lui-même directement au fichier. Et si les *feds* réussissent à mettre un nom sur ces empreintes, l'*Examiner* aura une longueur d'avance sur tous les journaux du pays. »

Donahoe accepta d'envoyer les empreintes par câble à Washington, afin d'accélérer l'enquête, même si Hansen avait le sentiment qu'on s'écartait du protocole habituel. Il savait que Donahoe était « en cheville » avec le directeur adjoint, mais ça ne l'intéressait pas – tout ce qu'il voulait, c'était savoir qui était cette fille.

À 4 h 02, les feuilles d'empreintes furent expédiées par câble. Avec le décalage horaire, il était un peu plus de 7 heures à Washington. Quand le chef de bureau et l'agent du FBI reçurent la téléphotographie, l'agent détecta immédiatement des problèmes. « Les empreintes sont trop floues pour permettre une classification, dit-il. Il y a des défauts et des blancs dans les tourbillons. » Il suggéra que l'*Examiner* agrandisse les empreintes, de façon à grossir les zones défectueuses pour les rendre lisibles.

Le service photo de l'*Examiner* entreprit aussitôt de réaliser des agrandissements de chaque empreinte en 20 × 25 centimètres, opération longue et fastidieuse. Ensuite, un câble Soundphoto spécial fut envoyé à Washington, chaque empreinte étant transmise séparément.

En moins de quelques minutes, le FBI fut en mesure d'identifier « *Jane Doe Numéro 1* ». Ses empreintes digitales figuraient sur une fiche de candidature à un emploi civil dans une base militaire au nord de Santa Barbara, en Californie. La fiche était vieille de quatre ans, mais elle décrivait une jeune femme de 1,65 mètre, pesant 52 kilogrammes, brune aux yeux bleus et au teint clair. Lieu et date de naissance : Hyde Park, Massachusetts, 29 juillet 1924. Elle n'était âgée que de vingt-deux ans au moment de sa mort. Son nom était Elizabeth Short. Elle ne portait pas de deuxième prénom.

Il ne faudrait que quelques jours aux enquêteurs pour apprendre qu'à Hollywood on la surnommait « le Dahlia Noir ».

2

Le père d'Elizabeth Short a abandonné sa voiture sur le Charlestown Bridge, dans le Massachusetts. Ensuite, il s'est évanoui dans la nature. Il a disparu. Cela s'est passé juste après sa faillite, au moment de la Grande Dépression. De l'avis général, il s'est noyé dans les eaux froides et profondes qui coulaient sous ce pont.

D'après un voisin de Cleo Alvin Short, il n'y avait rien de surprenant à ce qu'un homme dans sa situation se jette du haut de ce pont, réputé pour être un lieu de suicides, du moins au cours de cet épisode particulier de l'histoire américaine.

« Cleo a réellement été frappé par la malchance, expliquera ce voisin. Pour lui comme pour tant d'autres, la pression a été trop forte. Imaginez quel fardeau c'était de vivre dans un endroit où vous ne pouviez même pas trouver de quoi manger sans braquer une banque – et ça, Cleo en était incapable. C'était un *travailleur*, et fier de l'être, quand il s'est retrouvé au bord du désastre. »

Il faudrait bien du temps avant que ses voisins de Medford, ville située à quelques kilomètres de Charlestown et de son inquiétant pont, puissent arriver à comprendre ce qui était en fait arrivé à Cleo Short.

À son retour de la Première Guerre mondiale, bon mécanicien, il avait ouvert un garage auto dans la petite ville de Wolfboro, New Hampshire. Mais son épouse, Phoebe, enceinte de leur deuxième fille, souhaitait déjà pour ses enfants davantage que ce que Wolfboro avait à offrir. Leur aînée, Virginia (dite « Ginnie »), était une enfant douée et, au moment de la naissance de la cadette, Dorothea, le garage prospérait.

C'était en 1922. Phoebe, qui s'occupait de la maison et des enfants, aidait aussi Cleo en tenant la comptabilité, la facturation et les livres de comptes. Elle suggéra de vendre pour réaliser une plus-value, puis de créer une nouvelle affaire à Boston. Elle avait de proches parents à Medford, ville située à 8 kilomètres de la grande ville ; ils les aideraient, croyait-elle, à élever leur petite famille en pleine croissance, pendant qu'elle s'activerait au côté de Cleo pour monter ce nouveau business.

Beaucoup plus tard, Muriel, la dernière et la plus jeune de leurs cinq filles, affirmera que, si sa mère n'avait pas eu à les élever, elle aurait pu réussir dans les affaires. Phoebe était ambitieuse. Cleo semblait se satisfaire de ce qu'il avait, elle non. Elle s'était aperçue que les golfs miniatures et autres jeux d'arcade, très populaires à l'époque, rapportaient beaucoup d'argent. Cleo évoquait souvent son désir de monter une nouvelle affaire, et Phoebe s'imagina que le produit de la vente du garage leur offrirait une chance de construire à leur tour des terrains de golf miniature.

Cleo, qui ne croyait qu'en ce qui avait fait ses preuves, donna son accord à contrecœur. Selon lui, Medford était bien trop cher pour eux. Les loyers étaient plus abordables à Hyde Park, un quartier ouvrier de Boston... Il promit cependant à Phoebe que toute la famille déménagerait à Medford quand les terrains de golf se seraient révélés rentables.

Elizabeth (on l'appelait « Betty »), née à Hyde Park, n'avait pas deux ans quand les Short louèrent un pavillon d'un étage sur Sheridan Avenue, à Medford. Avec ses quatre chambres à coucher, leur nouvelle maison leur offrait un spacieux refuge, fièrement dressé au bord d'une rue plantée d'arbres.

Medford était une ville d'une assez belle superficie, plutôt portée sur son passé historique, avec ses maisons coloniales et ses vieilles distilleries de rhum – sans parler des grands clippers construits sur place, qui naviguaient sur la Mystic River jusqu'au port de Boston pour s'échapper sur l'océan Atlantique. La rivière serpentait à travers la cité, imitée par les rues aux pavés arrondis qui enlaçaient une multitude de quartiers, d'églises, d'écoles, d'échoppes de bottiers ou de petites boutiques où l'on dégustait des glaces.

Les deux benjamines, Eleanora et Muriel, nées à Medford, y grandirent elles aussi. Comme leur mère, elles adoraient cette ville. Le golf miniature bâti par Cleo près du Cercle Howard Johnson fut vite considéré comme l'un des meilleurs jamais construits et se révéla une affaire florissante. Les Short achetèrent de nouveaux meubles, une nouvelle voiture, un piano, et Ginnie et Dottie prirent des leçons de chant. Selon Muriel : « Maman voulait pour nous ce qu'il y avait de mieux. Elle se faisait aussi un honneur de respecter les convenances et les bonnes manières. »

Les Short, cependant, ne purent empêcher la Grande Dépression, avec son cortège de faillites, de venir chambouler leur existence. Tout le pays fut touché. Au début de l'année 1929, une partie de golf miniature restait encore un bon moyen de se changer les idées, mais quand le besoin de pain a supplanté l'envie de distractions, les affaires de Cleo ont commencé à péricliter. D'après les souvenirs de Muriel, son père ne croyait pas, dans un premier temps, que la « crise financière » durerait : « Il répétait sans cesse à maman que ça allait s'arranger d'un jour à l'autre. Il disait que le chômage n'allait pas continuer. Il expliquait que les gens retourneraient bientôt au travail. »

Quand il lui devint impossible de payer ses employés, Cleo réalisa brusquement que la « crise financière » allait durer plus longtemps que prévu. Phoebe, les enfants et lui furent brusquement arrachés à leur « belle petite vie ». Et quand l'entreprise de Cleo fut mise en faillite, ses rêves ont sombré, comme des milliers d'autres dont les débris venaient s'échouer sur le rivage.

Après la découverte de la voiture de Cleo, abandonnée sur le pont de Charlestown, la police de Medford a lancé des recherches. Mais on a fini par se dire qu'il avait dû sauter, et que le courant l'avait entraîné au fil de l'eau.

Muriel n'avait que deux ans. « Je ne pouvais pas vraiment réaliser quel manque cela représentait, dira-t-elle. Mes sœurs, elles, s'en rendaient compte, en particulier Ginnie et Betty. Personne ne savait ce qui s'était passé. » Cleo avait légué à Phoebe une affaire bien mal en point, et des créanciers désespérés dont elle ne pouvait satisfaire les réclamations. Il l'avait laissée se débrouiller avec la faillite et les tribunaux, ainsi qu'avec l'obligation d'assurer à ses cinq filles un toit et de quoi manger. Le jour de sa disparition, il n'y avait pas assez de provisions à la maison pour finir la semaine. Cela signifiait qu'il leur faudrait vivre de l'aide sociale, s'aligner dans les longues files, et accomplir tout ce qu'une femme d'honneur, une Yankee « qui n'avait jamais demandé un sou à personne », considérait comme impensable.

Phoebe le fit, cependant. Ne pouvant plus payer les 35 dollars du loyer, elle déménagea, quittant l'agréable demeure de Sheridan Avenue pour un endroit plus petit, sur Evans Street. Et, quelques mois plus tard, quand le propriétaire augmenta le loyer, elle fut une nouvelle fois obligée de s'en aller. Elle s'installa avec ses enfants au rez-de-chaussée d'une maison occupée par deux familles, sur Magoun Avenue. Les Short n'y disposaient que de deux petites chambres à coucher, et Phoebe dut convertir la véranda en troisième chambre, où s'entassèrent Muriel, Betty et Eleonora. Si à la maison on manquait de place, le voisinage était toutefois « correct », ce qui pour Phoebe restait très important. Sa plus grande peur était de tomber dans un quartier mal famé.

Pour échapper à ses soucis, Phoebe cherchait un peu de réconfort dans les salles obscures. Elle acheta une carte d'abonnement au W. T. Grant's et, deux ou trois fois par semaine, emmena Muriel et Betty voir un film. « Ça n'intéressait pas vraiment mes autres sœurs, sauf s'il s'agissait de sortir avec un copain. Ginnie avait un petit ami, et Dottie préférait rester à la maison avec Nonie – surnom qu'on donnait à Eleonora... Je ne sais pas pourquoi Betty et moi, on était comme maman... On adorait aller au cinéma ! »

Selon Muriel, Betty transformait toujours ces sorties en moments particuliers. Elles se mettaient sur leur trente et un et partaient tôt, de façon à pouvoir faire du lèche-vitrine en chemin. Elles n'avaient pas les moyens de s'offrir tout ce qu'elles voyaient mais, comme le disait Phoebe à ses deux filles, regarder ne coûtait rien, ni rêver et faire des projets d'avenir. « Quand les temps sont devenus un peu moins difficiles, raconte Muriel, on s'arrêtait pour manger une glace ou un sundae chez United Farmers. »

Phoebe, dès que possible, se faisait engager comme comptable, mais pendant quatre ans, les Short vécurent surtout de l'Aide aux mères de famille et des allocations versées par l'État. Muriel se souvient d'une colère de sa mère contre le dispensaire de l'assistance publique : « Quand j'ai commencé à aller à l'école, explique-t-elle, le docteur m'a vacciné sur le bras, à un endroit où ça se voyait, et non discrètement derrière la jambe gauche, ce qu'avait fait notre médecin de famille pour Betty et mes autres sœurs... Tout le monde a voulu voir ma cicatrice... C'était comme si j'avais un défaut. »

Deux fois dans la semaine, Betty prenait Muriel par la main et l'emmenait à la caserne des pompiers pour la distribution de lait. Elles partaient en avance, si bien qu'au moment où elles prenaient place dans la file, seules deux ou trois personnes attendaient. Mais à 10 heures du matin, lorsque le camion arrivait et que les pompiers commençaient à tendre les bouteilles de lait, la queue faisait deux fois le tour du pâté de maisons. Muriel se rappelle la honte éprouvée lorsque d'anciens voisins les apercevaient avec leurs bouteilles de lait gratuites à la main. « Même gamines, dit-elle, on avait déjà cet orgueil yankee qui nous venait de maman. Il fallait que l'on tienne debout toutes seules, par nos propres moyens. »

Les chaussures de l'aide sociale embêtaient particulièrement Muriel. Elle était obligée d'aller à la Swan School pour les obtenir, ainsi que des chemises de nuit taillées dans des sacs. « Il y avait de minuscules fleurs imprimées dessus, se souvient-elle. Les chaussures étaient solides, avec de gros lacets et d'épaisses semelles, mais tout le monde savait d'où elles provenaient. Je me suis sentie moins mal quand j'ai appris que certains enfants n'avaient pas de chaussures *du tout*. »

Muriel était à l'école primaire au moment où le propriétaire a augmenté le loyer de leur logement sur Magoun Avenue. Ne pouvant payer, les Short durent une fois encore déménager. Par chance, Phoebe trouva un appartement sur Salem Street, dans un immeuble sans ascenseur. L'année scolaire était trop avancée pour que Muriel change d'école et, durant quelques semaines, elle se rendit à pied dans l'ancienne. Cette fois, leur nouveau quartier n'était plus parmi les meilleurs de Medford.

Ensuite, Betty est tombée malade. Sa santé fut si mauvaise, cette année-là, qu'elle manqua trente-six jours de classe et dut subir à plusieurs reprises un lourd traitement médical. Selon Muriel : « Elle avait de l'asthme, comme Ginnie et moi, mais parfois, chez elle, c'était pire. Il arrivait que, toutes les trois, on passe la nuit à lutter pour respirer normalement. On s'étendait à tour de rôle dans le rocking-chair et, quand ça empirait vraiment, maman était obligée d'appeler le médecin. Il arrivait, même au beau milieu de la nuit, et nous faisait une piqûre d'adrénaline. » Les allergies étaient encore inconnues. Or, à une certaine époque, la famille Short comptait deux chiens et deux chats. Chaque fois que Betty se trouvait loin de la maison, son asthme paraissait s'arranger. Cependant, vers la fin du printemps, elle tomba tellement malade qu'il fallut l'hospitaliser. Une opération fut nécessaire pour nettoyer l'un de ses poumons. Après l'intervention chirurgicale, elle alla se rétablir chez sa grand-mère, dans le Maine.

S'installer sur Salem Street, c'était pour Phoebe descendre une marche supplémentaire. Mais ce déménagement la rapprocha d'un nouveau travail à plein temps, six jours par semaine, comme employée à la Mystic Bakery, une boulangerie de Medford Square. Muriel se souvient que sa mère travaillait dur, « elle était toute la journée debout, à l'accueil. Sur le chemin du retour, elle s'arrêtait à l'épicerie et, en rentrant, elle préparait le dîner pour tout le monde ». Chacune à leur tour, les filles mettaient la table et lavaient la vaisselle. Il régnait dans la famille un esprit de coopération ; tout le monde donnait un coup de main pour les tâches ménagères. Souvent, les trois aînées discutaient de leur père, se demandant ce qui avait pu lui arriver. D'après Muriel, elles parlaient bas, comme si elles ne voulaient être entendues ni d'elle ni de Nonie.

Le samedi soir, le faible son de la radio parvenait jusque dans les chambres des filles, pendant que leur mère lavait et repassait ce qu'elles allaient porter à l'église le lendemain, préparant aussi les rubans et cirant les chaussures. « Maman était exigeante quant à notre apparence, raconte Muriel, il fallait qu'on soit très jolies. C'était la tête haute qu'on parcourait le chemin vers la First Baptist Church, à trois blocs de chez nous, sur Oakland Street. »

« On avait l'habitude d'aller écouter les fanfares sur le terrain communal chaque vendredi soir. Et quand c'était la fanfare militaire qui répétait, on était également là, assises dans l'herbe... » Un garçon rougissait chaque qu'il voyait Betty, et elle le taquinait de façon amicale, sans méchanceté.

Betty et l'aînée de ses sœurs, Ginnie, se disputaient perpétuellement à propos de la radio. « Spécialement quand le Texaco Show diffusait ce qu'on jouait au Metropolitan Opera. Ginnie voulait écouter l'opéra et, comme c'était elle la plus âgée, on mettait ça. Mais Betty ne voulait pas écouter tout le temps ces trucs classiques raffinés, et moi non plus. Betty aimait la musique populaire, les chansons des comédies musicales : on disait d'elle que c'était une seconde Deanna Durbin[1]. Betty voulait *danser*. Elle ne voulait pas rester plantée sur place à « miauler », comme elle disait... tandis que Ginnie, qui avait étudié l'opéra, avait commencé à chanter de manière professionnelle, donnant des concerts au Jordan Hall. »

---

1. Chanteuse et actrice américaine née en 1921, belle brune célèbre pour ses rôles de jeune femme, à partir du milieu des années 1930, dans plusieurs comédies musicales.

Durant l'hiver 1940, Betty, qui avait alors seize ans, partit pour la première fois loin de chez elle. Phoebe lui arrangea un séjour chez des amis à Miami Beach, pour tout l'hiver, espérant que la douceur du climat puisse améliorer sa santé. Et comme Betty avait désormais son permis de travail, il lui était possible de trouver un emploi à temps partiel dans une station balnéaire.

Betty envoyait des lettres, parfois plusieurs dans la même semaine, à Phoebe et à ses sœurs. Souvent, elle faisait parvenir des cartes postales amusantes à Muriel, lui disant combien elle lui manquait, mais ajoutant qu'elle ne regrettait ni la glace ni la neige. Sa chambre, précisait-elle, était petite, avec des meubles en érable, comme ceux de la pièce qu'elle partageait avec Muriel à la maison. Elle n'avait pas attrapé froid une seule fois ni subi une seule crise d'asthme depuis qu'elle avait quitté Medford.

Durant les deux hivers suivants, Betty mit à nouveau le cap sur la Floride, ne revenant à Medford qu'au printemps. Eleanor Kurz, une amie de Dottie, avait souvent croisé Betty avant la guerre, en général à la cafétéria de Salem Street, face à la mairie. M. Griffin, le propriétaire, avait la cinquantaine ; il était petit et râblé, avec de fins cheveux grisonnants, et portait des lunettes cerclées d'or. L'établissement se limitait à un comptoir flanqué de tabourets.

« Je n'avais pas vu Betty depuis un bon bout de temps, raconte Eleanor, et la voilà tout à coup assise bien droite sur le tabouret le plus éloigné de la porte, habillée avec soin, jusque dans les moindres détails, portant un manteau en léopard et un chapeau. Face à elle, j'ai eu l'impression de sortir tout droit de ma campagne. Je me suis dit que la petite sœur de Dottie avait bien grandi, c'était certain. »

Eleanor lui expliqua en quelques mots qu'elle ne l'avait pas reconnue, tout en la complimentant sur son allure. « Selon certaines personnes, M. Griffin était le *boyfriend* de Betty, mais je crois qu'en réalité il voulait simplement l'aider, à la manière d'un père. »

« Betty avait les jambes croisées, elle portait des bas de couleur sombre et des escarpins en daim, et elle était très maquillée par rapport aux standards de Medford. Elle n'avait pas vingt ans, mais elle semblait plus âgée – sophistiquée. » Elle était allée en Floride, et Eleanor se dit que la Floride lui réussissait, sans aucun doute.

Betty expliqua qu'elle travaillait maintenant comme ouvreuse dans un cinéma, le Square Theater, un métier pas vraiment palpitant. Mais elle adorait voir les films. Elle raconta qu'elle avait posé comme mannequin à Miami. Eleanor lui assura qu'elle pourrait sûrement poursuivre une carrière dans ce domaine. « J'aimerais bien, fit Betty. M. Griffin pense que je peux certainement y arriver. »

Eleanor avait été l'une des premières à entendre la rumeur selon laquelle Cleo Short ne s'était pas tué et qu'il était toujours bien vivant, loin de Medford, quelque part dans l'Ouest. Lorsqu'elle reçut une lettre de son mari, Phoebe eut un choc. Cleo se trouvait au nord de la Californie, où il avait un poste dans les chantiers navals. Il s'excusait d'être parti comme ça, d'une façon, précisait-il, qu'il n'avait pas voulue. Il tentait d'expliquer qu'il n'avait pas été capable d'affronter les problèmes. Il savait que s'il se faisait passer pour mort ou si on estimait qu'il avait abandonné sa famille, Phoebe aurait droit à davantage d'aides. Cela valait mieux que ce qu'il lui aurait apporté en restant à Medford. Il demandait maintenant si on voulait bien lui permettre de rentrer dans son foyer.

Après avoir encaissé le coup, Phoebe lui répondit par un *non* catégorique. Elle ne le considérait plus comme son « mari ». Il les avait bel et bien abandonnées. Elle ne pouvait pas le lui pardonner.

« On avait grandi, raconte Muriel. À cette époque, on commençait à tracer notre propre route. Dottie et Ginnie travaillaient à Boston. Nonie avait un emploi dans la rue où nous habitions, à la teinturerie, juste après la boulangerie. Je venais d'avoir treize ans et j'avais obtenu moi aussi mon permis de travail. Les samedis, je faisais du classement et des tâches administratives chez un assureur, à Boston. Maman était fière de ne dépendre de personne d'autre qu'elle-même, et elle nous voulait autonomes. Elle disait qu'il n'y avait plus aucune raison pour que notre père revienne. »

Les filles avaient été élevées dans le respect de la décence. « On ne se promenait jamais en petite tenue, raconte Muriel. On passait toujours un peignoir, même à la maison entre filles. Et on ne discutait jamais des choses du sexe avec maman. » Muriel était intriguée par le grand flacon de « Lydia Pinkham » et toutes les pilules que prenait Betty pour ses problèmes de femme. Le sujet ne fut jamais évoqué, et Muriel n'aurait pas osé poser de questions, mais elle savait que Betty n'avait pas encore ses règles. Voilà pourquoi on faisait toutes ces cachotteries.

Plus tard, quand Betty se mit à acheter des tampons, Muriel se dit que les pilules « Lydia Pinkham » avaient résolu le problème. Betty prendrait ensuite l'habitude de s'attarder devant les protections féminines, à la pharmacie, achetant ses serviettes hygiéniques d'une façon particulièrement enjouée et ostentatoire, embarrassant le jeune vendeur.

Maintenant qu'elle avait un peu d'argent à dépenser, Betty emmenait Muriel faire des séances de shopping ou de petites excursions à Boston ; elles déjeunaient chez Schraft's ou allaient voir un film. Betty adorait les grands « cinémas-palaces », avec leurs immenses foyers recouverts de moquette, leurs plafonds surchargés d'où pendaient des lustres de cristal et d'or. Elle essayait de faire comprendre à sa petite sœur ce que ce genre d'endroits avaient de « spécial », mais Muriel ne saisissait pas.

Un jour qu'elles faisaient des courses, Betty acheta un plumier très coûteux à Muriel qui en rêvait secrètement. Un geste qui fut jugé extravagant.

Avec cinq filles en âge de sortir, la sonnette tintait sans arrêt chez les Short. Faute de téléphone, trop coûteux, on poussait le bouton avant de brailler dans l'interphone :

— Est-ce que la petite Short est là ?

L'une des filles hurlait à son tour :

— Laquelle ?

Tous ces cris excitaient le chien. Le loulou de Poméranie se mettait à aboyer et à tirer sur les socquettes de Muriel, qui déboulait dans l'entrée en tentant de lui échapper.

Quand tomba la nouvelle du bombardement japonais sur Pearl Harbor, Betty était en Floride. Le reste de la famille était attablée, pour le dîner du dimanche soir, avec la radio allumée. Au moment où la voix du président Roosevelt s'est fait entendre, Muriel a senti que tout allait changer, et probablement pour le pire.

L'âge de la conscription tomba à dix-huit ans et, bien que Phoebe n'eût aucun fils, elle accrocha à sa fenêtre la bannière frappée de l'étoile bleue[1]. « Lorsque Dottie a appris qu'elle était trop maigrichonne pour être acceptée dans l'armée, racontera Muriel, elle s'est empiffrée de milk-shakes et de doubles laits maltés dans le but de prendre du poids. » Dottie s'engagea finalement dans le WAVE, le corps des volontaires féminines de l'US Navy ; elle devint cryptographe et

---

1. Durant la Seconde Guerre mondiale, aux États-Unis, les mères qui avaient un fils au front suspendaient cette bannière patriotique à leur fenêtre.

fut affectée à Washington, D.C. Sur le manteau de la cheminée, au milieu des portraits de famille, Phoebe disposa fièrement une photographie de Dottie vêtue de la toque bleue et blanche des membres du WAVE.

Au printemps, Betty rentra de Floride et travailla comme ouvreuse à Boston, remplaçant un garçon appelé sous les drapeaux. Elle prit également un emploi à temps partiel au Child's Restaurant, où elle rencontra un homme qui vivait à Somerville. De temps à autre, elle faisait le chemin jusque chez lui. Elle attrapait un trolley à Lechmere Square, parcourait tout Cambridge puis Highland Avenue, à Somerville, et descendait pour aller le rejoindre à la cafétéria Donald's, où ils déjeunaient ensemble. Il était membre du conseil d'une église presbytérienne, l'Église adventiste du septième jour, et collectionnait les autographes de célébrités, essentiellement des vedettes du sport, ainsi que les sculptures chinoises – certaines d'entre elles, minuscules et taillées dans l'ivoire, fascinaient Betty. Au bout de quelques semaines, il lui acheta un coûteux manteau, avec le chapeau assorti, qu'elle arbora en déambulant dans les rues, tel un mannequin.

Betty, d'après les souvenirs de Muriel, « était toujours mise sur son trente et un quand elle allait travailler, et elle s'arrêtait parfois au Liggett's Drugstore, sur Tremont Street. Elle s'asseyait au comptoir, là où l'on pouvait déjeuner, et elle buvait du café en discutant avec la serveuse ou avec la personne qui se trouvait à côté d'elle. » Selon Ruthie, la serveuse, le gérant n'aimait pas Betty, parce qu'elle s'abstenait de lui faire du gringue. « Elle n'essayait jamais de ramasser quelqu'un, raconte Ruthie. Ça, je le voyais bien. Elle se montrait juste amicale avec les gens. Et aussi avec moi. Je portais un uniforme beige et vert, avec un tablier et un petit machin amidonné sur la tête, ce que je trouvais affreux, mais Betty disait que c'était mignon et qu'elle préférait ça à l'uniforme qu'elle avait porté au Child's. Ça me remontait le moral. Le jour où j'ai acheté mon caban, on faisait du shopping ensemble. À part les boutons qui étaient unis, on aurait dit un caban de marin sans l'insigne de la marine. Si on ne servait pas dans l'armée, on n'avait pas le droit de porter l'uniforme officiel. J'ai décidé de garder mon caban sur moi pour rentrer et j'ai mis mon vieux manteau dans la boîte. Au moment de sortir, le vigile du magasin nous a arrêtées. Il nous a conduites dans une pièce à l'écart. Je me sentais très nerveuse, alors que Betty était calme, presque joyeuse. Même après avoir vu mon ticket, il a continué à nous poser des questions. Mais il paraissait s'intéresser surtout à Betty et il n'avait plus l'air de s'en faire du tout pour le caban. »

Betty parlait très peu de l'homme qu'elle allait retrouver chez Donald's, soucieuse de ne pas nuire à sa réputation : encore très jeune à cette époque, elle n'était pas une fréquentation convenable pour un homme plutôt âgé.

Il arrivait souvent à Betty de faire de longues promenades en solitaire. Ou bien, elle allait marcher et discuter avec Muriel, ou avec la fille des voisins, la petite Mary. Un après-midi, un gros chien policier au pelage brun suivit Betty de Medford Square jusque chez elle. « On ne disait pas un "berger allemand", pendant la guerre, raconte Muriel. Le chien ne voulait pas rentrer chez lui. Il regardait simplement Betty, la queue basse, et il a continué à la suivre. Il n'avait ni collier ni tatouage ; elle a dit qu'elle le trouvait aussi gentil qu'un bébé. Elle allait donc l'appeler comme ça, "Bébé". »

Phoebe déclara tout de suite aux filles qu'on ne pouvait pas prendre un deuxième chien à la maison. Un seul, c'était déjà beaucoup avec le rationnement. Il faudrait lui donner des os et on n'avait pas les moyens de lui fournir toute la nourriture dont il aurait besoin.

Betty fit alors sortir le chien pour qu'il s'en aille, mais il s'assit au pied de sa fenêtre en poussant des hurlements. Craignant les plaintes des voisins, Phoebe dit alors aux filles de le faire rentrer. Il allait falloir retrouver très vite son propriétaire.

Le chien resta tout le printemps et une partie de l'été, se contentant de suivre Betty à la trace. Il l'attendait à la sortie des magasins, l'accompagnait à l'arrêt du trolley et, bien qu'il disparût parfois pendant des jours, il revenait sans cesse hurler sous sa fenêtre. Betty et Muriel identifièrent finalement ses maîtres, qui n'habitaient pas très loin, à South Medford. « Vous l'appelez "Bébé"! Mais son vrai nom, c'est Tiger! Pour nous, c'est un chien méchant... »

Une nouvelle lettre de Cleo leur apprit que la Californie regorgeait d'emplois. Betty avait écrit à son père à Vallejo. Dans sa réponse, il lui expliqua qu'il travaillait à la base navale de Mare Island et lui demandait si elle voulait venir habiter avec lui. Il suggérait que Betty s'occupe de la maison en attendant de décrocher un emploi. Il lui enverrait le prix du billet dans un prochain courrier. Betty était prête à aller le rejoindre, mais Phoebe restait partagée : la Californie était à l'autre bout du pays... Betty sut la convaincre que son père s'occuperait d'elle. Elle resterait « saine et sauve ». Selon Muriel, « maman ne l'aurait jamais laissée partir, si elle n'avait pas cru que l'on veillerait sur elle ». Betty insista beaucoup sur son désir de travailler dans le cinéma, ce qui l'obligeait à aller là-bas, en Californie.

Mary, la petite voisine des Short, a gardé des souvenirs d'elle la semaine de son départ. « Elle était très bien habillée, tout en bleu clair. Elle m'a prise par la main pour traverser Salem Street au moment où nous nous dirigions vers la station-essence. Je me rappelle que le gérant de la station s'est interrompu dans son travail pour s'approcher et lui parler. Je pense que j'ai dû rester là à me dandiner d'un pied sur l'autre pendant qu'ils bavardaient. Ils se sont fixé un rendez-vous avant son départ en Californie. Elle a dit quelque chose à propos d'Hollywood, et quand nous nous sommes remis en marche pour United Farmer, je lui ai demandé si elle serait bientôt une star de cinéma. Elle a ri et m'a dit que c'était ce qu'elle espérait, et quand on voulait être une star de cinéma, il n'y avait aucune chance d'y arriver en restant à Medford. Il fallait qu'elle aille à Hollywood. »

Mais Vallejo se trouve loin de Los Angeles, et les retrouvailles ardemment désirées par Betty furent tendues. Cleo expliquera par la suite qu'ils ont réellement essayé de s'adapter l'un à l'autre. Il affirmera avoir fait un effort pour s'intéresser à sa vocation de mannequin et à ses ambitions d'actrice, même s'il n'avait entendu parler de ces métiers-là que dans les journaux ou à la radio. Il travaillait depuis des années sur les chantiers navals, et l'opposition de Phoebe à sa réintégration dans la famille l'avait laissé plus amer qu'il ne l'aurait voulu. Peut-être lui fallait-il un peu de temps libre pour apprendre à connaître sa fille, cette magnifique jeune femme ? Il y avait certes un air de ressemblance, mais elle n'était pas comme ses autres sœurs, tout au moins en apparence. Il en savait si peu sur sa propre famille... Et il n'en saurait jamais beaucoup plus.

Un ami et collègue de Cleo à Mare Island lui confia les clés d'un appartement à Los Angeles qu'il louait encore, malgré son entrée aux chantiers navals. « Fais visiter le Grauman's Chinese à ta fille, lui dit-il, laisse-la voir si ses empreintes de pas correspondent à celles des stars[1]. »

---

1. Le Grauman's Chinese, bâti en 1927, est l'un des temples du cinéma à Los Angeles. Dès sa fondation, les stars furent invitées à laisser leurs empreintes de pied et de main dans le ciment de la cour intérieure.

Betty était très excitée à l'idée de ce voyage à Hollywood, concevant déjà le projet de se faire embaucher comme figurante. Cleo, lui, pouvait poser sa candidature à un emploi chez Lockheed Aircraft, ce à quoi il songeait depuis un moment. Cependant, il n'est pas certain qu'il ait réellement fait le voyage avec elle. Quoi qu'il en soit, des frictions ont rapidement surgi entre eux, lorsqu'il s'est mis à retarder le moment de ces « vacances », redoutant de dépenser son argent dans quelque chose qui ne lui serait pas utile. Leur désaccord s'amplifia, et il se mit à la critiquer de plus en plus – ses nombreux rendez-vous avec des garçons, son manque d'ordre... Il l'accusa d'être paresseuse, d'avoir « une mauvaise moralité » parce qu'elle sortait avec des marins de Mare Island. Puis, très vite, il la jeta dehors. « Je lui ai dit d'aller son chemin et de me laisser suivre le mien, allait-il expliquer un peu plus tard. On ne s'entendait pas et je ne voulais plus rien avoir à faire avec elle. »

Un soldat qui vivait à Vallejo conduisit Betty en voiture à Camp Cook, base d'entraînement d'une division blindée où elle pourrait trouver un emploi civil et aurait droit à un logement sur place. Il l'emmena au *post exchange*, le magasin militaire. Elle dit au gérant qu'elle était venue en Californie pour sa santé, mais qu'elle allait bien, maintenant ; elle avait besoin d'un job pour continuer à bénéficier du climat. « Chez moi, on m'appelle Betty, fit-elle, mais je préférerais qu'on dise Beth. » À partir de ce moment, en dehors de Medford, elle se fera toujours appeler Beth. Ce jour-là, elle s'était confectionné une natte, relevée par des épingles à cheveux, et son sourire était irrésistible. « J'ai travaillé comme employée de bureau et comme serveuse, je peux tenir une caisse enregistreuse... » Le gérant lui répondit qu'il avait besoin d'une seconde caissière. Elle fut engagée.

Le soldat, qui n'était pas en poste à Camp Cook, lui recommanda, au cas où elle descendrait à Santa Barbara, de passer le voir. Il lui montrerait la ville, s'il était toujours dans le pays et non aux Philippines ou à Guam, « ou quelque part dans les forêts de Tchécoslovaquie », lui dit-il. « Souvenez-vous, si vous avez besoin de vous faire escorter par un G.I., je suis le meilleur pour ça, à Santa Barbara. »

En moins de deux semaines, toute la base ne parla plus que de Beth. Le bruit se répandit : on peut regarder, mais on ne touche pas. La nouvelle fille, au PX, était « paraît-il mignonne comme tout, mais pas prête à se donner à qui que ce soit ». La base connaissant une sérieuse pénurie de logements, Beth n'avait pas reçu ses quartiers et dormait partout où elle trouvait de la place. Un sergent tenta d'établir ses droits sur elle en se montrant à la fois généreux et bienveillant. Il lui offrit un lit de camp dans sa caravane, à titre temporaire, si elle le souhaitait. Elle s'y installa avec enthousiasme, en s'imaginant qu'il comprenait la situation : elle ne cherchait pas la romance mais juste un toit, dans l'attente d'économiser assez d'argent pour aller à Hollywood.

Le jour où Beth lui fit savoir qu'elle était souffrante et qu'elle ne viendrait pas prendre son service, le gérant du magasin militaire fut déçu. Quant au sergent, il n'apparaîtra jamais clairement qu'elle ait pu se montrer trop « encourageante » vis-à-vis de lui. Elle repoussa ses avances ; il la traita d'« allumeuse » et la frappa, lui laissant un œil au beurre noir.

Elle alla se plaindre au commandant et put alors très vite prendre ses quartiers, qu'elle partagea avec Mary Stradder, un sergent du Women's Army Corps. À l'entendre parler des hommes et de la façon dont son père l'avait fichue dehors, Stradder s'inquiéta pour Beth, se demandant si cette fille était assez dure, si elle avait l'étoffe nécessaire pour réussir ce à quoi elle prétendait.

Quand Beth remporta le concours de la « Miss la plus mignonne du camp », le sergent Stradder lui dit que sa beauté lui suffirait peut-être « à s'en sortir ». Mais elle devait faire attention aux hommes qu'elle prenait dans ses filets.

Le gérant du magasin déclarera plus tard qu'en raison de la pénurie de logement il avait dû envisager une réduction de son personnel civil. Beth se mit alors à chercher du travail en dehors de la base. Elle résida temporairement dans un ranch à quelques kilomètres de Santa Barbara, dormant dans un vieux bâtiment-dortoir en compagnie d'une fille rencontrée à Casmalia. Puis, elle partit en quête d'un emploi, à Santa Barbara, atterrissant sur le canapé d'une autre fille, dans un appartement.

Ce fut vers la fin du mois de septembre que Beth se heurta à la police. Elle se trouvait avec un groupe de filles et de militaires qui « faisaient un peu de bruit » dans un restaurant. La police mit un terme à la fête, mais comme Beth n'avait pas l'âge légal et n'était accompagnée ni par un parent ni par un tuteur légal, elle fut placée en garde à vue et inculpée pour s'être trouvée, en tant que mineure, dans un lieu où l'on servait des boissons alcoolisées.

L'agent Mary Unkefer se rendit rapidement compte que Beth n'avait rien d'un pilier de bar. C'était une fille à la voix douce, avec la chevelure la plus sombre qu'elle eût jamais vue. On lui dressa un PV et on prit ses empreintes. Elle était effrayée, se faisant du souci à propos de ce qu'allait dire sa mère quand elle l'apprendrait.

Unkefer s'arrangea pour la maintenir personnellement sous sa garde jusqu'à ce que son cas fût réglé. Beth ne pouvait rentrer dans l'appartement de sa colocataire, désormais en couple avec un soldat. Dans la mesure où ils n'étaient pas mariés, les conditions légales n'étaient pas réunies pour que Beth puisse y retourner, sauf pour rassembler ses affaires. Elle logea chez l'agent Unkefer jusqu'à ce que des dispositions soient prises à Santa Barbara, où l'administration devait la nourrir et veiller sur elle.

Elle avait dix-neuf ans et son père refusait de la reprendre en charge. Il fut décidé que Beth repartirait dans le Massachusetts, chez sa mère. Unkefer la conduisit en voiture à la gare routière, la fit monter dans un bus Greyhound, s'assurant qu'elle soit bien installée pour le voyage.

— Tiens, je veux que tu prennes ça, dit-il en lui glissant dix dollars au creux de la main. Ta mère n'a pas besoin de savoir pour tes ennuis, à moins que tu ne veuilles lui raconter ce qui s'est passé. On n'enverra pas de rapport dans le Massachusetts, tu n'as pas besoin de t'inquiéter... Mais ce ne serait pas une bonne idée pour toi de revenir à Santa Barbara et d'avoir d'autres problèmes plus graves. Ce qu'on te donne, c'est un avertissement.

Au souvenir de cette conversation, Unkefer ajoute : « Elle m'a fixé de son merveilleux regard et m'a dit :

— Je suis désolé pour tous ces problèmes.

Elle était si jolie, et elle rêvait au fond de son cœur de rester en Californie pour jouer dans des films. Je lui ai suggéré d'attendre deux ou trois ans, puis de réessayer. »

3

Le poste de radio beuglait *In the Mood*, de Glenn Miller, tandis que le jeune aviateur dansait dangereusement au bord de la jetée.

Dans l'une de ses lettres, Beth avait écrit l'avoir rencontré à l'occasion d'une longue promenade en voiture jusqu'à Tampa Bay, excursion faite en compagnie de deux soldats et d'une certaine Sharon Givens, une fille aux cheveux blond vénitien. Leur break n'avait pas de vitre arrière, et les gaz d'échappement envahissaient l'habitacle, si bien qu'ils avaient fini par laisser toutes les vitres grandes ouvertes, s'amusant à imaginer qu'ils volaient en rase-mottes au-dessus de la jungle des Philippines.

Les deux garçons avaient voulu aller pêcher à Saint Petersburg, au bord de la promenade, et boire de la bière en écoutant de la musique. Les filles, pendant ce temps, s'amusèrent à nourrir les pélicans. Puis Beth et Sharon allèrent chercher des hot-dogs pour tout le monde avant de rejoindre les garçons. À mi-chemin de la plage, elles pouvaient déjà entendre le son de leur radio. L'aviateur, qu'elles ne connaissaient ni l'une ni l'autre, dansait seul. Il jetait les jambes en l'air, esquissant un *jitterbug* au-dessus de l'eau, au-delà du rail de sécurité, sautillant à l'extrême bord de la jetée. Criant plus fort que la musique, Beth lui hurla qu'il y avait des requins dans l'eau. « Je n'oublierai jamais la pose qu'il a prise à ce moment-là, raconte Sharon Givens. Il s'est arrêté, comme prêt à tomber à l'eau et il a fait : "Mince alors ! J'ai des requins dans mes poches de pantalon." Je n'aurais pas voulu d'un gars qui se trémoussait comme ça ! Ensuite, il est repassé par-dessus la rambarde, pour revenir sur la jetée, et il a fait un drôle de geste avec ses mains – comme s'il cajolait quelqu'un. Même Beth n'arrivait plus à le suivre. »

Une escadrille passa au-dessus d'eux et ils s'immobilisèrent en levant la tête. Le jeune aviateur identifia les appareils : tous des avions de chasse monomoteurs, de simples coucous, des « tapettes à mouche », dit-il. Lui, il pilotait un B-17 équipé de quatre moteurs à pistons, baptisé *Sweet Bottom*, « avec des requins spécialement dessinés sur les côtés ».

À la fin de l'après-midi, il monta dans le break et parla durant tout le trajet jusqu'à Miami Beach. Il resta affalé sur le siège arrière, à côté de Beth, que la fumée du pot d'échappement n'importunait plus. Sharon et les deux soldats, assis à l'avant, avaient allumé la radio. La voix de l'aviateur les empêchait d'écouter. L'un des deux soldats, celui avait lequel Beth était sortie à Tampa, monta le son pour couvrir ses paroles. Sharon racontera plus tard que ce trajet en voiture l'a presque rendue sourde.

Le jeune aviateur refit son apparition le samedi suivant, à Miami Beach, pour emmener Beth déjeuner *et* dîner. Elle dit à Sharon qu'ils avaient l'intention d'aller danser dans le parc dès que le soleil redescendrait, et elle l'invita à les accompagner. Les USO[1], aidés par des

---

1. Membres des United Service Organizations, corps de volontaires créé en 1941 pour apporter un soutien et des distractions aux soldats.

volontaires, avaient accroché des lampions et monté pour les danseurs une vaste estrade avec des gradins, comme pour un match de boxe. Le groupe qui allait jouer dans la soirée était en train de s'installer sur les marches, à l'extrémité de la piste de danse. Ce soir-là, les militaires vinrent tellement nombreux que la foule des danseurs déborda l'estrade et se répandit dans l'herbe. Entre deux danses, Beth ficha dans sa chevelure, ramenée sur le haut de la tête, quelques fleurs blanches.

Sharon demanda à Beth si elle accepterait de jouer les jeunes modèles et de présenter les collections, à l'heure du déjeuner, pour les clients de la cafétéria du grand magasin où elle travaillait. Beth avait joué les extra au rayon cosmétiques durant la saison des vacances, et le manager de Sharon avait gardé d'elle le souvenir d'une fille « vraiment douée ». Seul problème, à son avis : elle risquait d'attirer davantage l'attention que les vêtements qu'elle porterait.

Comme Beth allait quitter la Floride à la fin de la saison, Sharon demanda à Duffy Sawyer de venir assister à l'un des défilés du déjeuner. « Duffy l'a trouvée bien jeune pour faire des photos, racontera Sharon, mais il a dit qu'il pourrait contacter des clients à Chicago et à Indianapolis et, peut-être, arranger des entretiens, si Beth était en mesure d'aller là-bas, et si elle recueillait le consentement écrit de sa mère. » Selon Duffy, elle était réellement capable de devenir une pin-up.

Avant la fin de la saison, plusieurs types tombèrent amoureux de Beth à Miami Beach. « Par nature, Beth était une vamp, l'une de ces filles qui en chaque homme, sans exception, font sortir le loup. Et elle n'avait même pas besoin de se forcer », dira Sharon.

D'après elle, l'époque aussi voulait ça. Pendant la guerre, on se faisait des serments, on se jurait un amour profond alors qu'on s'était rencontré l'après-midi même. Le type montait ensuite à bord de l'un de ces petits coucous qu'avait évoqués l'aviateur, ou bien il s'installait dans la tourelle d'un canon sur un navire de guerre, ou il s'envolait au-dessus de Tokyo, de l'Europe, d'Iwo Jama, avec la mort en face, nuit et jour. De combien de temps disposait-il avant de quitter la Floride à tire-d'aile pour rejoindre l'enfer de Guam? Et combien de temps fallait-il, entre deux vols, pour tomber amoureux d'une jolie fille? On le faisait sans même savoir si on allait revenir… et si on rentrait, ce ne serait peut-être pas entier. Tout sautait, tout le monde faisait sauter tout le monde. Une jolie fille, c'était un rayon de soleil, et tomber amoureux, la façon la plus sûre, peut-être, de se rapprocher du paradis.

L'aviateur envoya une lettre de Nouvelle-Guinée. « Quand t'entendras *Ain't Misbehavin'*, de Dorsey, pense à moi en train de faire du rase-mottes au milieu de nulle part, parce que moi aussi j'pense à toi, chérie. » Beth répondit, mais elle n'entendit plus jamais parler de lui.

Phoebe Short adorait papoter tard le soir avec Betty, qui s'asseyait à la table de la cuisine pendant que sa mère réchauffait une boîte de soupe à la tomate Campbell's. D'autres fois, Betty venait tapoter à la porte de sa chambre et s'installait sur le lit pour discuter. Elle lui confiait ses rêves de voyage et de cinéma.

Ben Schuman, le propriétaire de la pharmacie, était toujours avide d'entendre les dernières aventures de Betty. Son employé ayant été appelé sous les drapeaux, Schuman donnait lui-même à Betty des conseils sur les différentes marques de produits pour femmes. Il la complimentait toujours sur son élégance.

Il était particulièrement impressionné par son magnifique chapeau rose, piqué de plumes d'autruche, qui semblaient flotter lorsqu'elle marchait.

Les femmes, dans le quartier, marquaient souvent une pause pour contempler Betty quand elle passait. Elles plaisantaient à propos de son effet sur les hommes. L'une d'elles disait même : « C'est un mystère qu'il n'y ait pas plus d'accidents de voiture quand Betty descend la rue... avec ces sifflets... et ces coups de klaxon. »

« Elle ne leur prête absolument aucune attention et ne ralentit pas d'un pouce, ajoutait une voisine. Elle se promène comme une grande dame vêtue de fourrure et de trucs comme ça, et, l'instant d'après, la voilà qui court à travers le jardin parce qu'elle a vu s'échapper les poulets de mon mari. Elle dévale les trois volées de marches et s'élance pour chasser les volailles vers leur poulailler... Vous la voyez courir, avec sa poitrine qui se soulève, derrière les poulets qui battent des ailes en gloussant, puis elle se penche sur la clôture pour tenter de reboucher le trou avec un morceau de carton, pendant que les poulets passent la tête dans l'espoir d'aller refaire un tour dehors ».

Sharon Givens, qui avait trouvé du travail à Houston, au Texas, eut la surprise de recevoir un appel de Betty, passé depuis Los Angeles. Betty, qui se faisait maintenant appeler Beth, disait avoir fait du chemin depuis Miami et expliqua qu'elle n'avait pu obtenir d'embauche en se présentant de la part de Duffy. Il l'avait envoyée à Indianapolis, où elle devait poser pour un fabriquant de chapeaux, mais, une fois là-bas, l'un des vendeurs lui avait prêté de quoi se rendre à Hollywood.

Le prix du billet ayant entamé son budget, elle se trouvait de nouveau à court de liquide. Elle demanda de l'argent à Sharon en attendant de recevoir son dernier salaire. Sharon la dépanna pour une semaine ou deux en lui envoyant un mandat Western Union, adressé à l'hôtel Clinton, à L.A.

Beth avait rencontré une certaine Lucille Varela, jeune fille mince aux cheveux sombres, qui l'avait invitée à partager sa chambre au Clinton, sur Broadway. Ce n'était pas un hôtel où l'on pouvait résider à long terme. Selon la réglementation appliquée en temps de guerre, les chambres étaient louées pour une durée maximale de sept jours. Le réceptionniste étant le petit ami de Lucille, elles purent toutefois déroger à la règle.

Les deux filles allaient danser et boire dans les bars à cocktails du centre-ville et les cafés d'Hollywood. Selon Lucille, qui avait essayé de devenir danseuse, figurante et chanteuse, « Beth portait tellement de maquillage qu'il était très difficile de deviner à quel point elle était jeune ».

Dans les coulisses d'Hollywood, Lucille connaissait beaucoup de jeunes qui n'avaient pas l'âge légal pour travailler. Elle avait quelques contacts dans le cinéma, comme la jeune et blonde Barbara Lee, apprentie actrice à la Paramount, laquelle se plaignait, selon le vieux cliché, de finir la plupart du temps sur le sol de la salle de montage. Leur petite « bande » se retrouvait en général au Four Star Grill, sur Hollywood Boulevard, avec l'« agent » de Barbara et d'autres personnes du milieu du cinéma ou de la radio.

Moins de deux semaines après son arrivée, Beth accompagnait déjà Barbara dans les studios, où elle essayait de rencontrer des gens importants, s'efforçant de se montrer là où il le fallait.

Lucille quitta le Clinton pour emménager avec son petit ami dans une résidence, Sunshine Apartments, sur Clay Street, à l'ouest d'Hill Street. Cet immeuble à charpente de bois se trouvait juste à côté du funiculaire d'Angels Flight, et quand Beth restait dormir chez Lucille, au matin, elles allaient s'asseoir sur la terrasse pour boire leur café en regardant les cabines monter et descendre Bunker Hill.

Pendant que Beth faisait des allers et retours à Hollywood, Lucille trouva un job de serveuse dans un *steak house* sur Broadway, non loin de la 1re Rue. Elle se fit pincer en train de piquer dans la marmite pour nourrir Beth et fut virée. Beth, qui était allée au Hollywood Canteen[1] avec Barbara, annonça à Lucille qu'elle était sur liste d'attente pour y devenir hôtesse subalterne ; là-bas, elle aurait des repas gratuits.

Beth fit la connaissance d'un lieutenant de l'armée de l'air vraiment *très* beau, un pilote qui l'avait invitée par deux fois à déjeuner. Ils allaient danser au Hollywood Canteen. Mais, ne faisant pas partie des hôtesses « titulaires », elle lui donnait parfois rendez-vous à l'extérieur. Il s'appelait Gordan Fickling et venait de Long Beach. Comme il disposait d'une voiture, il l'emmenait à la plage, au parc d'attractions du bord de mer, ou manger du poulet frit au Knott's Berry Farm. Toutefois Gordan, qui devait bientôt s'embarquer pour le front, hésitait à s'investir dans une relation sentimentale. Beth affirma à Lucille que c'était quelqu'un de mûr et d'intelligent.

— Bien sûr, bien sûr, lui répondit Lucille. Ils le sont tous, non ?

« Elle m'a aussi parlé, racontera Lucille, de l'une des filles qu'elle côtoyait au Canteen : celle qui lui

---

1. Ouvert en 1942, le Hollywood Canteen était un club destiné aux militaires, notamment ceux qui partaient se battre à l'étranger. Les stars du cinéma s'y pressaient pour jouer les hôtes ou faire le service, à titre de participation à l'effort de guerre.

ressemblait selon Dagwood – c'est-à-dire Arthur Lake[1], que Beth avait également rencontré là-bas. Cette fille, Georgette Bauerdorf, était richissime. Mais elle était simple hôtesse assistante. Quelqu'un de très normal, selon Beth. »

Un après-midi, au Formasa Café, près des studios Goldwyn, Beth fut approchée par l'acteur Franchot Tone. Elle se trouvait au bar, quand il sortit de la cabine téléphonique réservée à la clientèle. Il prétendit la connaître, essayant deux ou trois noms, mais Beth se contenta de sourire en secouant la tête. « Elle a dit qu'elle attendait quelqu'un, racontera l'acteur. Je lui ai répondu : "Bien sûr, puisque vous m'attendez, moi ! Je viens justement d'arriver." » « Une réplique ridicule », selon lui, qu'il avait déjà utilisée auparavant. Tone insistera sur le fait qu'il se souvenait « parfaitement d'elle... La plupart des filles se sentaient flattées, tandis qu'elle paraissait plutôt se demander si je n'avais pas un peu trop bu. » Il lui dit qu'il venait de finir un film réalisé par Robert Siodmak, *Phantom Lady*[2], et il sut la convaincre qu'un adjoint de production, qui faisait passer des entretiens à des jeunes femmes « dans son style », serait très intéressé de faire sa connaissance. Il la sentit impressionnée. C'était un pas vers un éventuel rendez-vous en fin d'après-midi.

Il l'entraîna dans le bureau inoccupé de cet « adjoint de production », mais Beth ne montra aucun empressement

---

1. Arthur Lake I (1905-1987) joua pendant une grande partie de sa carrière le personnage de Dagwood Bumstead, mari de Blondie Bumstead (Penny Singleton), dans une longue série de comédies très populaires, entamée en 1938 avec *Blondie*.
2. Un des classiques du film noir, projeté en France sous le titre *Les mains qui tuent* (1944).

à prendre ses aises sur le canapé, qui se dépliait pour devenir un lit. Tone racontera : « Dès le départ, pour moi, il ne s'agissait que d'une partenaire occasionnelle – elle m'avait suivi si facilement. Mais pour elle, ce n'était pas du tout ça ! »

L'expérience, selon Tone, fut déroutante. Beth s'imagina qu'ils étaient « faits pour s'entendre » et elle fut déçue qu'il n'ait que « ça » en tête. Il essaya à plusieurs reprises de l'embrasser, lui affirmant qu'elle avait les plus beaux yeux du monde, ce qu'il pensait réellement. Des yeux de rêve, qu'il avait la sensation de voir au travers d'un voile de brume. Quand il la compara à une sirène dont les charmes attiraient les marins vers leur mort, elle devint d'une froideur de glace.

Toujours gentleman, Tone renversa la situation, feignant de s'être trompé en s'imaginant qu'elle cherchait une aventure. Il trouva très rafraîchissant de « discuter » simplement avec elle mais, au fond, il était troublé. La scène était pathétique. La jeune femme paraissait si désappointée et si triste que Tone dut même retenir ses larmes. « Elle m'a dit qu'elle avait été malade, racontera-t-il, ajoutant quelque chose à propos d'une opération des bronches. » Il était habitué à « un tout autre genre de filles ». Il lui laissa un numéro de téléphone où elle pouvait le joindre au sujet « de sa participation dans un film et de cet adjoint de production. Je lui ai donné les quelques billets que j'avais en poche, avec l'impression de vouloir me retrouver loin d'elle – pour ne surtout pas rester à côté d'elle. Ce fut étrange, perturbant. Même après lui avoir appelé un taxi et l'avoir vue partir, j'ai gardé cette sensation. Presque comme si elle m'avait fait peur. »

The Streets of Paris était devenu l'un des lieux de prédilection de Beth et Barbara Lee. Un après-midi, alors que Beth attendait Barbara dans ce piano-bar, elle remarqua, séparé d'elle par plusieurs tabourets, un homme au visage ordinaire qui la regardait fixement. Il dessinait sur un bloc-notes, et lui lança :

— Je fais une esquisse de vous.

Il lui demanda si elle avait déjà posé pour un artiste. Elle répondit que non ; elle était actrice, mais elle jouait aussi les mannequins. Il dit s'appeler Arthur James, qu'il était peintre et que l'on vendait ses toiles à la galerie Crossroads of the World, sur Sunset.

Il voulait savoir si poser l'intéresserait, précisant qu'il lui paierait un pourcentage du produit de la vente du tableau, si les esquisses se transformaient en huile sur toile. Beth était tentée de donner son accord, mais elle avait besoin d'argent pour trouver un logement dans les prochains jours.

— Peut-être pourrait-on parvenir à un arrangement, proposa alors James.

Il vivait au Armour Arms, sur Orchid Avenue, un immeuble autrefois célèbre pour son escalier flottant. En lieu et place de paiement, il lui offrait un toit.

— Vous aurez votre propre petite pièce, au dernier étage, et la vue sur les collines d'Hollywood est assez jolie.

Il promit qu'il n'y aurait pas d'embrouille.

James, qui prenait très au sérieux son travail de peintre, se voulait une sorte de Toulouse-Lautrec. Il allait boire et dessiner dans les cafés ou les bars à cocktails d'Hollywood. Dans son appartement se trouvaient un chevalet de fortune, des ébauches de toiles, des brosses et des pots de peinture.

Lorsque Beth alla chercher ses vêtements et sa trousse de maquillage au Sunshine Apartments, elle parla de lui à Lucille. En quelques jours, Arthur réalisa plusieurs esquisses de Beth, allongée « comme la *Maja nue* », expliqua-t-il : langoureusement étendue, les bras levés et les mains jointes derrière la tête.

« Ils se sont vus quelque temps, racontera Lucille. Puis, au moment où elle sortait avec ce type de l'armée de l'air, elle m'a dit qu'il lui avait demandé s'il pouvait lui toucher les seins, parce qu'il voulait en sentir les proportions. Ça l'avait tellement intimidée qu'elle ne s'était même pas sentie insultée. »

James voulut ensuite qu'elle s'allongeât sur le canapé de son atelier avec une autre fille et qu'elle l'enlace pendant qu'il tracerait l'ébauche d'une grande toile, dont le sujet était « Sappho ». Il prétendait que ce tableau pourrait rapporter beaucoup d'argent, et les deux filles en recevraient largement leur part sous la forme d'un pourcentage. On ignore si Beth a réellement pris le temps de poser avec cette « Sappho » ; mais selon Lucille, Arthur aurait pris en photo les deux filles avec un appareil Kodak, gardant les clichés pour de futurs tableaux.

« Elle m'a rapporté d'autres choses encore à propos de ce peintre et de ses esquisses, ajoute Lucille. D'après ce qu'elle m'a dit, ça devait être un triste personnage... ou une sorte de maniaque sexuel. »

4

Pendant que Betty posait pour d'étranges toiles tout en faisant le tour des studios de cinéma, Georgette, la fille dont elle avait fait la connaissance au Hollywood Canteen, y était toujours hôtesse. Si Beth n'avait pas terminé ses études, de son côté Georgette, à Los Angeles, avait fréquenté des écoles réputées, telles Westlake et Marlborough, et pouvait jouir de tous les avantages que procuraient la fortune et le prestige. Comme Beth, elle tenait son journal et la liste des soldats avec qui elle était sortie ou s'était liée d'amitié, au Canteen – ou qu'elle recevait chez elle, dans un immeuble de style méditerranéen en retrait du Sunset Strip. Georgette conduisait sa propre Oldsmobile verte et, de l'avis de ses amis proches, elle se montrait très généreuse avec les soldats. Elle les faisait non seulement monter dans sa voiture, mais leur donnait aussi de l'argent. Et s'ils avaient besoin d'un endroit où loger, elle leur offrait son appartement.

Une actrice qui assista à plusieurs soirées organisées par « Georgie » en l'honneur des militaires devait affirmer que, pour une représentante du Tout-Los Angeles, elle ratissait large. Georgette, comme Beth, avait cependant son préféré. Elle comptait d'ailleurs fêter avec lui son diplôme de l'école militaire, au Texas. Elle acheta des billets d'avion au cours de la première semaine d'octobre.

Lorsque, au matin du 12 octobre, la voisine de Georgette, l'actrice Stella Adler, remarqua que sa porte était entrebâillée, elle demeura perplexe. Selon ses souvenirs, elle se dit que, si elle appelait Georgette ou tirait la sonnette pour lui signaler cette porte entrouverte, cela pourrait provoquer un certain embarras. Si bien qu'elle passa son chemin et quitta l'immeuble.

Une heure et demie plus tard, la bonne poussa la porte. Entendant de l'eau couler goutte à goutte, elle monta à l'étage, vers la salle de bains, où elle découvrit Georgette flottant sur le ventre dans la baignoire. De l'eau chaude teintée de sang coulait sur le sol. La bonne se pencha, ferma le robinet et dévala l'escalier à toute allure pour aller chercher le concierge et la gérante de l'immeuble.

Le concierge se précipita dans l'appartement. Croyant Georgette évanouie, il la souleva, la tint dans ses bras pendant que la baignoire se vidait. Le corps de Georgette laissait une impression de chaleur, mais le concierge comprit immédiatement qu'elle était morte. La gérante entra à son tour, prête à apporter les premiers secours. Quand elle vit qu'il était trop tard, elle ressortit pour appeler le shérif et l'avocat de la famille Bauerdorf.

Ce fut un adjoint du shérif, L.A. Hutchinson, qui se déplaça pour ce que le signalement présentait comme un cas de noyade accidentelle. « Elle se trouvait dans la baignoire, à moitié sur le côté, mais le visage tourné vers le bas », dira-t-il. Il alla prévenir qu'il s'agissait d'un homicide et procéda à une simple inspection visuelle en attendant l'arrivée des enquêteurs et du coroner.

La victime portait uniquement un haut de pyjama ; sous la ceinture, elle était nue. Il trouva son bas de pyjama dans la chambre à coucher, séparée de la salle de bains par le couloir. Ce pantalon était déchiré sur le côté, et d'autres vêtements étaient éparpillés à travers la pièce. Il y avait sur le sol comme une large tache de sang. Elle était encore humide, bien qu'on eût apparemment cherché à la faire disparaître. Le lit était en désordre, comme si on y avait dormi. Un journal se trouvait posé à côté et, à proximité, il y avait un sac à main dont le contenu était renversé.

La bonne déclara au shérif adjoint avoir été réveillée durant la nuit par « un fracas dans l'appartement, quelque chose qui avait un son métallique. C'était dans les premières heures du jour. »

Un autre voisin parla d'un cri. « J'ai entendu une femme hurler : "Arrête, arrête, tu vas me tuer!" Les cris se sont ensuite calmés; je me suis dit qu'il s'agissait d'une dispute et je me suis rendormi. Il était environ 2 h 30 du matin. »

L'inspecteur William Penprase fut bientôt sur place. Il observa le corps et dit à Hutchinson :

— On dirait qu'elle est tombée dans la baignoire. Elle s'est fracassé le nez contre quelque chose et elle a un morceau de serviette ou de vêtement dans la bouche. Elle s'est visiblement noyée.

Il décida de ne pas lui retirer cette pièce de tissu de la bouche, préférant attendre l'arrivée du coroner. Il fut ensuite appelé au téléphone par le père de la victime, en ligne depuis le New Jersey. George Bauerdorf était un financier de Wall Street, propriétaire d'une compagnie pétrolière indépendante et de mines d'or. Les Bauerdorf étaient des gens importants. À New York, où ils avaient leurs attaches, c'était une famille très en vue.

Hutchinson se souviendra avoir entendu l'inspecteur Penprase discuter au téléphone avec le père de Georgette Bauerdorf. « Il lui a dit que ça ressemblait à un accident. Elle était tombée, elle s'était blessée au nez, et elle avait probablement perdu connaissance au moment où elle s'est noyée dans la baignoire. »

George Bauerdorf affirma à la presse new-yorkaise que sa fille, qui souffrait de graves contractures et de problèmes cardiaques, s'était évanouie et avait fait une chute tragique dans son bain. Selon le compte rendu de Penprase, Georgette saignait peut-être déjà du nez avant même de tomber. D'après lui, « cela expliquerait les taches sur la moquette ». Quant à la présence dans sa bouche d'une pièce de tissu, il n'avait aucune explication : « Pour moi, c'est un mystère. »

Georgette Bauerdorf fut déposée à la morgue à 15 heures par une compagnie de pompes funèbres, la Sinai Funeral Home. Comme on était à la veille du Columbus Day[1], l'autopsie fut reportée.

Un examen préliminaire fut toutefois entrepris par le docteur Frank R. Webb, médecin légiste, qui affirma que la jeune femme était morte depuis une dizaine d'heures. Il s'interrompit pour faire une déclaration, précisant : « Rien ne prouve que la victime soit morte noyée. Ce n'est pas une mort accidentelle. Elle était morte avant qu'on la place dans la baignoire. Nous avons affaire à un homicide. »

Elle avait été étouffée, ajouta le médecin légiste, par cette pièce de tissu éponge qu'on lui avait enfoncée tout au fond de la gorge. Puis elle avait été violée alors qu'elle gisait morte ou à demi morte.

« Nous avons vite compris, racontera Hutchinson, que le tueur s'était donné de la peine pour être sûr que l'entrée de l'appartement reste plongée dans l'obscurité, soit au moment où il a pénétré à l'intérieur, soit quand il a quitté les lieux. L'interrupteur automatique de l'entrée, placé entre l'ampoule et le plafond, avait été dévissé de deux tours pour que la lumière ne puisse s'allumer. Des empreintes furent recueillies sur

---

1. Jour férié aux États-Unis (deuxième lundi d'octobre).

l'ampoule... L'individu qui avait soulevé le globe du luminaire devait être monté sur un siège ou avoir été porté pour atteindre la prise de plafond dans laquelle était fiché l'interrupteur, à près de 2 mètres 50 du sol. »

« Ou être d'une taille assez haute pour y arriver seul... », dira le capitaine Gordan Bowers, le shérif en charge de l'enquête. Il nota l'absence de signes de cambriolage dans l'appartement. Le viol et le meurtre étaient les seuls motifs de l'intrusion. On trouva dans un coffre, qui n'était pas fermé, une grosse liasse de billets de deux dollars et plusieurs milliers de dollars d'argenterie. Les bijoux non plus n'avaient pas été emportés, et d'autres valeurs encore avaient été négligées. Il apparut cependant, d'après les témoignages rassemblés sur place, qu'on avait pris un peu de liquide dans le sac à main, ainsi que les clés de la voiture, qui avait disparu.

La bouche de la victime portait des traces de rouge à lèvres, alors qu'il n'y en avait aucune sur les nombreux mégots que l'on trouva dans le cendrier. Son journal, découvert dans la chambre à coucher, était rempli de noms de militaires. On préleva des empreintes différentes partout dans l'appartement. Les services du shérif demandèrent à l'armée de les aider à retrouver le plus vite possible la trace des individus mentionnés dans le carnet, avant qu'ils ne puissent être envoyés à l'étranger.

La voiture de Georgette fut localisée le lendemain à Los Angeles, dans le quart sud-est du centre-ville, abandonnée sur la 25e Rue Est, près de San Pedro. Le réservoir était vide, et les clés se trouvaient sur le contact.

Il y avait des empreintes sur la vitre côté conducteur et sur le volant. Celles que l'on préleva sur la portière étaient identiques à certaines empreintes recueillies dans l'appartement. Quant à celles trouvées sur l'ampoule, elles furent comparées à celles de la voiture. D'après Bowers, l'individu qui avait pris la voiture et celui qui avait préparé le terrain en prévision du meurtre étaient une seule et même personne.

« Elle s'est mise à crier, dira Bowers lors d'une tentative de reconstitution des faits. Afin de la faire taire, il lui a enfoncé un carré de tissu éponge dans la bouche, le poussant au fond de la gorge. Elle est morte étouffée, probablement au bout de quelques secondes, et a été violée *après sa mort* sur le sol de la chambre à coucher, là où l'on a trouvé les taches de sang. » Le tueur avait tenté de lui retirer la serviette éponge, mais sa mâchoire s'était refermée ; il n'a réussi qu'à déchirer le tissu, en laissant un morceau dépasser de ses lèvres. Le reste est demeuré dans sa gorge.

De l'avis de Bowers, le meurtrier avait ensuite tenté, pour une raison indéterminée, d'essuyer une partie du sang sur la moquette en se servant du morceau de tissu déchiré. Incapable d'y parvenir, il avait peut-être fourré ce bout de serviette dans sa poche, puisqu'on ne l'avait retrouvé ni sur les lieux du crime ni dans la voiture. Puis, il avait soulevé le corps, l'avait transporté dans la salle de bains et plongé dans la baignoire, visage tourné vers le bas. On ne put déterminer si la baignoire contenait déjà de l'eau ou si l'assassin avait ouvert le robinet.

June Zeiger, une amie de Georgette qui se trouvait en sa compagnie au Hollywood Canteen la veille du meurtre, déclara aux inspecteurs que moins d'un mois auparavant, « Georgie était sortie avec un type très grand, un militaire, copain d'un autre militaire dont elle m'avait parlé, et sur qui elle avait écrit dans son journal intime ». D'après June, ils s'étaient vus plusieurs fois, mais pour une raison que Georgette ne lui avait pas expliquée, elle avait ensuite pris peur et avait refusé de le revoir.

Les amies de Georgette et ses collègues de travail au Canteen tentèrent de se remémorer les différents soldats qu'elle voyait « ces derniers temps ». Selon Bowers, « de tous les gars auxquels on s'est intéressés, un seul n'a pas pu être épinglé : ce grand type mentionné par June Zeiger ».

« Il ne dansait pas, racontera June à Bowers. Il avait l'air de boire beaucoup ; plus que certains autres, en tout cas. Il ne participait à rien... Il semblait se contenter de rester en retrait, vous voyez. »

Après l'autopsie, le docteur Webb déclara que les poumons de la jeune femme ne contenaient que quelques gouttes d'eau, peut-être passées à travers la serviette éponge. Elle avait lutté pour se défendre : de nombreuses ecchymoses et des écorchures étaient visibles sur le corps. Selon le médecin légiste, « au niveau des doigts de la main gauche, les articulations étaient écrasées et couvertes de bleus, et il y avait sur le côté droit de la tête une large contusion – apparemment produite par un coup de poing –, ainsi qu'une autre marque semblable sur l'abdomen. Sur la cuisse gauche, on voyait une meurtrissure en forme de main, avec la trace des ongles enfoncés dans la chair. Environ une heure avant sa mort, elle avait mangé un plat de haricots verts. » Les inspecteurs découvrirent la boîte de haricots vide, ainsi que des écorces de melon, dans la poubelle de la cuisine.

Le représentant légal des Bauerdorf à Los Angeles prit des dispositions pour que le corps de Georgette fût envoyé à New York. Le cimetière de Long Island, où elle devait reposer, accueillait les restes des Bauerdorf depuis sept générations.

Pour compliquer l'enquête, une version des faits qui contredisait en partie certaines découvertes apparut du côté des riches associés et des représentants légaux de la famille Bauerdorf. En dépit de sa fortune et de son statut social, Georgette, selon les termes employés à l'époque par Bowers, était « une fille insouciante, un oiseau de nuit, quelqu'un de très "convivial". Nous avons recueilli plus d'une centaine d'empreintes différentes, de soldats ou d'officiers, dans l'appartement huppé où elle résidait. Le fait qu'elle aimait recevoir aussi bien chez elle qu'au Hollywood Canteen ne regardait qu'elle. Mais si l'un de ces gars se trouve être l'homme que nous recherchons, nous devons continuons à enquêter pour résoudre ce meurtre. »

De l'autre côté de la ville, Barbara Lee et ses amies furent très choquées par ce crime. « C'était comme si un drôle de voile lugubre s'était abattu sur nous, dira Barbara. Bob, qui était mon producteur et *boyfriend*, n'arrêtait pas d'appeler Beth chez ce peintre, parce qu'elle disait avoir peur de retourner au Hollywood Canteen... et elle était bouleversée depuis le départ de son nouveau petit ami, qui avait dû s'embarquer pour le front. Je l'ai croisée sur McCadden à peu près une semaine plus tard. Elle m'a alors dit que le peintre lui avait acheté des bagages tout neufs et qu'ils allaient partir à Tucson, où elle devait jouer les mannequins. J'ai répondu : "Tucson ? Tu veux dire, dans le désert ?" Elle m'a dit que ce n'était pas un désert, du moins la ville elle-même, et que des gens importants devaient faire des photos d'elle. Je lui ai assuré qu'elle allait beaucoup manquer à Bob... Je faisais la maligne, vous voyez, c'était sarcastique. Mais elle a répliqué, très sincèrement : "Oh, j'en suis désolée. Dis-lui que je serai bientôt de retour et qu'il va aussi me manquer... Et toi aussi, tu vas me manquer." Je me suis dit bon sang, y en a, vraiment ! Enfin, il faut de tout pour faire un monde. Et quand on croit tout connaître, il vous sort une Georgie Bauerdorf, là, juste sous le nez. »

Arthur James avait un compte en banque sous le nom de Charles B. Smith, mais il était totalement vide. Ce qui ne l'empêchait pas de signer des chèques.

Bobbie Rey Harris, une fille de dix-neuf ans, et Beth, qui en avait vingt, montèrent en compagnie de James dans le Southern Pacific Daylight, à Union Station, direction l'Arizona. Arrivés dans la soirée du 12 novembre à Tucson, ils se rendirent au Catalina, sur Broadway, où on leur fit remplir une fiche d'hôtel. Ils y occupèrent, selon les souvenirs de Bobbie Rey Harris, « deux chambres d'angle séparées. Parce que nous, les filles, on avait notre propre chambre, avec des toilettes et une baignoire. Celle d'Arthur n'avait pas de toilettes, mais un lavabo, et il y avait une salle de bains en bas, ou au moins un cabinet pour les hommes. Je ne me souviens pas s'il y avait des toilettes à l'étage pour le reste des locataires. »

Cette nuit-là, cependant, Bobbie ne dormit pas dans la même chambre que Beth. « Arthur voulait discuter, racontera-t-elle, alors je me suis retrouvée à dormir dans sa chambre, sur le petit lit. On avait souvent des rapports sexuels oraux, mais cette fois-là, il m'a fait l'amour. Beth dormait à poings fermés quand il m'avait demandé de venir le rejoindre. »

Le lendemain matin, pendant que Beth faisait trempette dans la baignoire, Arthur et Bobbie ont « filé discrètement », selon l'expression de Bobbie. Ils sont montés dans un taxi et se sont dirigés vers le centre-ville, « juste pour faire un tour, aller acheter deux ou trois trucs dans les magasins ». James, qui payait par chèque, était en train d'acheter des vêtements avec Bobbie quand deux policiers et un vigile l'ont entraîné à l'écart. Pendant que l'un des agents lui passait les menottes, l'autre a conduit Bobbie dans un petit bureau. « Ils m'ont posé plein de questions sur mon âge, ils m'ont demandé d'où on venait, et si Arthur avait eu des rapports sexuels avec moi, expliquera-t-elle. Ils ont dit qu'un docteur allait m'examiner et qu'on saurait si je disais la vérité ou non. Alors, j'ai reconnu qu'on avait eu des rapports. »

James fut inculpé pour violation de la loi Mann, visant la *white slavery,* la « traite des blanches » : il lui avait fait franchir les frontières de l'État de l'Arizona dans le but d'avoir des relations sexuelles avec elle.

Deux inspecteurs furent envoyés au Catalina pour y collecter des preuves dans la chambre d'Arthur James. Ils n'étendirent toutefois par leurs recherches à la pièce voisine, celle qu'occupait Beth. Plus tard, Bobbie se rappellera que seule la clé trouvée sur Arthur avait dirigé la police vers sa chambre d'hôtel, et uniquement cette chambre-là. Ils négligèrent de s'intéresser à Beth, qui avait gardé la clé de l'autre chambre.

Redoutant une nouvelle rencontre avec la police, Beth rangea ses affaires dans ses bagages flambant neufs et appela un taxi pour la gare. Elle mit un jour et demi pour rentrer à Los Angeles. Arrivée à Union Station, elle s'y attarda quelques heures, s'efforçant vainement de joindre Lucille et Barbara, puis monta à bord d'un train en partance pour Chicago.

Arthur fut incarcéré à la maison d'arrêt du comté de Pima avec une caution de 5 000 dollars sur le dos. Bobbie Rey fut gardée à vue comme témoin ayant pris part aux faits, et on lui demanda de verser 500 dollars en dépôt de garantie. Ne pouvant s'acquitter de cette somme, elle fut elle aussi emprisonnée à la Pima County Jail. Arthur refusa l'aide d'un avocat commis d'office et tenta d'assurer lui-même sa défense en utilisant divers stratagèmes. Il s'efforça de faire déplacer le lieu du procès, essayant de faire jouer une « clause de sauvegarde » pour empêcher leur comparution en Arizona, nuisible à l'effort de guerre dans la mesure où, à ce qu'il prétendait, Bobbie et lui travaillaient dans une usine d'armement. Le 13 février 1945, il changea finalement de défense et plaida coupable, écopant de deux ans de prison pour « traite des blanches ». Bobbie fut libérée, tandis qu'on expédiait Arthur à la prison fédérale de Leavenworth, dans le Kansas. Le jour de sa libération, le 21 septembre 1946, il fut placé en état d'arrestation pour faux et usage de faux et émission de chèques sans provision, à la demande de la justice californienne – l'un des chèques en bois qu'il avait laissés derrière lui avait servi à payer les bagages de Beth. Déclaré coupable, il fut à nouveau condamné à une peine de prison.

5

Après avoir passé deux jours à Chicago, Beth se sentit isolée de tout. Anxieuse, elle avait l'impression que l'on s'acharnait sur elle, sans savoir pour quelle raison. Au moins, elle n'était pas comme Bobbie Rey – ce qui la soulageait et la mettait mal à l'aise. Dans une lettre, elle écrivit qu'elle espérait un moment où tout changerait. Bientôt, peut-être... Elle ne l'envoya pas, mais la plia et la glissa dans le numéro du magazine *Collier's* acheté à la gare avant le départ. Le train arriva à l'heure à Boston.

Elle descendit à la gare de Boston Sud, où avait lieu une collecte de fonds pour soutenir l'effort de guerre. Un capitaine s'exprimait au micro. Le délégué de la campagne, un grand jeune homme aux cheveux sombres, aperçut Beth et, voyant qu'elle écoutait, s'approcha. Il ôta son badge « *Buy Bonds* »[1] et le lui épingla au revers du pardessus.

Il se présenta : Phillip Jeffers. Il l'avait reconnue, l'ayant vue au cinéma de Medford où elle avait travaillé. Il lui demanda si elle savait ce qu'était une *blockbuster*.

— Bien sûr, dit-elle. C'est une bombe d'à peu près votre taille.

---

1. « Achetez des titres » (*war bonds*, titres d'emprunt de guerre).

— On va en apporter une ici même, plus tard dans la journée. Il n'y aura pas de détonateur ni d'explosif à l'intérieur. Elle servira uniquement à symboliser les efforts défendus par notre campagne. Si vous revenez demain, je serais très heureux que vous acceptiez de poser près de la bombe, avec moi et tout le comité. Pour notre publicité.

Il ajouta qu'ils seraient prêts le lendemain à midi. Beth dit qu'elle essayerait de passer et lui tendit sa carte. De son côté, il lui proposa d'appeler leurs bureaux dans la matinée.

— Faut-il que je sois en maillot de bain ou en tenue moulante ?

La question le fit rire. Et il rougit, ce qui la surprit.

— Non, ce que vous avez sur vous ira très bien. Il vous suffira d'enlever ce pardessus. Mais vous devrez porter le badge.

Beth passa la soirée à décrire à sa mère toutes les perspectives prometteuses qui s'ouvraient à Hollywood. Elle progressait, mais se sentait ralentie par son manque de formation.

Phoebe lui affirma qu'elle apprendrait sur le tas. Le fait d'avoir été malade et de ne pas avoir fait d'études ne devait pas constituer une gêne.

Le lendemain, en allant à Boston, Beth emporta son maillot de bain, par précaution. Elle avait espéré revoir Phillip après la séance photo, peut-être dîner avec lui, mais le jeune homme et certains des volontaires qui l'accompagnaient étaient attendus dans le New Hampshire, puis dans d'autres États du littoral. Beth ne parla pas de Phillip à sa famille.

Elle resta à Medford après Thanksgiving – le quatrième jeudi de novembre – en compagnie de sa mère et de sa sœur. Son séjour dura moins d'un mois en tout. Ensuite, elle repartit à Miami Beach. Cette fois encore, elle logea chez des amis de la famille. Elle trouva un emploi à temps partiel dans un café tenu par une ancienne *show girl,* dont le nom de scène était « Princess Whitewing ». Beth était fascinée par toutes les histoires que racontait « Princess » sur le show-business. Elle l'écoutait jusque bien après la fermeture. Sauf quand elle avait un rendez-vous galant.

Presque chaque jour, Beth faisait la connaissance de nouveaux militaires. Elle sortait pratiquement tous les soirs, même si elle se plaisait à croire qu'au fond de son cœur, Gordan Fickling occupait une place particulière.

Un sentiment qui devait disparaître lorsque, le 31 décembre 1945, le commandant Matt Gordan, de l'armée de l'air, fit irruption dans sa vie. À peine quelques jours plus tard, il lui demandait si elle acceptait de devenir sa femme.

« Je suis tellement amoureuse que ça doit se voir, j'en suis sûre, écrivit-elle à sa mère. Matt est si merveilleux, il n'est pas comme les autres hommes... et il m'a demandé si je voulais l'épouser. »

Phoebe fut fort surprise par cette nouvelle, mais la photo que lui envoya sa fille, où elle posait en compagnie de son beau pilote, l'impressionna. Elle aurait voulu discuter avec la jeune femme de sa santé et de son « développement ». Elle se dit toutefois que sa fille devait être assez grande pour s'occuper elle-même de ses affaires.

Matt offrit à Beth un bracelet-montre en or serti de diamants, en guise de cadeau de fiançailles. Dans une lettre envoyée à sa belle-sœur, il décrivit Beth comme « une jeune femme instruite et raffinée avec qui j'envisage de me marier ». Il lui demanda de correspondre avec elle et d'apprendre à la connaître parce, ajoutait-il, « j'ai l'intention de l'épouser à mon retour ». Il ne faisait aucun doute que Matt respectait le vœu de Beth, qui souhaitait ne pas consommer leur amour avant la nuit de noces, et il dit à sa future épouse qu'ils organiseraient leur lune de miel à son retour du front.

En avril, Beth regagna Medford, où il devait la rejoindre. Ils continuèrent à s'écrire et, en une seule semaine, Beth rédigea pas moins de dix-sept lettres. Elle dit à Muriel que son amour pour Matt lui faisait penser à une expression qu'ils avaient entendue sur une bobine d'actualités, à propos du « Vieux Fidèle », le célèbre geyser du parc de Yellowstone : c'était comme « un flux qui resurgissait sans cesse ».

« *Mon bien-aimé,* écrivit Beth, *je t'aime, je t'aime, je t'aime. Tu es l'amour de mes rêves.* Chéri, ces paroles sont celles d'une nouvelle chanson que l'on entend en ce moment aux États-Unis et, crois-moi, elles me vont à merveille. Oh, Matt, sincèrement, je me dis que, quand deux êtres s'aiment comme nous nous aimons, leurs lettres paraissent bien extraordinaires aux censeurs. Mais ils peuvent le crier sur les toits, je m'en fiche. »

Beth se mit à travailler temporairement, le soir, dans un restaurant de Cambridge. Le jour de la capitulation de l'Allemagne, elle envoya une lettre à Matt, dans laquelle elle lui disait : « Prends bien soin de toi, s'il te plaît, fais-le pour moi, mon chéri, parce que tu es à moi. Aujourd'hui, c'est l'armistice en Europe et je me sens si heureuse ! Les gens jettent des bouts de papier par les fenêtres, ils sentent la délivrance proche. Ça va être merveilleux, mon chéri, quand tout sera fini. Tu veux t'échapper, te marier. Nous ferons tout ce que tu souhaites. Tout ce que tu veux, je le veux aussi. Je t'aime et je ne désire rien d'autre que toi. »

Pour ses sœurs, Beth était radieuse. Chaque fois qu'elle prononçait le nom de Matt ou lorsqu'elle montrait, par exemple, le linge de table qu'il lui avait envoyé des Philippines, elle rayonnait. Beth avait soigneusement plié ce linge et l'avait déposé dans une malle, disant à sa mère : « À partir de maintenant, c'est

76

là que je rangerai mon trousseau. » Elle préparait son mariage, qui devait avoir lieu à Medford dans quelques mois, en octobre. Après la cérémonie, ils partiraient pour le Colorado, où Beth ferait la connaissance de la mère de Matt, puis se dirigeraient vers la Californie. Beth était sur un petit nuage. Elle avait le cœur qui chantait presque.

Mais la guerre n'avait pas encore pris fin, et le bonheur individuel constituait un bien faible écran face aux angoisses profondes qui mobilisaient l'arrière. Phillip Jeffers, le « petit prodige de l'emprunt de guerre », fut de retour à Boston pour une autre collecte de fonds, avec de nouveaux sponsors. Beth avait appris par un sergent recruteur que Jeffers, ayant fait de cette campagne un succès, avait bénéficié d'un sursis d'incorporation.

Phillip et Beth se revirent. Elle avait l'air si sûre d'elle, si séduisante, qu'il eut presque envie de se cacher sous terre. « Je n'ai jamais rencontré quelqu'un comme toi », lui dit-il.

Durant les deux mois suivants, ils allaient passer pas mal de temps ensemble. Phillip, toutefois, ne parviendrait jamais à la percer à jour. « Je ne venais pas la chercher chez elle à Medford, racontera-t-il. En général, on se retrouvait au coin d'une rue ou dans un café un peu à l'écart. Je n'étais pas marié, mais elle préférait faire comme ça. »

Beth était quelqu'un à qui il pouvait parler. Elle semblait comprendre certaines choses qu'il lui était impossible de confier aux autres. Ils allaient faire un tour dans sa voiture, s'arrêtant quelquefois dans un drive-in pour manger un *cheeseburger*, ou bien ils se garaient près du lac. Il y eut quelques baisers. « On se pelotait un peu, dira Phillip, mais rien de passionné. On riait, on discutait, et on est s'est baignés à poil une ou deux fois, sans jamais aller jusqu'aux relations sexuelles. »

Il était toujours vierge et le lui avait avoué, rouge d'embarras. Elle avait répondu avec un rire un peu taquin : « Eh bien, moi aussi ! Je suis vierge. » De temps en temps, Phillip la faisait rentrer discrètement chez lui, dans la pension où il logeait. Les hommes célibataires y étaient soumis à des règles strictes – la présence de toute femme dans les chambres était formellement proscrite.

Ils chuchotaient et gloussaient à voix basse, mais Phillip devait se montrer prudent, étant donné la pénurie de logements. Ils discutaient ou se faisaient des massages relaxants. Ils se déshabillaient et, à tour de rôle, testaient les techniques de massage suédois que Phillip avait apprises grâce à des cours par correspondance. « C'était étrange, de se contenter de simplement la toucher et de regarder son corps. Sa peau ressemblait à celle d'un bébé... Tout ça restait plutôt innocent, on était comme des gamins. Il ne s'est jamais rien passé – on est restés vierges. »

Parfois, Phillip éprouvait devant elle un drôle de sentiment. Il avait envie de la secouer et de lui ordonner d'effacer tout ce maquillage qu'elle se mettait sur le visage. Il avait entendu dire qu'elle sortait avec plein de types et ça le dérangeait. Elle ne lui parlait absolument pas des autres hommes. De cette partie de sa vie, il ne savait rien, excepté quelques on-dit. Pour lui, Beth ne mentait jamais. Elle lui avait dit qu'elle était vierge et il le croyait. Si elle ne voulait pas qu'il sache quelque chose, elle ne lui en parlait pas. Mais ce n'était pas une menteuse, Phillip en était convaincu. « C'était quelqu'un de *malin*, une fille intelligente, dira-t-il, mais qui se contentait de se laisser porter. »

Un soir, alors qu'ils riaient et plaisantaient, Beth devint brusquement silencieuse. Un voile de tristesse tomba sur elle sans qu'il en comprît la raison.

— Qu'est-ce qui te tracasse ? demanda-t-il. S'il te plaît, dis-moi ce qui ne va pas...

Elle le dévisagea alors pendant quelques secondes. Ses yeux étaient mouillés de larmes. Elle lança :

— Il faut qu'on profite de l'instant présent, maintenant, tout de suite. Savourons ce que la vie nous accorde !

Quelquefois, la silhouette de Beth se profilait derrière la fenêtre de la chambre qu'elle partageait avec Muriel. Ils étaient plusieurs hommes, dans le quartier, à venir se rincer l'œil, cachés dans le jardin. Ils regardaient son ombre se déplacer, la voyaient se déshabiller et s'étirer, se préparer avant d'aller au lit... C'était quelque chose dont ils ne parlaient pas entre eux. Ils allèrent tout de même jusqu'à se munir de chaises pliantes.

Beth vit moins souvent Phillip. Elle travailla jusqu'à une heure tardive au restaurant, à Cambridge, et devint une habituée du Medford Café, fréquenté par les noctambules du quartier de Medford Square. « Il était en général minuit passé quand elle arrivait », se souviendra Joe Sabia, qui étudiait à la Leland Powers School of Radio. Sabia avait tenté de s'engager, mais on l'avait réformé à cause d'un handicap. Le soir, il venait faire un tour au Medford Café ou au club d'à côté pour faire une partie de billard avec ses copains. Quand le club fermait, Joe et ses amis se rabattaient sur le café pour y manger un morceau.

L'endroit était sombre, avec de hauts plafonds d'où pendaient des globes lumineux retenus par des chaînes. Il y avait des box de chaque côté de la salle, des tables et des chaises au centre, et une rangée de fenêtres le long de la façade. « Le sucre était rationné, si bien que c'était *eux* qui vous sucraient votre café ou qui versaient la crème », se rappelle Joe.

Beth aimait aller s'asseoir dans l'un des box avec Joe et ses copains. Si la conversation s'emballait ou dérapait dans la grossièreté, elle était capable de refroidir un type d'un seul regard. Ou alors elle quittait la table et rejoignait un autre groupe. Pour Joe, elle semblait être quelqu'un de très secret.

« Je me souviens d'elle, dans une robe ou un tailleur deux pièces bleu pâle qui faisait ressortir la couleur de ses yeux. Elle portait généralement un imper ou un manteau passe-partout. Elle n'aimait pas deux ou trois de mes copains. L'un d'eux était un dragueur qui s'imaginait que toutes les femmes finissaient par s'allonger. Il disait que Beth était "roulée comme une cabine d'aisance". Bref, ce genre de choses. L'autre gars essayait parfois de l'imiter, sans jamais y parvenir. »

Joe attendait avec impatience le moment de pouvoir s'asseoir seul avec elle. Mais, souvent, elle s'attablait avec un lieutenant de police, qui lui aussi arrivait à une heure tardive pour dîner. Par la suite, il allait devenir le chef de la police locale. Il se souviendrait de ses discussions avec Beth au Medford Café, avouant qu'elles lui manquaient.

Quand Beth s'en allait, Joe la regardait remonter lentement Salem Street en balançant les hanches. Il la contemplait jusqu'à ce qu'elle disparaisse et qu'il ne puisse plus entendre le claquement de ses talons sur le trottoir.

Joe savait qu'elle voulait devenir quelqu'un de célèbre, mais il avait l'impression qu'elle s'accrochait à des rêves, qu'elle avait des étoiles dans les yeux au lieu de préparer un plan de bataille. « C'était une figure fantomatique, dira Joe. Il y avait un vide en elle... Il manquait quelque chose. »

Le jour où la guerre a pris fin, à Medford, les sirènes de la défense antiaérienne ont connu un petit problème technique. « Elles sont restées coincées, explique Muriel. Il y a eu cet horrible bruit, ce long gémissement régulier, sans interruption. » Les gens ont d'abord pris peur. Certains ont scruté le ciel en cherchant des avions, d'autres se sont empressés de se mettre à l'abri. Puis, l'un des voisins a hurlé que c'était le *signal*. La guerre était finie. « On ne pouvait même pas se comprendre, les gens criaient trop fort. Mais on savait que c'était ça. »

Les cloches ont sonné, les klaxons ont retenti, la population a envahi les rues. Les automobiles, les trolleys se sont figés. La plupart des bureaux et des commerces, à Medford Square, ont fermé leurs portes. Les employés se sont mis aux fenêtres, par lesquelles on jetait des bouts de papier et des bombes à eau sur la foule. La fête a duré jusqu'au lendemain matin.

Pour Beth, cela signifiait que Matt allait bientôt rentrer à la maison et qu'ils se marieraient plus tôt que prévu. Avec beaucoup d'excitation, elle se remit à parler de son petit mariage, puis du voyage en Californie, de la perspective de rencontrer la mère de Matt...

Quelques jours plus tard arriva un télégramme de la part de celle-ci. Muriel vit sa sœur l'ouvrir. Beth déclara que c'était probablement au sujet des noces. Elle le parcourut, puis resta immobile, regardant fixement le morceau de papier qu'elle tenait entre ses doigts. « Ça ne se fera pas, murmura-t-elle. Ce n'est pas possible, ça ne se fera pas... » Elle tendit alors le télégramme à sa sœur. Muriel le déchiffra à voix haute : *Reçu message ministère Guerre. Matt tué dans accident d'avion parti Inde pour rentrer maison. Ma plus profonde sympathie vous accompagne. Prions pour que ce ne soit pas vrai.* » C'était signé : *affectueusement, Mrs Matt Gordan, Sr.*

Pendant des jours, Beth lut et relut ses lettres d'amour. Elle se plongea dans les coupures de journaux envoyées par Mrs Gordan, où il était question de

Matt. L'une d'elles la mentionnait, précisant que Matt « était sur le point de la retrouver et de l'épouser à Medford ». Beth raya les mots « et de l'épouser ». Elle prétendra par la suite qu'il s'agissait d'une coquille, qu'elle et Matt étaient déjà mariés. Elle se mettra à échafauder toute sorte de détails à propos de ce mariage rêvé, parlant même d'un bébé, l'enfant de Matt, dont elle aurait accouché après leurs noces, mais qui n'aurait pas vécu.

Puis elle fit des paquets de ses lettres, qu'elle noua avec un ruban rouge avant de les ranger dans sa malle. Elle se mit à essayer différentes tenues, différents ensembles. Elle passa des heures à étendre uniformément sur son visage une poudre cosmétique très pâle, presque blanche. Avec la masse de ses cheveux noirs et le rouge vif qu'elle mettait sur ses lèvres, elle avait maintenant l'air d'une poupée de porcelaine chinoise.

Se servant de la ligne des voisins ou de celle du Medford Café, elle multiplia les appels en PCV. Elle cherchait des opportunités d'emploi : une place de modèle à Miami, par l'entremise de Duffy, ou à Chicago, peut-être. Ou quelque chose à Indianapolis.

Elle envoya une lettre pressante à la mère de Matt, lui demandant s'il lui était possible de lui faire parvenir assez d'argent pour « repartir à zéro et commencer une nouvelle vie ». Elle avait fidèlement attendu Matt, lui disait-elle, mais la guerre les avait privés de leur avenir commun.

Entre autres anciens amis, Beth chercha à joindre Gordan Fickling, qui la rappela. Elle lui déclara qu'elle espérait le revoir, prochainement peut-être. Son fiancé était tombé au champ d'honneur, lui dit-elle, et il fallait qu'elle fasse « quelque chose » de sa vie.

Gordan répondit qu'il allait sûrement être rapatrié dans les mois à venir et qu'il aimerait beaucoup la revoir. Pour l'instant, il lui proposait de rester en contact. Ensuite, quand il ferait escale à Chicago, elle pourrait venir le retrouver sur place. « Ce doit être un signe du destin, écrivit Beth, parce que j'ai une perspective d'emploi l'année prochaine à Chicago. Mais je dois passer l'hiver en Floride. »

« J'essaye de me persuader que tu veux réellement me revoir, après tout ce temps, alors que je t'ai complètement ignorée, tempéra Fickling. Mais je ne t'ai pas oubliée. Ça, je dois le reconnaître. Ta lettre m'avait donné l'impression que tu ne voulais pas te considérer comme détentrice de droits sur mon cœur, et j'ai peu à peu laissé les choses suivre leur propre cours. Tu aurais vraiment dû me retenir. Parfois je me sens horriblement seul et je me demande si, toi et moi, on ne s'est pas conduits de façon puérile et stupide. Ai-je raison ? »

Duffy fut de retour à Miami Beach. Beth, dès son arrivée en Floride, reprit contact avec lui. Il promit de lui avancer assez d'argent pour vivre jusqu'à ce qu'il lui trouve du travail dans la « Ville des vents[1] », très probablement au printemps. Dans l'intervalle, elle pouvait lui servir d'hôtesse quand il recevrait des relations d'affaires. Et dès que la place de modèle serait de nouveau d'actualité, elle poserait pour des chapeaux, et les photos serviraient à des publicités insérées dans la presse.

Duffy avait été danseur de claquettes quelques années plus tôt, avant que l'arthrite ne ruine l'un de ses genoux, l'obligeant à se reconvertir. Au bout de neuf ans, sa petite agence de pub était successivement passée de Houston à Miami Beach, puis à Chicago, où il projetait de s'établir dans un vieil hôtel qu'il ferait

1. Chicago.

rénover. La guerre avait freiné les ardeurs dans le secteur de la pub, mais Duffy voyait maintenant se profiler une période de prospérité.

Beth quitta Miami peu de temps après le départ de Duffy vers le nord. Elle resta chez elle à Medford, du mois de février au mois d'avril, jusqu'à ce que Duffy la fasse venir à Chicago. Il l'installa dans son hôtel, l'emmenant souvent dîner avec des clients, et dans deux ou trois clubs de la scène jazz locale. Elle pouvait se montrer charmante avec sa clientèle. Mais, parfois, Duffy la trouvait déprimée. Il lui disait : « Ma belle, tu n'es pas heureuse et ça se *voit*. C'est le bon moment pour le redevenir. Il faut être plus joyeuse – j'ai besoin que tu le sois. » Elle lui répondait que la poussière accumulée dans le hall à cause des travaux de rénovation la gênait. Ses problèmes respiratoires réapparaissaient. Chicago ne lui plaisait pas et elle voulait faire autre chose dans la vie que sourire à des businessmen d'âge mûr.

Elle vit Gordan, qui passait deux jours à Chicago, et réalisa alors que leur romance, entamée à L.A., correspondait en fait à ce qu'elle cherchait. Avec Gordan, elle pourrait être heureuse. Elle était sûre qu'il était prêt à l'aimer et à l'épouser. Elle lui écrivit à Long Beach. Elle savait qu'il l'aimait, lui disait-elle dans sa lettre. Très profondément attachée à lui, elle souhaitait venir le rejoindre. « Au fond de mon cœur, tu me manques beaucoup… Après tout, ajoutait-elle, tu es mon chéri, celui de l'année dernière. »

Gordan était d'accord pour qu'elle fasse le voyage. Toutefois, dans sa réponse, il lui demanda si elle savait vraiment ce qu'elle voulait. Était-elle certaine d'avoir envie de le retrouver ? Si c'était le cas, alors, « personne ne serait plus heureux de te voir arriver qu'un certain lieutenant, ici, à Long Beach ». Il lui envoya les 100 dollars du billet de train et lui réserva une chambre d'hôtel. Elle confia aussitôt sa malle à la compagnie Railway Express, emporta quelques bagages à main et prit place à bord du Sunset Limited en partance pour la Californie. Il était peut-être revenu, ce « moment d'être heureux » dont parlait Duffy. Comme un rêve qui deviendrait réalité...

Elle n'avait toutefois pas imaginé qu'elle devrait vivre seule, à des kilomètres de la base où Gordan était affecté. Il vint la chercher à la gare de Long Beach et la conduisit à l'hôtel Atwater. Mais il était devenu quelqu'un d'autre, un homme tout différent de celui qui lui avait demandé de faire le voyage pour le rejoindre.

Beth reprit contact avec Lucille Varela, lui annonçant son arrivée à Long Beach. Elle lui dit qu'elle avait retrouvé Gordan à Chicago et qu'elle était à nouveau follement amoureuse de lui, bien que leur liaison fût presque « platonique ». Ils s'aimaient, ils s'embrassaient, mais elle ne pourrait se donner complètement à un homme qu'à travers le mariage.

Et maintenant, alors qu'elle était venue à sa demande, Gordan évitait le sujet. Il ne voulait pas en faire son épouse, mais une sorte de « concubine » enterrée quelque part dans un hôtel.

« À mon avis, elle s'est sentie réellement blessée par son attitude, dira plus tard Lucille. Elle a alors tenté de faire croire qu'elle n'était pas retournée en Californie uniquement pour le voir. Il n'avait fait, selon elle, que lui apporter son aide, "encore une fois". Elle a dit "puisque c'est comme ça, moi aussi je peux jouer à ce petit jeu-là", ou un truc dans ce genre, et elle a recommencé à sortir avec d'autres gars à Long Beach. »

Pour Lucille, les flirts de Beth, résultat de l'effet saisissant qu'elle produisait sur les hommes, n'étaient que cela : des flirts. Mais Gordan la soupçonna d'être infidèle, de succomber à tous ces militaires qui l'entouraient. Ils se disputèrent à propos de son attitude amicale envers un jeune marin qui était presque encore un gosse. Elle était allée au Long Beach Pike[1] avec lui et il s'était fait tatouer un cœur sur le bras, avec son prénom dessus. Il lui avait dit pour blaguer : « Comme Elizabeth est aussi le nom de ma mère, si toi tu ne m'aimes pas, au moins, quelqu'un m'aimera toujours. »

Les cinémas du coin projetaient un nouveau film, *Le Dahlia bleu*, avec Alan Ladd et Veronica Lake. Deux soldats commencèrent à appeler Beth, par plaisanterie, « le Dahlia Noir ». Même A. L. Landers, qui tenait la pharmacie, connaissait ce surnom et s'en amusait. Quand Beth poussait la porte, il faisait un clin d'œil à son fils. « Elle venait souvent, racontera-t-il. Elle portait en général un ensemble de plage deux pièces qui laissait voir son ventre. Ou des trucs en dentelle noire. Ses cheveux étaient d'un noir de jais et elle aimait les coiffures assez volumineuses. Elle avait beaucoup de succès auprès des hommes qui fréquentaient l'officine, et ils ont fini par l'appeler "le Dahlia Noir". »

Certains militaires se sont mis à la guetter. Ils demandaient à Landers si *elle* était venue, aujourd'hui : « Le Dahlia Noir est-il passé ? » Et à leurs copains, ils disaient : « Attends un peu de voir le Dahlia Noir, cette fille est vraiment canon. »

---

1. Plage et parc d'attractions célèbres, à Long Beach.

6

Elle connaissait toutes leurs chansons par cœur – celles des Andrews Sisters, de Kate Smith, de Bing Crosby, de Jo Stafford. Et comme il la trouvait vraiment gentille, Hal McGuire, commercial dans la publicité radiophonique, a fini par lui dire qu'il avait un contact avec l'émission de radio des Andrews Sisters.

— C'est vrai ? Vous pourriez me faire entrer à la radio ? a-t-elle demandé. Avant qu'il n'ait pu répondre, elle chanta un truc diffusé dans l'émission *Eight-To-The-Bar-Ranch*.

— Chantez plus fort… Ça sonne plutôt bien !

Elle avait une jolie voix, et on sentait qu'elle aimait ce qu'elle chantait. Il lui dit qu'elle devrait au moins essayer de passer une audition pour faire de la réclame. On pouvait gagner beaucoup d'argent en chantant le *jingle* d'une marque de savon ou de soupe en boîte.

— Je pense que c'est une excellente idée, répondit Beth.

Il se demandait pourquoi elle traînait près de la pharmacie. Il y était venu quelquefois pour acheter de quoi soulager ses maux d'estomac, et il l'avait trouvée en train de babiller avec des militaires.

Ils avaient pris un café ensemble. Elle lui avait parlé de son mariage « attendu, mais pas encore tout à fait sûr ». Elle lui avait dit : « Ce sera mon deuxième passage devant l'autel. » Elle avait aussi évoqué son premier mari, un pilote membre des Flying Tigers, tombé au champ d'honneur, puis elle avait ajouté qu'en essayant de refaire sa vie elle avait rencontré un autre pilote. Mais elle lui avait avoué qu'elle appréhendait de se remarier si rapidement après la mort de son premier époux.

Hal se souviendra également l'avoir entendue dire qu'il fallait « être prudent avec ses émotions », ou quelque chose comme ça. Mais même si cette histoire de mariage tombait à l'eau, elle restait optimiste quant à son avenir. Elle voulait être actrice, lui avait-elle déclaré. Ils avaient un peu discuté cinéma, et Hal lui avait reparlé de la radio. S'il ne s'occupait que de la partie commerciale, il était cependant en relation avec le *Great Gildersleeve*, et il travaillait avec une autre émission encore, l'*Old Fashioned Revival Hour*, pour laquelle il faisait quotidiennement le trajet de Long Beach à L.A.

Il lui avait déclaré que si elle passait à Hollywood et souhaitait visiter la station, il la présenterait à Judy Canova ou aux Riders of the Purple Sage. Elle lui avait demandé sa carte. S'il n'était pas là, elle pourrait le joindre via un ami qui travaillait à KMPC, la « Radio des Stars », sur Hollywood Boulevard.

Les jours suivants, à plusieurs reprises, Hal fit régulièrement un crochet pour aller la retrouver à la pharmacie, jusqu'à ce quelle connaisse quelques problèmes de logement. Elle devait emménager dans une autre chambre, sur Lime Street. Hal ne voulut pas se mêler de ses disputes avec son petit ami. Elle ne semblait pas désolée, ni même contrariée par ce départ forcé de l'hôtel Atwater. Deux ou trois jours plus tard, elle dit à Hal qu'elle ne voyait plus aucune raison de s'attarder à Long Beach. À cause de la grève des chemins de fer, elle ne pouvait pas rentrer chez elle dans le Massachusetts. Elle supposait donc que le mieux était de s'installer à Hollywood, puisque Hal lui avait dit qu'il pourrait lui donner un coup de main dès son arrivée. « Ce n'est qu'à une heure d'ici », ajouta-t-elle en riant.

Il s'arrangea pour lui réserver une chambre dans un hôtel d'Hollywood, le Dix – c'était la radio qui l'invitait, lui dit-il. Le matin de son départ, il vint la chercher à Long Beach. Elle était entièrement vêtue de noir, comme si elle se rendait à un enterrement. Il lui demanda, par plaisanterie, si quelqu'un était mort. Elle portait même un voile. Il chargea ses bagages « et quelques robes suspendues à leur cintre » dans sa voiture.

Elle n'avait pas d'argent. Aussitôt arrivés à l'hôtel, Hal lui en prêta un peu en disant : « J'aimerais qu'on fasse mieux connaissance. » Ils se fixèrent rendez-vous pour dîner le lendemain soir, mais elle lui posa un lapin.

De retour à L.A., Beth se mit à suivre Barbara Lee à la trace, dans les sandwicheries, les buvettes et les bars. « Elle ne buvait pas que de l'eau, racontera Barbara, mais ce n'était pas une pocharde, loin de là. Elle appréciait les bonnes adresses pour le plaisir de papoter et de prendre du bon temps. Elle aimait rester assise, dans toute sa splendeur, et qu'on l'admire. Les types défilaient devant elle comme s'ils faisaient la queue. Elle n'était ni une allumeuse ni une fille qui couchait avec n'importe qui, même si en soi, son attitude séduisait tout en renforçant son côté "fille imprenable".

« Elle m'a laissé un message dès le soir de son arrivée à l'hôtel Dix, sur Cahuenga Boulevard et, le lendemain, quand on a renoué – après peut-être un an ou un an et demi –, elle m'a dit qu'un commercial travaillant pour la radio lui faisait découvrir la ville. »

Malgré son faux bond du premier soir, Beth retrouva plusieurs fois Hal au Four Star Grill. Elle ne manqua pas de lui rappeler sa promesse de l'emmener à la station. Elle avait essayé de joindre son ami de KMPC à de multiples reprises et, chaque fois, racontera Hal, « elle avait laissé un message pressant. Alors que je venais à peine de la rencontrer et de lui trouver une chambre, elle courait déjà dans tous les sens avec plein de gens différents. Elle avait une manière à elle de devenir tout de suite votre amie, que vous soyez un gars ou une fille. Cependant, les garçons avaient l'impression de susciter immédiatement son intérêt, en tant que *boyfriends* potentiels. En fait, vous vous rendiez compte très vite que ce n'était pas du tout ce qu'elle avait en tête. Avec elle, vous vous seriez plutôt cru au patronage ou chez les scouts... Vous aviez cette fille superbe qui paraissait s'illuminer quand elle vous voyait, vous prenant pour ainsi dire au dépourvu, et qui vous faisait croire qu'elle avait le béguin pour vous... La déception était assez rude. »

Selon Hal, elle fréquentait une petite bande qui faisait la tournée des bars et ne se levait pas avant midi. Elle revit d'anciens amis, comme Lucille Varela, qui vivait désormais en couple dans une chambre, près du croisement entre Sunset et Vermont. « Les deux filles sont venues déjeuner avec moi, dira Hal, puis à la radio, où j'ai finalement présenté Beth à Judy Canova... Pressé par les rendez-vous, je les ai ensuite laissées. »

D'après les souvenirs de Lucille, Beth se montra tout d'abord timide, mais, au bout d'un moment, elle se mit à bavarder avec Judy Canova. « Elles ont alors discuté sans interruption. Elles riaient, donnant l'impression qu'elles se connaissaient, qu'elles étaient du même coin. Ce n'était pourtant pas le cas : Beth m'a affirmé n'avoir jamais rencontré Miss Canova avant ce jour. »

Marjorie Graham, originaire du Massachusetts, déjeunait au comptoir du Woolworth's, sur Hollywood Boulevard, lorsqu'elle vit passer Beth. À l'appel de son nom, Beth se retourna. « Elle fut d'abord très surprise, racontera Marjorie, puis tout excitée de me voir ici. Je lui ai dit que j'étais venue rejoindre mon mari, en poste à Long Beach, et que j'avais trouvé un emploi à Hollywood. »

Beth parla à Marjorie de ses projets dans le cinéma, et, au bout d'une heure de conversation, il fut décidé qu'elles logeraient ensemble. Marjorie avait déjà une colocataire, une fille nommée Lynn, qui voulait devenir chanteuse. D'après Marjorie, « il était vraiment très difficile de trouver une chambre libre, et quand on en avait une, on ne pouvait souvent y rester que quelques jours ».

Si Lynn Martin paraissait avoir vingt-deux ans, elle en avait pourtant à peine seize, en ce mois de septembre. Elle était blonde, mignonne, et prétendait ne pas pouvoir descendre la rue sans qu'une dizaine de types assez âgés pour être son père ne lui fassent des avances, prêts à claquer tout leur argent pour l'inviter au cinéma, à dîner ou dans un club. Or, même si sa bonne étoile tardait à paraître, elle n'avait pas l'intention de se laisser mourir de faim, ni de se priver d'une paire de bas nylon : « Je ne vais pas faire comme ces filles qui se mettent du fond de teint pour paraître bronzées ou qui se dessinent de faux accrocs sur les jambes pour faire croire qu'elles portent des collants. » Même en gonflant les plumes, elle gardait cependant l'allure d'un petit canari, ce qui ne l'empêchait pas d'affirmer : « Je vais devenir chanteuse de cabaret, j'aurai plein de vêtements et je pourrai dépenser sans compter pour me payer tout ce que je veux ! »

Beth dira plus tard qu'elle se sentait attirée par Lynn, même si beaucoup de choses lui déplaisaient chez cette fille. Les épaules et le dos de Lynn étaient couverts de cicatrices, résultat de ses efforts pour effacer des tatouages. Mais il y avait en elle une petite lumière. Elle aussi se trouvait loin de chez elle – bien qu'on ne sût jamais précisément d'où elle venait. Et toutes les deux avaient un point commun : elles savaient garder un secret.

Marjorie n'oubliera pas ces moments où Lynn et Beth se comportaient en véritables petites filles. Elles pouffaient comme des gamines et faisaient des choses qu'elles n'étaient pas censées faire.

Il y avait parfois de petites tensions, par exemple quand Lynn voulait emprunter à Beth certaines de ses affaires. D'abord, Lynn, plus petite, ne faisait pas la même taille. Ensuite, Beth avait pris l'habitude de ne pas s'encombrer. Habituée à déménager très vite, elle tirait parti au maximum du peu d'habits qu'elle conservait. Elle donna tout de même à Lynn les vêtements qui ne lui paraissaient plus de son âge. Lynn s'enflamma pour un tour de cou orné de petits miroirs, mais Beth n'était pas sûre de vouloir s'en séparer : il avait un côté voyant qui rehaussait le contraste entre son visage et sa chevelure. À Marjorie, Beth expliqua avoir parfois l'impression que son cou si pâle « disparaissait » dans son chemisier. Il lui fallait quelque chose pour le mettre en valeur.

Alors que Marjorie travaillait le soir, les deux autres filles passaient leur temps à traîner. Deux ou trois fois seulement, Marjorie alla se promener avec Beth sur Hollywood Boulevard. Un jour, elles entrèrent chez une diseuse de bonne aventure, dans un petit building en retrait d'une allée, au nord du boulevard. « Poussant la porte, nous avons pénétré dans le vestibule, à peine plus grand qu'une cabine d'ascenseur, raconte Marjorie. Il y avait une drôle d'odeur. Nous avons monté les marches jusqu'au deuxième étage. Je me souviens qu'un oiseau était entré dans le couloir par une fenêtre ouverte – il n'était pas très gros, mais à notre approche, il s'est envolé en faisant du bruit, cherchant en vain à ressortir. Beth était déjà venue chez cette voyante. Elle a tiré sur une petite chaîne qui pendait près de la porte et une clochette s'est mise à tinter de l'autre côté du mur. »

Pendant ce temps, l'oiseau continuait de voleter d'un bout à l'autre du couloir, et Marjorie, un peu effrayée, baissait la tête à chacun de ses passages. Beth, elle, n'avait pas peur. « Elle a essayé de l'orienter vers la fenêtre, tentant même de soulever la vitre pour ne pas qu'il s'y cogne. »

Une vieille femme aux cheveux sombres leur ouvrit. Reconnaissant Beth, elle sourit. Puis, passant entre les deux jeunes femmes, elle se lança à la poursuite de l'oiseau, le rabattant vers l'escalier. Elle poussait de grands cris, comme s'il s'agissait de chasser un chien.

Avant cette visite, Beth s'était montrée d'humeur joyeuse. Mais après avoir passé un bref moment avec la bohémienne, elle s'est assombrie. En ressortant, elle paraissait mal à l'aise. Selon Marjorie, « ce que la voyante lui avait confié l'avait troublée. Le restant de la journée, elle a eu la tête ailleurs. Elle avait l'air déprimé. » Sur le trottoir, Beth s'arrêta net et, fixant ses pieds, dit :

— Je les déteste, ces chaussures ! Je vais les donner à Lynn.

Martin Lewis, trente-sept ans, s'occupait de deux magasins de chaussures à Hollywood, dont l'un était situé dans la partie sud de Cahuenga Boulevard. « Un peu plus bas que la bijouterie Macy, précisera-t-il. Plusieurs fois par semaine, je voyais cette fille regarder la vitrine. Elle aimait essayer les modèles les plus coûteux.

Mais elle inventait toutes sortes de raisons pour ne pas les acheter, même s'ils lui allaient. D'après moi, elle n'avait pas assez d'argent. » Un jour, elle demanda à Martin s'il était possible de lui mettre de côté une paire de chaussures, prétendant qu'elle avait oublié son portefeuille dans un autre sac à main, avec les clés de son appartement. « Elle m'a dit qu'il n'y avait personne chez elle et que le gérant de l'immeuble était sorti, si bien que non seulement elle devrait se priver de déjeuner, mais faire aussi près de deux kilomètres à pied pour emprunter de quoi se payer le tram. Elle était attendue pour un entretien d'embauche à *downtown*, le centre-ville de Los Angeles. Elle m'a affirmé n'avoir même pas un jeton à glisser dans la machine.

« Je lui ai répondu que si elle était libre, elle pouvait se joindre à moi pour le déjeuner. Elle m'a dit que c'était très aimable de ma part, mais qu'elle n'aurait alors pas le temps d'aller chercher son ticket. Pour régler ce petit problème, je me suis déclaré prêt à lui en avancer un. »

Un bloc plus bas vers le sud, en face de Selma Avenue, se trouvait une cafétéria avec des fenêtres de style mauresque. Martin suspendit à la porte du magasin un écriteau marqué « PARTI DÉJEUNER » et ils se dirigèrent à pied vers cette cafétéria.

Beth voulut prendre place à une table donnant sur la rue. Martin se sentit d'abord gêné, puis il se dit finalement que ça n'avait pas d'importance. Elle était mignonne, cette gamine. Et il avait bien le droit d'inviter une cliente potentielle. D'ailleurs, il lui rendait service… En général, lui expliqua-t-il, il ne sortait déjeuner qu'au moment où arrivait l'employé de l'après-midi. Il finissait ensuite la journée dans l'autre boutique, Leeds Shoes, sur le boulevard. Mais, vu les circonstances, il pouvait bien manger un peu plus tôt que d'habitude.

Beth lui raconta qu'elle tentait de devenir actrice, ou mannequin, un secteur qui connaissait des difficultés. Elle fit état de quelques pistes, émaillant ses propos de noms qui sonnèrent familièrement à l'oreille de Martin. Il lui dit qu'il connaissait une poignée de gens dans le cinéma, des *character actors*, des « seconds rôles » rarement au chômage. Il offrit de la présenter, à l'occasion, à un ami qui pourrait peut-être lui donner des conseils. Elle nota leurs noms dans un petit carnet, ajoutant qu'elle essayerait de se renseigner à la bibliothèque, ou à la boutique qui vendait des magazines de cinéma du côté de La Brea, pour avoir quelque chose à leur dire quand elle les rencontrerait. D'après elle, il était très important pour un acteur ou une actrice de savoir qu'on s'intéressait à son travail. Il approuva sa remarque, et, quand ils quittèrent la cafétéria, Beth retourna avec lui au magasin.

« L'autre vendeur était déjà arrivé, mais j'ai pu glisser quelques dollars à cette fille sans me faire remarquer. Elle a pris plusieurs cartes dans la soucoupe placée sur le comptoir et les a glissées dans son sac à main. Elle m'a prié encore une fois de lui mettre de côté ces chaussures qui lui plaisaient tant – même si, m'a-t-elle dit, elles lui avaient fait mal au talon. Ses pieds étaient un peu gonflés, ce jour-là, et il fallait vraiment qu'elle revienne les essayer une seconde fois. Si elles lui allaient, elle promettait de les acheter. Je lui ai donné mon accord pour les réserver en attendant son retour.

« Elle est repassée à la boutique le lendemain ou deux jours plus tard et, à nouveau, nous sommes allés déjeuner, à peu près à la même heure que la fois précédente. La première chose qu'elle a faite, ça a été de me tendre la somme que je lui avais avancée pour payer son trajet. Je lui ai dit que ce n'était pas la peine. Elle a insisté, puis a voulu réessayer la paire de chaussures que je lui avais mise de côté. Ensuite, elle s'est mise à marcher sur la moquette, se regardant dans le miroir, puis elle est allée se rasseoir avec un grand sourire aux lèvres. Elle m'a annoncé avoir décroché un rôle, et je l'ai félicitée. Juste un petit rôle, a-t-elle précisé. Comme elle devait régler son adhésion à la guilde des acteurs, elle voulait savoir si elle pouvait emporter les chaussures et les payer plus tard. Elle était là, assise, avec sa jupe fendue jusqu'en haut de ses bas. Ils étaient noirs, attachés par des jarretelles noires elles aussi, et une partie de sa jambe restait exposée au regard.

« Je réfléchissais, quand elle m'a demandé si ce que j'avais sous les yeux me plaisait. C'est ce qu'elle m'a dit, avec ces mots-là, d'une voix plus basse, presque un murmure. Pris au dépourvu, je lui ai répondu qu'elle était une jeune femme très attirante et qu'il était difficile de ne pas prendre plaisir à la regarder.

— Aimeriez-vous en voir un peu plus ? m'a-t-elle dit.

« Elle portait une veste courte, une sorte de petit boléro comme en ont les danseuses espagnoles, et elle a posé la main tout contre sa poitrine. Elle m'a souri, affirmant qu'elle m'appréciait sincèrement, et a ajouté :

— Je voudrais que ce soit réciproque.

« Je lui ai alors demandé comment on allait pouvoir faire avec ces chaussures ? Elle a voulu savoir ce que je proposais, *moi*. Je l'ignorais encore, mais si elle voulait bien repasser plus tard, à l'autre magasin, je pourrais la reconduire chez elle et on en discuterait. Elle n'avait qu'à venir vers 17 h 30. »

Martin remit la paire de chaussures dans sa boîte et ajouta qu'à son retour elle pourrait les emporter. Beth signala qu'elle vivait à quelques blocs seulement de l'autre boutique, et Martin proposa d'aller faire une promenade en voiture quand ils se reverraient. Il lui montrerait les lumières de la ville, qui allaient briller pour elle, quand elle deviendrait célèbre.

« Je n'arrêtais pas de me creuser la tête, raconte Martin. Était-elle, oui ou non, en train de me draguer pour obtenir cette paire de chaussures? Je n'en étais pas sûr, d'où mon trouble. Ce n'était pas des chaussures à bas prix, mais pas non plus les plus belles du magasin. Sa classe, sa personnalité n'incitaient pas à croire qu'elle acceptait de fricoter contre une simple paire de chaussures. Quoi qu'il en soit, elle m'avait secoué, ça je le jure. Je ne pensais plus qu'à elle... Elle cachait son jeu. Pourtant, elle avait mis dans le mille... Avant de quitter la boutique, je me suis dit : "Au diable ! Je ne vais quand même pas aller jusqu'au bout pour le savoir... Si elle les veut à ce point, ces foutues chaussures, je vais les lui donner et lui dire d'aller se faire voir ailleurs. Peut-être que ce sera un gros cadeau, pour elle... ou peut-être pas." Et elle est revenue, pile à l'heure, avec un sourire à vous mettre en joie l'équipage entier du navire. »

Dans la voiture, Martin lui a tendu un sac contenant la boîte, avec un ticket de caisse agrafé à l'intérieur : « Elle n'a pas remarqué tout de suite le reçu, parce qu'il se trouvait au fond du sac, mais elle a ouvert la boîte et a aussitôt enfilé les chaussures. Puis, elle a allumé la radio, ravie. Quand elle s'est poussée pour venir se pelotonner contre moi, j'ai été surpris. Elle a placé son bras autour du mien et a posé sa tête sur mon épaule. J'ai remonté Outpost Drive avant de m'arrêter à un endroit d'où l'on dominait Hollywood. Pendant quelques minutes, nous sommes restés là, assis. J'ai gardé un moment la main sur sa jambe. Ensuite, une chose en amenant une autre, j'ai pris sa main et je l'ai placée entre mes jambes, lui imprimant un mouvement de va-et-vient. Elle a jeté une espèce de regard à ce qu'on était en train de faire. J'ai ouvert ma braguette et j'ai glissé sa main à l'intérieur de mon caleçon.

Je crois que je me suis alors calé dans mon siège – elle s'est inclinée dans ma direction, et j'ai appuyé sur sa tête, la faisant descendre au niveau du volant. Je sentais ses cheveux entre mes doigts. Elle n'a pas résisté. C'était apparemment ce qu'elle voulait.

« Je lui ai donné mon mouchoir. Je me souviens lui avoir dit qu'elle pouvait le garder. Nous sommes redescendus vers Franklin Avenue... Ensuite, je l'ai déposée là où elle vivait, mais pas devant sa porte, quelques immeubles plus bas. Une fois sortie de la voiture, elle s'est penchée à l'intérieur et m'a dit que je lui plaisais... quelque chose comme ça, et sur un ton qui m'a donné l'impression que c'était peut-être sincère. De mon côté, évidemment, je n'avais aucun mal à être attiré par elle. »

Martin lui suggéra de distribuer quelques-unes des cartes de ses deux boutiques à des connaissances, mais il voulait éviter toute fille qui aurait « travaillé » sur le boulevard.

« En disant ça, je souhaitais la tester, mais elle m'a répondu qu'elle ne voulait pas entendre parler de ce genre de personnes. Ses amies faisaient de leur mieux pour trouver du travail dans le cinéma en s'efforçant de tenir le coup – tout comme elle.

« Ensuite, elle est revenue, elle a essayé d'autres chaussures. Je lui faisais un petit cadeau de temps à autre, quand nous étions seuls dans le magasin. On flirtait. Je lui ai peut-être laissé en tout trois paires de chaussures. Je lui ai aussi prêté de l'argent pour payer son loyer quand on est remontés du côté d'Outpost. On s'est installés sur la banquette arrière, mais elle m'a dit qu'elle avait ses vingt-huit jours. »

Martin fut déçu : il voulait vraiment aller plus loin avec Beth. Elle lui a fait comprendre que c'était impossible, parce qu'elle avait ses règles.

« Je lui ai alors dit de remonter sa jupe, raconte Martin, pour que je puisse juste admirer ses jambes, et le reste... » Il a ajouté qu'il y avait « plusieurs façons de le faire... et un autre moyen d'être intimes ». Cela consistait à « passer par la porte de derrière ».

Elle a répondu : « Oh mon Dieu, je ne peux pas faire ça ! » Il l'a contredite, lui a répliqué qu'il n'y avait rien de mal à cela, et qu'il avait une forte envie d'expérimenter « quelque chose » avec elle. Puisqu'elle avait ses règles, il n'y avait rien d'autre à faire que *ça*. Ou bien il fallait recommencer ce qu'ils avaient déjà fait, et cette idée le mettait « mal à l'aise ».

« Je lui ai remonté la jupe au-dessus de la taille. Elle portait une espèce de ceinture qui, ai-je imaginé, devait servir à maintenir sa serviette hygiénique en place. Elle lui entourait le haut des cuisses et s'attachait dans le dos. C'était taillé dans un genre de tissu élastique, rabattu et fixé par une grosse épingle de nourrice, comme celles qu'on utilise pour les couches des bébés. Je me souviendrai toujours de cette ceinture.

« Avant qu'elle ne passe à la deuxième boutique, me sentant nerveux, je m'étais versé quelques petits verres d'alcool. À son arrivée, j'avais aussitôt eu envie d'elle, et je n'avais pas perdu mon temps. Elle prétendait que ses sentiments pour moi ne faisaient que se renforcer. Mais dans la voiture, lorsque j'ai voulu l'étreindre et glisser la main dans la culotte qu'elle avait soulevée, elle a refusé de se laisser toucher entre les jambes.

« Elle m'a refait la même chose que la première fois, puis on est redescendus en voiture. Pendant qu'on roulait sur le boulevard, elle a chanté sur un air que diffusait la radio, *I Can't Begin to Tell You*, de Bing Crosby. Je me souviens qu'elle chantait à l'unisson avec lui. Chaque fois que j'entends ce morceau, je pense à elle... Elle m'a demandé si je pouvais l'emmener sur

Westlake, où elle voulait se payer un poulet ou des côtelettes grillées au barbecue. Mais c'était trop loin. Je devais redescendre dans la vallée, au-delà de la colline. Je lui ai donné quelques billets pour son loyer et un petit supplément pour passer un bon moment au grill. »

Martin était marié, à cette époque, et il avait trois enfants. Ses beaux-parents vivaient non loin de chez lui, dans la vallée. Contrairement à certains, il ne « trompait pas sa femme à droite ou à gauche », selon ses mots. Depuis quelques années, il avait des problèmes de couple, mais il était hors de question de divorcer. Il s'inquiétait de ce qui aurait pu se passer, se demandant où cela l'entraînerait si, par exemple, une patrouille de police braquait tout à coup le faisceau de ses lampes sur les vitres de sa voiture et le surprenait avec cette fille. « Il me fallait être prudent, explique-t-il. Ensuite, Beth ayant disparu pendant une semaine ou deux, j'ai cru que c'était fini. Mais elle a refait un saut à la boutique, et je lui ai donné vingt dollars ainsi qu'un nouveau sac à main. Un peu plus tard dans la journée, elle est repassée, chaussures rouges aux pieds. Elle m'avait demandé un sac à main pour aller avec. Or, il n'était pas de la même nuance. »

« Les chaussures assorties au sac se trouvaient encore à l'intérieur de leur grand carton, lui-même rangé dans la réserve. "Si tu reviens ce soir, lui ai-je dit, on ira faire une petite promenade ensemble. Je les apporterai et tu pourras les essayer dans la voiture". »

Mais il l'entraîna d'abord dans la réserve pour les lui montrer et en profita pour tenter de la tripoter. « S'il te plaît, lui dit Martin, remonte tout ça et laisse-moi toucher. Après, tu pourras avoir les chaussures… » Beth lui répéta qu'elle avait ses règles. Martin répondit que ce n'était pas grave, il s'en fichait. « Alors, raconte Martin, elle m'a pris la main et l'a fait passer sur le devant de sa jupe – elle n'a jamais rien fait de plus –, puis l'a fait passer sous la ceinture de sa gaine, en me tenant fermement par le poignet. J'ai eu l'impression de toucher une petite fille. C'était la sensation que j'avais : sous la taille, on aurait dit qu'elle avait le corps d'une enfant. Presque aussitôt, elle a enlevé ma main et m'a demandé si j'étais satisfait. J'ai trouvé ça drôle, comme question. Je lui ai touché les seins. Là, elle m'a laissé faire. Ils étaient très beaux, très doux, mais elle avait de petits tétons, comme ceux d'une petite fille. Ils contrastaient fortement avec les globes de ses seins... Je lui ai donné les chaussures et encore un autre sac à main, qui provenait du même fabricant. Celui-là était noir, très souple, taillé dans un cuir somptueux. Je lui ai dit que c'était un article de très haute qualité, assez cher, mais ce n'était pas nécessaire, elle le savait déjà. »

Beth lui a répondu par quelques mots en français – une phrase qu'il n'a pas comprise. En sortant, elle souriait. Elle paraissait avancer en flottant, comme si ses membres se balançaient, mal fixés au reste de son corps, et que ses pieds ne touchaient pas terre.

7

Ray Kazarian, revendeur de surplus militaires et de pièces détachées pour automobiles, a fait la connaissance du Dahlia dans un bar de Sunset Boulevard. Il l'avait remarquée plusieurs jours auparavant, sur Hollywood Boulevard, mais leurs chemins ne s'étaient pas croisés jusqu'à cette rencontre au Sky Room.

L'établissement jouxtait un restaurant drive-in, et « certains gamins du lycée d'Hollywood parvenaient à passer en douce du drive-in au bar, racontera Ray. On n'y voyait pas très clair mais, parfois, ils se faisaient quand même surprendre ; cela dépendait de la serveuse. Les garçons se blottissaient dans le box du fond – c'était l'endroit le plus sombre, seulement éclairé par une lueur rouge – et, quand une fille passait près d'eux, ils laissaient échapper quelques gloussements. En général, ils se faisaient expulser.

« Le juke-box diffusait toujours des morceaux comme *Always*, *Near You* ou *The Glory of Love*. Ce mec, Whitey, n'arrêtait pas d'y fourrer des *nickels*, tout en jouant les bookmakers au téléphone, accoudé au bar. Il avait aussi un présentoir avec des magazines dans la rue. Quand il m'a vu, ce jour-là, il m'a fait sa petite mimique habituelle à la Eddie Cantor, agitant les mains et roulant des yeux ; je me suis donc directement assis. »

Ray s'est peu à peu habitué à l'obscurité. Il a aperçu une jeune femme un peu plus loin, qui lui faisait face, et l'a reconnue.

— Certains gars l'appellent le Dahlia Noir, lui a glissé Whitey.

« Elle avait de longs cheveux noirs et une fleur derrière l'oreille. Dans cet endroit, la fleur paraissait rose, ou iridescente. La lumière prenait la teinte de son rouge à lèvres et elle avait l'air entièrement rose. Je me souviens d'une espèce de chemisier espagnol et d'un tour de cou semé de brillants qui scintillait lorsqu'elle bougeait la tête. Il y avait deux autres filles qui riaient avec elle, dont une petite blonde impeccable. La blonde lui a demandé quelque chose ; en réponse, elle leur a adressé un sourire et un regard.

« Quelques minutes plus tard, j'ai pu la voir d'un peu plus près, explique Ray. Elle portait une sorte de mascara noir qui soulignait ses yeux. Elle m'a dit s'appeler *Beth for short* ("Beth, pour faire court") puis elle est partie dans un nouveau rire. Je lui ai demandé ce qu'il y avait de si drôle, ajoutant que j'avais connu une Beth et même failli l'épouser. Elles se sont esclaffées de plus belle, toutes les trois. Elizabeth – ou Beth – m'a alors expliqué que Short était son nom de famille : *Beth for Short,* m'a-t-elle répété.

« J'ai compris la blague et j'ai ri, moi aussi. C'était très relax. Whitey était en train de noter des tuyaux, le combiné à l'oreille. La troisième fille était plutôt mince, mais elle avait un genre de double menton. Elles étaient assez mal fichues, comparées à Beth. J'ai proposé de leur payer une tournée, mais Beth et la blonde m'ont assuré qu'elles attendaient des amis.

« La fille mince s'appelait Midge. Elle était en pause-déjeuner ; elle travaillait sur Yucca, dans la musique, je crois. » Midge passait généralement devant l'hôtel où logeaient les deux autres et, si l'une d'elles était disponible, elles allaient ensemble au Sky Room.

Ray vit Beth soulever deux ou trois fois son verre, mais pour l'essentiel, elle se contentait de manger un croque-monsieur, avec une tranche de tomate à l'intérieur. Selon ses dires, elle était « d'ici et d'ailleurs... Enfin, je l'étais il y a un petit moment. » Là encore, tout le monde s'est mis à rire.

Il a remarqué qu'elle avait les dents un peu de travers, mais son sourire était redoutable. Se disant que ça pouvait se réparer, il lui a avoué ce qu'il pensait de son superbe sourire. Elle a paru flattée.

— Je me souviens vous avoir aperçu à deux ou trois reprises sur le boulevard, a-t-elle répondu. La dernière fois, c'était devant le Pig'n Whistle. »

Ses yeux se sont légèrement écarquillés et elle a détourné la tête, comme pour mieux se le rappeler.

Il l'observait, elle, sa façon de se tenir, de parler, de rire... Elle était nerveuse, elle remettait sa coiffure en place, se rongeait les ongles, anxieuse à propos de ces amis qu'elles attendaient. Elle jetait sans cesse un œil aux autres clients.

Whitey a commandé d'autres boissons, mais Beth n'a rien pris. Comme il se mettait à raconter que Ray avait joué dans des westerns, celui-ci a démenti :

— Ne croyez pas ce qu'il raconte. J'ai travaillé dans un cinéma qui *projetait* des westerns. Whitey aime bien faire marcher les gens. Ça peut être un gros défaut pour un type qui prend les paris...

Ils ont continué à plaisanter autour de ça, puis deux jeunes gars sont arrivés, l'un comme l'autre en uniforme. Une voiture les attendait dehors. Beth et la blonde se sont levées de leur banquette.

Au moment où elles s'en allaient, Ray a retenu Beth pour lui dire qu'il logeait dans l'hôtel de l'autre côté de la rue. Il lui a suggéré d'y faire une halte quand elle repasserait dans le quartier, pour aller manger un morceau avec lui.

— Eh bien, mon Dieu, a répondu Beth, ce sera peut-être *possible*, mais pour l'instant, je suis assez occupée. J'essaye de tourner dans un film.

— Ah... le chemin risque d'être long, a dit Ray. Surtout avec les grèves. Mais vous avez bien meilleure allure qu'au moins la moitié des candidates !

Il a ensuite demandé d'où lui venait ce surnom de « Dahlia Noir » :

— Je ne sais pas pourquoi on dit ça, a déclaré Beth. C'est juste une blague à propos de ce film d'Alan Ladd, *Le Dahlia Bleu.* Quelqu'un a inventé ce truc il y a deux ou trois mois.

Ray lui a répété qu'il se tenait à sa disposition pour aller dîner avec elle à n'importe quel moment.

— Et ne vous faites pas de souci, a-t-il précisé, je ne mords pas.

Elle a répliqué, avec un sourire :

— Oh, mais je parie que si... Je parie que vous mordez, espèce de coquin !

Elle était heureuse d'avoir fait sa connaissance, mais elle devait se rendre quelque part en compagnie de l'un des deux soldats :

— Celui au sourire Pepsodent. Il est très jaloux... et il veut m'épouser. Il me l'a proposé hier.

— Félicitations ! Il a bien de la chance, ce garçon, a conclu Ray.

Beth a laissé échapper un dernier rire et lui a pressé le bras, comme elle l'aurait fait à un camarade.

Pour Hal McGuire, il n'y avait aucune chance. Selon lui, on ne pouvait la suivre : elle vivait, disait-il, « comme une balle de flipper qui rebondissait à toute allure ». Elle n'avait toujours pas réussi à trouver une source de revenus stable, et les prêts consentis par Hal ou par d'autres, modestes mais fréquents, avaient rapidement représenté une assez jolie somme. Personne, toutefois, n'espérait une seconde revoir la couleur de son argent.

En dépit de son optimisme et des promesses d'un agent, Fred Sherman, rencontré par l'intermédiaire de Barbara, Beth marchait sur une corde raide, s'efforçant de suivre la partition tout en évaluant les coups d'œil ou l'enthousiasme qu'elle pouvait provoquer.

Sherman projetait de lui faire rencontrer un type qui travaillait avec l'acteur Bob Steele et était plus ou mois producteur pour un studio indépendant. Sherman, lui aussi, avança à Beth un peu de cash pour couvrir ses dépenses et acheter les quelques vêtements nécessaires à une séance photo. Beth se vit recommander de ne pas s'exposer au soleil, quoi qu'il arrive. Et d'utiliser pour ses cheveux un produit qui les rende d'un noir brillant. Il était important, lui dit-on, de jouer cet effet au maximum, tout en gardant une peau très blanche.

Les photos devaient êtres prises près de Newport Beach, au cours d'un week-end. On lui promettait un peu plus d'argent, mais seulement après. Sherman, de toute façon, considérait que ces photos pouvaient conduire Beth vers d'autres opportunités. À l'issue de la séance, il devait se faire rembourser par Steele l'argent qu'il avait avancé.

Il arrangea un rendez-vous entre Beth et Mark Hellinger, d'Universal. « C'était un sacré numéro, raconte Sherman, il était complètement cinglé. Il s'est fait arrêter alors qu'il fonçait à travers North Hollywood, et la fille était avec lui dans la voiture. Il a été question d'elle à un certain moment, mais un jour elle était là, et le lendemain elle avait disparu... Elle était imprévisible. On ne pouvait pas deviner ce qu'elle allait faire. Je me demande si la moitié du temps, elle savait elle-même vers quoi elle se dirigeait, avant d'y être allée et de l'avoir fait. »

Martin Lewis faisait le guet derrière la vitrine de son magasin de chaussures, attendant qu'elle revienne. Il la considérait comme une sorte de petite amie. Ils faisaient « un peu la fête, tous les deux, temporairement – et je jure que je le voyais bien comme ça... expliquera-t-il. Elle ne se présentait pas comme une fille qu'on pouvait avoir contre une simple paire de chaussures. Ce n'était pas une traînée, mais quelqu'un avec qui on pouvait avoir une relation *personnelle.* Les cadeaux, les prêts qu'on lui faisait correspondaient plutôt à des petits arrangements entre amis. J'éprouvais réellement de l'amitié pour elle, je lui apportais mon affection, je m'en sentais *proche.* Ça allait beaucoup plus loin que le simple fait d'obtenir des faveurs sexuelles contre quelques marchandises. Et ces "prêts" ne représentaient pas grand-chose. »

Martin ne voyait aucun mal à ce qu'elle se procure des chaussures ou de l'argent, du moment qu'elle ne se prostituait pas. « Ça n'avait rien à voir avec une sorte de libre-service », devait-il affirmer. Elle jouait un jeu en y prenant un certain plaisir. Peut-être était-ce une qualité ? Il paraissait impossible qu'elle pût s'abaisser. Selon Martin, ce qu'elle faisait était *différent* de ce qu'elle était.

« On avait l'impression d'avoir affaire à une princesse... Elle se comportait avec ce qu'on pourrait appeler du *dédain,* comme si les gens qu'elle connaissait ou avec qui elle devenait copine n'étaient pas à sa mesure. Peut-être que moi aussi, elle me voyait comme ça, renchérit-il. Je ne sais pas quel qualificatif on donnerait aujourd'hui à ce genre de fille. Hautaine, peut-être. Elle était comme une biche en alerte – qu'on ne pouvait jamais attraper. »

Martin vit Beth de temps à autre durant deux ou trois semaines. Un jour, elle vint accompagnée d'un type que la police avait à l'œil. Martin apprit qui il était grâce à un ami, agent d'assurances sur Selma Avenue. « Un soi-disant musicien à temps partiel et photographe, racontera-t-il. C'était bidon. Je l'aurais bien dénoncé si j'avais eu une raison, mais je ne voulais pas l'impliquer, elle, sans nécessité. Peut-être ignorait-elle que ce gars ne valait pas grand-chose ? Quand vous êtes en contact avec le public, comme je l'étais, vous repérez les gens douteux. Les vrais escrocs, les pommes pourries, vous apprenez à les reconnaître. Pendant et après la guerre, Hollywood en était rempli, ou alors ils étaient plus visibles dans la mesure où les bons gars, eux, étaient partis à l'étranger. »

Martin n'eut pas besoin de livrer l'homme à la police : il se retrouva en prison bien assez tôt. Mais il avait eu le temps de vendre à l'ami de Martin, l'assureur, un film porno et un paquet de photos cochonnes. « Mon copain m'a dit que la fille que je connaissais jouait dans ce film, se souvient Martin. Je ne l'ai pas cru. C'était très dangereux de tremper de près ou de loin dans ce genre de choses, à l'époque, parce que la police était intransigeante sur la pornographie. Sous toutes ses formes, c'était un crime. Le *sexe oral* était un crime. La *sodomie* était un crime. Pour ce que j'avais fait à la fille, j'étais un criminel. La police l'aurait vu comme ça.

« Mon copain agent d'assurances m'a emmené à l'arrière de son bureau, dans une petite cuisine, et m'a projeté la scène où apparaissait cette fille aux cheveux sombres. J'ai dû la visualiser plusieurs fois. On voyait sa tête, et elle était cadrée en diagonale, jusqu'au nombril, visible dans le bas de l'image, côté gauche. Sa poitrine était cachée par le corps assez large d'un homme à la peau sombre, peut-être un Philippin, qui se tenait à genoux, à califourchon sur elle. On pouvait voir les fesses nues de cet homme, son avant-bras ainsi que la main de la fille. Le type avait visiblement un long *wango*, qu'il lui enfournait dans la bouche. Pendant quelques secondes, on le voyait faire entrer et sortir sa queue, assez profondément à un certain moment, et elle avait l'air d'aimer ça. »

Martin était certain qu'il ne s'agissait pas de la fille qu'il connaissait, alors que son ami pensait le contraire. « Je lui ai dit pourquoi selon moi il avait tort, explique Martin. La chevelure de la fille formait une espèce de tignasse noire, et elle était lourdement maquillée, comme si elle portait un masque noir autour des yeux. Mais les cheveux semblaient plaqués sur son front et ses paupières étaient entrouvertes. Son regard paraissait plus sombre. Son maquillage avait quelque chose de brillant. Quant à ses mains, on ne les reconnaissait pas – les ongles n'étaient pas rongés comme ceux de Beth. Le nez était différent. Pendant un bref instant, on entrevoyait son nombril et son ventre, ainsi qu'un bout de dentelle noire qui avait l'air d'être le haut de sa gaine-culotte.

« Mon ami m'a dit qu'il allait me couper un ou deux bouts de pellicule, au cas où je voudrais les utiliser pour en tirer une photo. Il les ferait recoller au Hollywood Camera Exchange. J'ai répondu que je les lui rapporterais quand il voudrait y aller, mais je n'étais pas sûr de vouloir faire tirer cette photo. Je montrerais seulement les bouts de pellicule à la fille, en lui demandant si c'était dans ce genre de films-là qu'elle jouait.

« Finalement, je ne les ai pas étalés devant Beth, mais je l'ai un peu asticotée en racontant que certaines personnes croyaient savoir qu'elle avait joué dans un film porno. Elle m'a demandé, en riant, si je pensais qu'elle ferait, *elle*, un truc comme ça.

« Elle évoluait au milieu d'un cercle de gens en rupture ou qui ne travaillaient pas. Je ne parle pas d'emplois classiques, mais au moins d'arriver à se tenir du bon côté de la loi, vous voyez, d'être dans la *légalité*. Elle gravitait dans cet environnement-là, et courait en tous sens, se faisant ramasser par des types pour aller d'un point à un autre. Elle avait une façon de marcher en affichant ses fesses qui attirait l'attention, on ne peut pas le nier.

« Un jour, des types réparaient un toit, en face de la boutique, quand elle est entrée. Ils ont commencé à la siffler, à la héler, et elle s'est mise dans tous ses états. Elle n'était pas offensée, mais plutôt ravie de l'intérêt qu'on lui portait. Ils ont traversé la rue, sont venus regarder par la vitrine, avant que je leur dise qu'ils embêtaient les clients. Mais elle aimait qu'on s'extasie devant elle.

« Comme une putain : c'est de cette façon-là que *moi*, je voulais la voir. Elle empestait le parfum, elle était toujours très maquillée, avec cette poudre blanche bien particulière, et ce côté brillant qu'elle donnait à ses cheveux. Plus les robes noires.

« Avec ce regard, toujours. Ces yeux qui furetaient quand vous lui parliez. Elle regardait à travers vous, ou par-dessus votre épaule, comme pour faire de l'œil à un type. C'était le genre d'impression qu'elle donnait. Et cependant, elle pouvait se montrer adorable comme tout. *Vraiment* gentille, attentionnée, comme aucune pute ne savait l'être à Hollywood, malgré ce que certains se plaisaient à dire.

Je savais que ce n'était pas une traînée, et rien ne me permet d'affirmer qu'elle en était une, il faut donc croire que c'était comme ça que je *voulais* la voir. Même si j'étais partagé, étant donné qu'elle ne m'attirait pas seulement sexuellement. »

Un soir, environ deux semaines après leur rencontre au Sky Room, Ray Kazarian revit Beth dans un bar, le Steve Boardner's. « Nous nous sommes aperçus dans le miroir du fond, et je lui ai fait de l'œil, racontera-t-il. Elle m'a regardé bien en face, avec ce sourire qui vous mettait par terre. Je l'ai lutinée des yeux, et vu la façon dont on se dévorait… on peut dire qu'elle me rendait la pareille. Je lui ai finalement décoché un regard, tout en faisant : "Hé, ma petite poupée en sucre, ton vieux papa est là ! Viens de mon côté, j'ai deux ou trois trucs à te dire." Ce style de bêtises… On s'est amusés comme ça pendant une minute ou deux. Elle m'a suivie sur ce terrain, me laissant entendre qu'elle n'était pas du genre petite fleur timide. Rien de bien méchant par rapport à ce que je connaissais, ou aux gamines qui traînaient dans les bars pour aguicher les marins, ou à tout ce qui rôdait à ce moment-là. Pour une jeune femme de son âge, le Dahlia Noir, elle, avait quelque chose de vraiment excitant. »

Elle n'était pas seule, et Ray s'est demandé ce qui était arrivé au soldat présenté comme son fiancé. « Dès que la personne qui se trouvait avec elle s'est éloignée vers le bar, je lui ai demandé des nouvelles de son futur, et elle m'a dit : "Mon quoi ?" J'ai répondu son fiancé, ce soldat qui était venu la chercher au Sky Room. Elle m'a expliqué qu'il était parti à Monterey. Il allait revenir, a-t-elle ajouté, mais ce n'était pas son fiancé. Je l'avais cru, pourtant, et lui aussi, ai-je dit. Elle m'a répliqué qu'il s'était simplement amusé à l'imaginer. Et elle a poursuivi en m'expliquant comment elle recevait les propositions de mariage, assez fréquentes selon elle. Il n'était plus question, désormais, qu'elle dise oui à un homme encore sous les drapeaux. Elle avait fini par se rendre compte qu'elle était toujours amoureuse de son mari.

« Je me suis étonné : "Ton *mari* ?" Elle m'a alors raconté qu'elle était veuve, me montrant une coupure de journal et une photo de lui. Elle conservait une poignée de clichés dans son sac à main. J'ai fait remarquer qu'il était major, alors que le gars de l'autre jour n'était qu'un simple deuxième classe... Elle ratissait plutôt large. Mais apparemment, elle n'avait pas envie d'en parler, et quand j'ai voulu lui offrir un autre verre, elle a refusé. Elle mourait d'envie d'aller manger "un banana split ou un truc comme ça, un sundae par exemple, à la cerise ou à la fraise". Ce n'était pas bon pour elle, mais elle en avait *vraiment* envie.

Puisque ça ne lui disait rien de marcher, on a sauté dans un tram, nous asseyant contre la vitre. La circulation était dense à cause d'une première à l'Egyptian, et nous sommes descendus plus loin, près du Grauman's Chinese. Là, je l'ai emmenée chez un petit glacier, un très vieil endroit, haut de plafond, avec des banquettes en bois sombre qui isolaient assez bien. Elle m'a affirmé être déjà venue. "J'aimerais savoir, ai-je dit, où tu n'es pas encore allée et ce que tu n'as pas encore fait." Elle m'a souri en redressant la tête, sans rien répondre. »

Beth a alors demandé à Ray quel âge il avait. La réponse la laissa perplexe. Elle le croyait plus vieux. Comme preuve, il a sorti son permis de conduire, s'entendant dire : « En fait, tu te comportes comme quelqu'un de tellement plus âgé... » Il avait l'impression qu'elle cherchait à lui plaire, et il évita de protester. Elle était habituée à fréquenter de jeunes soldats, a-t-il dit. « Pas spécialement », a répondu Beth. Elle ne sortait pas si souvent que ça et elle avait longtemps attendu son mari lorsqu'il était à l'étranger. Depuis sa mort, un autre gars était tombé amoureux d'elle.

« Elle ne se considérait pas, expliquera Ray, comme enracinée dans un endroit quelconque. » Elle avait l'impression que l'Est, où elle avait vécu avec ses sœurs, ce n'était pas vraiment chez elle. Rien ne l'y retenait. Elle s'était toujours sentie isolée... Après avoir dit ces mots, elle s'est mise à rire, affirmant qu'elle avait toujours voulu être célèbre et qu'elle savait qu'elle le deviendrait. Dès l'école, elle avait décidé de s'en sortir toute seule. Ça n'avait pas toujours été facile parce que, depuis son enfance, elle souffrait d'asthme, et avait frôlé la tuberculose.

Ray déclara comprendre ses problèmes de santé, lui-même avait eu son compte en la matière. C'était pour cela qu'il n'avait pas pu partir au front : « J'ai une colonne vertébrale qui ne supporte aucun effort. Je lui ai raconté comment j'avais essayé de me faire engager. À trois reprises, j'ai tenté de glisser discrètement un pied dans la porte, mais, chaque fois, l'armée me l'a claquée au nez.

« Elle m'a affirmé ne plus avoir de problèmes. Elle était guérie de sa maladie. Je lui ai dit que je la trouvais très belle, et qu'elle s'en était magnifiquement tirée.

« Elle a grignoté des espèces de boudoirs, des petits sandwiches pour le goûter. Ensuite, elle a pris une glace. Pendant qu'elle mangeait, j'ai regardé ses lèvres et la façon dont elle mettait la cuillère dans sa bouche. Elle s'essuyait soigneusement avec sa serviette. Très convenable.

« Au cours de la conversation, je me suis servi de l'adjectif "plébéien" et elle a sorti de son sac à main un stylo et un petit carnet pour le noter. "Je fais ça quand je ne suis pas sûre d'un mot, m'a-t-elle avoué. J'aime bien vérifier quand j'en ai l'occasion." »

D'après Beth, les filles qu'elle connaissait n'étaient pas de vraies amies. Elle n'était proche d'aucune d'entre elles, a-t-elle confié à Ray. Elles partageaient simplement une chambre de temps à autre. D'ailleurs, elle n'était pas sûre de savoir où elle irait ensuite. Cela allait dépendre de ses arrangements dans l'Est.

« Je ne savais pas de quoi elle voulait parler, expliquera Ray, et, quand je lui ai posé la question, elle ne m'a pas répondu. Elle ne cessait de demander l'heure, vérifiant aussi plusieurs fois son rouge à lèvres et son maquillage. Par moments, elle me donnait le sentiment de se trouver seule à notre table. Au son de certaines voix, elle regardait ailleurs, vers les autres, comme si elle venait de les quitter et les reconnaissait. Elle souriait ou réagissait à ce que les gens disaient ou à ce qui les faisait rire. »

Elle l'interrogea sur ses rapports avec le cinéma. Il se définissait avant tout comme un fan. Pas tellement de ce qui se faisait à l'heure actuelle, plutôt des vieux films de cow-boys.

Brusquement, avec une soudaine vigueur, Beth lui a dit : « Tu vois, tu *es* plus vieux. » Elle a déclaré ne pas connaître grand-chose aux westerns, sur un ton qui laissait supposer un certain intérêt. Il pouvait lui en dire davantage s'il le voulait ; mais, visiblement, elle ne l'interrogerait pas d'elle-même.

Dès lors, Ray lui fit la conversation, rien de plus. « On était simplement assis là, tous les deux, et il n'y avait plus rien de charmant entre nous. Ce n'était plus du tout ça. »

Il eut l'impression de se retrouver en compagnie d'une dame patronnesse d'à peine vingt ans, sans savoir comment se débrouiller pour conclure.

8

Comme beaucoup de G.I.'s qui avaient coupé les ponts, Edwin Burns, pour chasser son vague à l'âme, cherchait la fille de ses rêves. Il avait vingt-quatre ans et, depuis sa démobilisation, essayait d'oublier le Pacifique Sud à Hollywood. Il apprenait à danser en faisant la tournée des petits clubs et autres dancings apparus pendant la guerre.

Avant son départ outre-mer, son amie lui avait écrit qu'elle lui resterait fidèle jusqu'à son retour. Mais, selon ce qu'il racontera, « en réalité, elle se payait des virées en ville. Ensuite, elle s'est fait mettre enceinte par un autre gars, elle l'a *épousé* et a accouché. Elle en était désolée, car elle n'avait pas voulu me faire de la peine, paraît-il, alors que je croupissais dans la jungle en essayant d'esquiver les *snipers*. D'après elle, moi là-bas, je ne risquais pas de me laisser entraîner dans une relation amoureuse... Bref, j'ai eu le cafard, et je n'arrivais pas à m'en défaire. Et même si je prétendais vouloir trouver une autre fille, je ne tentais pas vraiment de flirter, ni de prendre ça au sérieux, ou alors pas longtemps.

« Un soir, j'étais au Shanghai Dance Hall, sur Hollywood Boulevard. Il y avait cette fille aux cheveux noirs, l'une des plus jolies que j'aie vues de toute ma vie. Ça rôdait autour d'elle. Plus les gars se rapprochaient, plus il en venait d'autres, et plus ça avait l'air de lui plaire. Mais c'était drôle et pas très sérieux. »

Burns ne chercha pas à la draguer, il se contenta de rester debout au comptoir, là où l'on servait de quoi se rafraîchir. Il était peut-être le seul à se tenir en retrait, à ne pas chercher à se rapprocher de la fille. Puis, elle est venue dans *sa* direction à lui. « Je n'étais pas très grand, et j'avais les dents en avant, explique-t-il. Quand j'étais petit, on me disait que je ressemblais à un lapin... » La fille lui a souri, tête légèrement baissée. Elle le fixait droit dans les yeux, comme si elle le connaissait.

« Des filles comme elle, il n'en existait pas beaucoup. Elle était de celles qu'on a l'impression d'avoir déjà aperçues quelque part. Le genre de personne pour qui on pouvait avoir un penchant sincère. Elle avait une allure particulière... Et, à sa façon de me dévisager en souriant, j'ai vraiment cru qu'on s'était déjà croisés, sans être capable de me rappeler son nom. »

Son nom, lui dit-elle, c'était Elizabeth – Beth, pour faire court. Tous les types qui se trouvaient ce soir-là au Shanghai voulaient danser avec elle, mais elle l'avait choisi lui : il avait l'impression d'être béni des dieux. Elle avait préféré un solitaire pour lui tenir compagnie. « Le plus marrant, explique Burns, c'est que même quand tu étais avec elle, même quand tu la tenais dans tes bras en dansant... oh, mon vieux, tu restais pour elle un mec solitaire. »

Il y avait aussi, ce soir-là, un type très bien taillé qui savait s'y prendre avec les filles. Beth lui accorda deux ou trois danses, mais elle revint toujours vers Burns. Celui-ci s'imagina rapidement qu'elle était faite pour lui : il avait trouvé la belle petite pépée de ses rêves et ils allaient bientôt s'envoler tous les deux vers la lune. « Je savais que ça risquait d'être différent au réveil, tempère Burns. Pourtant, le temps de cette soirée, grâce à elle, je me suis senti bien, j'étais fier, je me suis cru grand et fort comme Charles Atlas[1]. Je n'étais plus du tout ce petit lapin. Elle avait de la classe *et* elle était intelligente. À côté d'elle, les autres filles perdaient de leur éclat. Je crois qu'elles en étaient jalouses parce qu'elle avait de quoi leur enlever un gars sans même y penser. »

Quelques petits problèmes surgirent. Marjorie, qui ne voulait plus que Beth monopolise le vernis à ongles, se mit à la critiquer : ce rouge à lèvres couleur sang était trop sombre pour son visage, aussi sombre que le vernis qu'elle appliquait sur ses orteils et sur ses mains. Bref, il fallait qu'elle arrête d'utiliser son flacon de vernis et qu'elle s'en achète un. Beth prétendit en avoir eu un, vidé selon elle par Marjorie et Lynn, une semaine plus tôt.

Elle avait toujours réponse à tout, Beth – c'était bien elle, ça. Ou alors, elle faisait un pieux mensonge. Elle n'avait jamais eu son propre vernis à ongles. Ce n'était pas vrai. Les deux autres filles ne lui avaient rien emprunté, excepté peut-être ce pantalon crème dans lequel Marjorie entrait tout juste et qu'elle avait mis un jour pour aller au cinéma Paramount, laissant au passage des taches grasses de pop-corn sur les genoux.

Beth s'inquiétait des rencontres que Lynn pouvait faire en dehors de l'hôtel ou de la voir accepter des rendez-vous. Elle n'avait que seize ans, même si elle le cachait bien... Marjorie, elle, s'en fichait.

Il y avait des jours où Beth n'avalait pas une miette. Elle restait assise à une petite table, écrivant des lettres ou gribouillant sur un petit calepin qu'elle n'aurait jamais fait lire à personne. Les deux autres filles l'invi-

---

1. Célèbre bodybuilder (1892-1972), le roi des cours de musculation par correspondance.

taient souvent à dîner. « En général, raconte Marjorie, quand elle n'avait personne avec qui sortir, elle ne mangeait pas. »

La situation, cependant, changea du tout au tout vers le milieu du mois. Beth dîna un soir chez La Rue, sur le Sunset Skip, avec Mark Hansen, un patron de night-club, et Ann Toth, sa petite amie, une figurante.

« Si tu avais été juste un peu plus âgée, dira Beth à Lynn, je t'aurais présentée à Mark, parce qu'il a plusieurs boîtes en ville : il n'aurait eu qu'à décrocher son téléphone pour te placer comme chanteuse. Mais à moins d'avoir le consentement de l'un de tes tuteurs, tu risques de t'attirer de gros ennuis et d'en créer aux gens qui t'engageraient. »

« Je n'ai jamais poussé le Dahlia Noir à faire quoi que ce soit, affirmera Ray. Elle se mettait elle-même dans le pétrin. Quand elle m'a appelé pour me demander conseil, je lui ai répondu que je voulais bien discuter. On s'est donné rendez-vous pour prendre le petit déjeuner ensemble au Ranch, près du bureau de Poste. »

D'abord enjouée, Beth a cessé de l'être dès que Ray lui posa deux billets de vingt dollars flambant neufs près de son assiette d'œufs au jambon.

Tandis qu'elle avalait un grand verre de jus d'orange, il lui a demandé ce qui était arrivé à ses ongles, rongés jusqu'au sang. « Ils étaient à vif, raconte Ray. Avant de lui tendre l'argent, je lui ai dit qu'elle devrait se faire poser des faux ongles et les garder vernis. Ça l'empêcherait de se mordre les doigts tout en donnant une chance à ses vrais ongles de repousser. » D'après Ray, elle devait miser sur son allure. Il avait du mal à l'imaginer en fausse blonde, mais, selon lui, « le teint de ses cheveux, sa peau, et tout spécialement ses yeux » lui permettaient de rivaliser avec beaucoup d'actrices. « J'ai affirmé qu'elle pourrait poser pour des magazines. Je voulais l'orienter vers deux ou trois personnes. » Ensuite, seulement, il a glissé vers elle les deux billets de vingt dollars.

Elle regarda fixement l'argent et se mit à chipoter sur la nourriture, « comme si elle s'était trahie. Elle avait l'air perplexe. J'étais assez content de la mettre dans cet état. Je lui ai déclaré que ça n'avait rien à voir avec une quelconque proposition. Je ne lui donnais pas de l'argent pour ça. »

Souhaitant être certain de bien se faire comprendre, il a ajouté que c'était « un cadeau. On approchait d'un jour de fête, la Saint-Valentin ou Noël, je ne sais plus... »

Ce qui la fit rire. Elle alla puiser dans son sac à main un petit carnet noir et y plaça les billets. Ray distingua des pages écrites, mais, de son siège, il lui fut impossible de les déchiffrer.

— S'il te plaît, a alors prié Beth, je veux que tu te souviennes que je ne suis pas une prostituée. Je ne sors pas avec des hommes pour qu'ils me donnent de l'argent.

— Je te l'ai déjà dit, a répondu Ray, cet argent-là n'a rien à voir avec notre amitié.

Après le petit déjeuner, ils ont marché jusqu'au bout du pâté de maisons. Sur le boulevard, Ray a attendu avec Beth l'arrivée du tramway.

Il n'a pas gardé souvenir des paroles échangées à ce moment-là – ni même s'il y en a eu. Il se rappellera simplement avoir patienté, le temps que le tram descende Hollywood Boulevard. Le trolley est venu se ranger devant eux et Beth a grimpé à bord. Elle avait passé une paire de gants. Ray devait garder en mémoire l'image de Beth en train d'ouvrir et de fermer la main, tout en serrant le jeton du tram contre sa paume. Puis elle introduisit le jeton dans la boîte prévue à cet effet, avant de lancer un dernier regard par-dessus son épaule en direction de Ray, au moment où les portes se sont refermées.

« Elle avait dit qu'elle reprendrait contact, dit-il. Elle avait promis d'appeler. Mais, bien sûr, elle ne l'a jamais fait... »

Au Lee's Drugstore, sur Highland, Beth avait déclaré à Marjorie n'avoir plus un *cent*. Pourtant, le lendemain, au moment de payer la diseuse de bonne aventure, elle sortit une paire de billets de vingt dollars soigneusement pliés en deux, les sépara et en donna un à la bohémienne, qui lui rendit dix dollars – un billet de cinq, un billet de deux, et trois billets de un.

Quand la vieille femme eut refermé sa porte, Marjorie se tourna vers Beth :

— Je croyais t'avoir entendue dire que tu n'avais plus rien ?

Beth lui assura qu'elle n'avait plus d'argent au moment où elle lui avait posé la question.

— Je me suis débrouillée pour en trouver ce matin même.

— Tu dois bien avoir quarante dollars au moins, là-dedans.

Et Marjorie lui rappela qu'elle lui en devait cinq. Beth déplia son argent. Elle lui tendit les quelques billets de un, le billet de deux et le billet de cinq, avec ce commentaire :

— En voilà dix. Celui de cinq est pour toi. Les autres, c'est pour quand j'en aurai de nouveau besoin...

Marjorie ajouta que Beth avait un don pour multiplier les billets de banque dans son sac à main pendant son sommeil. Il fallait qu'elle lui dise quel était son secret. Elle espérait une confidence de Beth, qui lui aurait avoué où elle avait eu cet argent, mais Beth se contenta de répondre en souriant :

— Tout va bien, maintenant. Au moins pour aujourd'hui.

La dernière fois que Martin vit Beth, elle n'était pas seule. « Elle a amené un type au magasin, une espèce de gros lard aux cheveux crantés. On avait l'impression qu'il s'était mis plein de vaseline dessus. Il était petit et vêtu de façon voyante. Elle avait cette nouvelle robe, couleur chartreuse ; le haut formait une sorte de caraco, avec des dentelles croisées sur la poitrine. Il y en avait aussi sur le côté, au niveau des hanches, si je me souviens bien.

« Il était plus vieux que moi, beaucoup plus vieux qu'elle, et court sur pattes, avec de drôles de pompes, des deux-tons noir et blanc assez fatiguées. Il n'y avait plus aucune familiarité entre Beth et moi, elle se présentait comme une cliente qui connaissait déjà la maison, c'est tout. Enfin, d'après son attitude, j'ai compris que c'était ça, la combine. J'ai aussi eu la vague sensation que le type trimballait peut-être un flingue.

« J'ai donc tenu mon rôle de vendeur, nous avons papoté un moment et elle a acheté une paire de chaussures. Le gars paraissait très concerné, il lui demandait : "T'es sûre, ma chérie ?" "T'es certaine que c'est celles-là que tu veux ?" Je n'oublierai jamais les yeux que me faisait Beth. Elle m'a regardé, souriante, mystérieuse, pendant que le petit mec tirait une liasse de sa poche et se mettait à en détacher des billets. Je la revois lever la tête vers moi avec un air de conspiratrice. J'ai gardé ça en tête aussi clairement que si c'était hier.

« Elle avait ce talent... Cette manière de vous conduire à ressentir quelque chose pour elle, à vous faire du souci pour elle. Ce n'est que mon opinion, mais l'effet ne s'est pas dissipé, et c'est ce qui rend la chose si spéciale. À cause d'elle, de ce qu'elle était, et du genre de monde qu'elle a fréquenté. »

Edwin Burns prétendra n'avoir « probablement » connu Beth que pendant moins d'un mois, « peut-être juste un peu plus de trois semaines ». Après son retour à la vie civile, il s'était procuré un petit camion, assez vieux. Il conduisit deux fois Beth de son hôtel à Hollywood, « juste en bas de cette rue à l'est du Grauman's », jusqu'à un appartement près d'Ocean Park, « tout à côté des attractions du bord de mer ». Une autre fois, Burns l'emmena d'un autre hôtel à une maison sur Carlos Avenue, située derrière un night-club, le Florentine Gardens.

« Ce jour-là, elle avait beaucoup de bagages et quelques vêtements en tas que j'ai placés sur ses valises, et j'ai posé le reste des bagages par-dessus pour bien les caler. Elle semblait très nerveuse. Elle a cité le nom des gens connus qu'elle allait rencontrer. Elle a aussi parlé du propriétaire de cette maison où elle devait aller. À l'entendre, elle devait s'accommoder de ce type et ça la mettait dans une situation délicate. Il y avait un truc pas très catholique dans lequel elle ne voulait pas se laisser piéger. Elle m'a affirmé qu'il s'était pris d'une grande affection pour elle et qu'elle allait travailler dans l'un de ses night-clubs. Elle m'a cependant dit qu'elle avait des problèmes, un certain genre de problèmes, mais sans m'avouer de quoi il s'agissait. Un de ces trucs qu'on sent instinctivement. J'ai proposé de l'aider, c'est tout : si je pouvais faire quoi que ce soit... Ces filles-là poursuivaient toutes des rêves impossibles. »

Burns conduisit Beth d'Hollywood à Ocean Park, un soir où il faisait sombre : « J'ai dû allumer mes phares. L'un d'eux était de traviole, je m'en souviens. Impossible de le faire passer en veilleuse. De la ruelle où je me suis garé, près de la plage, on pouvait voir le parc d'attractions à droite. Toutes les lumières étaient allumées, les gens s'amusaient. On les entendait hurler et on percevait le bruit des montagnes russes.

« L'immeuble avait un étage, c'était l'un de ces petits pavillons avec trois ou quatre appartements à l'intérieur. Elle allait dans celui du haut, côté mer. Les fenêtres dominaient d'autres toits, regardant vers l'océan et la jetée. Il y avait un porche, ou une véranda, et je me souviens d'un petit carillon de verre suspendu qui tintait dans le vent.

Elle était si jolie comme ça, vue de profil, avec son nez tellement mignon, et cette bouche magnifique... J'avais envie de l'embrasser. J'ai mis mon bras sur son épaule, et elle m'a regardé en me disant que j'étais vraiment adorable, qu'elle me remerciait pour mon aide très appréciable. À l'étage, une lumière était allumée, on distinguait une ombre à la fenêtre.

« Mais je me rappelle aussi de silhouettes, là-haut, aussi immobiles que des statues. En même temps, j'entendais le petit carillon de verre, le bruit des montagnes russes et les gens qui hurlaient... je me rappelle clairement tout ça. Elle a dit qu'elle ne voulait pas me faire de mal. Ça lui plaisait bien qu'on soit amis, mais si on s'embrassait, a-t-elle ajouté, j'allais penser davantage à elle et, au bout du compte, cela me ferait de la peine. Justement, elle voulait surtout pas me faire souffrir comme j'avais souffert... Je lui avais raconté pour l'autre fille. Donc, j'ai pas eu le moindre baiser... alors que pour moi, j'avais trouvé la fille de mes rêves. »

Pour Barbara Lee, l'installation de Beth chez Mark Hansen était une mauvaise idée, même s'il y avait déjà un certain nombre de jeunes actrices qui vivaient là-bas.

« C'était comme si on cherchait à refourguer l'idée du vieil Hollywood Studio Club, qui avait longtemps subsisté de l'autre côté de la rue, juste en face de chez Hansen », expliquera Barbara. Pour Beth, qui voulait réussir à jouer dans des films, il était important d'être vue aux bons endroits en compagnie des bonnes personnes. Mark Hansen avait tous les contacts nécessaires. Il possédait des night-clubs (dont le Florentine Gardens), des cinémas et quelques dancings. Au milieu de n'importe quel groupe, Beth avait un don pour paraître la fille la plus charmante, et c'est grâce à cela qu'elle s'était frayé un chemin jusque chez Mark Hansen. Elle s'était fixé en tête un objectif précis, ainsi que la voie qu'elle souhaitait emprunter pour y parvenir. Mais selon Barbara, ça ne correspondait pas toujours avec la façon dont les autres voulaient que les choses se fassent.

Ray Kazarian continuait à voir Beth dans quelques-uns des bars du boulevard. Il ne trouvait pas formidable cette histoire avec Mark Hansen. « Je le lui ai dit, une fois, en l'invitant à dîner au Spanish Kitchen. Elle était dingue de la soupe aux *albondigas*. Elle s'est contentée de manger, sans écouter ce que je pensais de son installation chez Hansen. »

À peine quelques jours plus tard, il tombait sur elle au Cardo's, un bar de Spring Street. « Elle était en compagnie d'un soldat et d'un ancien militaire du Génie maritime qui vivait dans une petite caravane avec une gamine qui vendait des journaux sur la 7ᵉ. Je l'ai conduite en voiture de Spring à Beverly, parce qu'elle rentrait à Hollywood, mais elle a eu envie de regoûter à cette soupe aux boulettes de viande. On est donc retournés au Spanish Kitchen, où l'on s'est confortablement installés dans un box, juste en dessous de l'escalier menant au second étage. »

Ray commençait à se sentir vieux, il avait la trentaine et traînait toujours dans ce genre d'endroits.

« Pour la plupart, ses amis à elle n'étaient que des gosses d'une vingtaine d'années : Ann Toth et Lucille, les autres filles, et aussi ces jeunes gars, certains encore sous les drapeaux... » Ray se rendait bien compte que Beth adorait leur compagnie. Il y avait entre eux une forme de connivence. Il suffisait de les voir s'entasser dans ce bar. On avait l'impression que ces gamins sans but et sans attaches n'avaient pas d'autre endroit où aller. Eux qui ne faisaient que circuler de groupe en groupe, riant, parlant, se payant les uns les autres des tournées. Il y a eu tant de gens et tant d'endroits pendant les deux ou trois mois où il a réellement connu Beth...

Il lui donna un peu plus d'argent et elle loua un logement sur Cherokee Street. Le loyer était d'un dollar par jour, il fallait payer une semaine d'avance, et elle devait partager la chambre avec trois autres filles.

L'ascenseur était trop lent et la piaule se trouvait au cinquième. Il y avait deux lits superposés qui formaient un L au fond de la pièce. De l'autre côté, les fenêtres donnaient sur la ruelle. L'une des filles travaillait pour une grande boîte de cosmétiques, Max Factor. Elle fut vite intriguée par la façon dont Beth se maquillait.

Plus tard, elle devait reconnaître que l'effet était assez saisissant. « Comme une geisha », dira-t-elle. Et les autres colocataires ne purent éviter de remarquer à quel point Beth se souciait de faire de l'effet. « Elle se tracasse pour de petits détails, racontait l'une d'entre elles, et elle passe trois fois plus de temps à se maquiller que toutes les filles que je connais. Je peux sortir alors qu'elle est en train de se pomponner dans la salle de bains et la trouver toujours au même endroit en rentrant. »

Sans parler du coup des bougies, dont se plaignait une autre fille. « Tout le monde se passait de la cire sur l'émail des dents, afin de les rendre plus brillantes, explique-t-elle, mais je l'ai vue, elle, l'utiliser pour reboucher ses caries. Parfois, elle employait ce genre de produit rose dont se servent les dentistes. Sinon, elle allumait une bougie, la laissait brûler une minute, puis en pinçait le bout et appliquait minutieusement un peu de cire sur ses caries. Elle souriait ensuite devant le miroir, examinant le résultat. »

Beth prétendit à l'une des filles avoir étudié à l'université. Mais par la suite, quelqu'un leur dit qu'elle n'avait pas fait d'études.

« Si j'essayais de lui parler de ça, ajoutera cette fille, ou de m'intéresser de façon amicale à ce qu'elle faisait, ou aux endroits qu'elle fréquentait, elle se contentait de rire ou de me sourire. »

Les colocataires de Beth eurent de plus en plus de mal à supporter de l'entendre tousser la nuit, ce qui les empêchait de dormir. Et elle rentrait à des heures tellement tardives... On ne savait pas où elle allait, ni avec qui. Ses petits copains ne passaient pas la prendre à l'appartement, elle leur donnait rendez-vous ailleurs. Selon l'une des filles, « elle prétendait probablement qu'elle vivait dans un endroit chic. C'était comme ça qu'elle se voyait. »

Elles se fatiguaient aussi de ses prétendues « relations » et de ses petits emprunts : non seulement quelques dollars de-ci de-là, mais aussi du savon, du dentifrice, ou des serviettes hygiéniques, que Beth, pour une raison ou une autre, oubliait de remplacer. Selon elles, Beth n'était cependant pas *complètement* égocentrique. Elle avait un côté serviable, elle s'intéressait aux autres. Mais, apparemment, certaines choses lui passaient au travers.

Gladys, une voisine du cinquième étage, se souviendra d'un « terrible boucan », un soir, dans le couloir. « Beth était venue frapper à ma porte, un peu plus tôt, avec les yeux gonflés. Elle m'avait déclaré que la responsable de l'immeuble n'était pas dans son appartement du rez-de-chaussée et qu'elle voulait me confier une petite valise. Elle s'était malencontreusement enfermée à l'extérieur, m'a-t-elle dit. Elle s'en est allée, puis elle est revenue, très effrayée. Son petit ami, très jaloux, la pourchassait. Elle souhaitait se cacher chez moi en attendant qu'il disparaisse. J'ai répondu qu'il n'y avait pas de problème. »

Les deux femmes se sont assises dans la cuisine, où elles ont bu une tasse de café en s'efforçant d'ignorer les cris et le martèlement qu'on entendait à l'autre bout du couloir. Lorsque tout est redevenu calme, Beth est repartie. « Elle n'a pas emporté sa valise, explique Gladys. Je l'ai croisée un ou deux jours plus tard, en quittant l'immeuble, et j'ai voulu savoir si elle souhaitait la récupérer. Elle m'a dit qu'elle passerait la prendre plus tard, en espérant que cela ne me gênait pas. Je lui ai demandé si ça s'était arrangé avec son petit ami. Elle m'a rétorqué que la soirée avait été difficile, mais que tout était résolu. Elle a ajouté : "J'ai rompu mes fiançailles."

« Je ne savais pas qu'elle était fiancée. Je la voyais parfois avec des hommes, du genre mannequin ou modèle, parfois plus âgés qu'elle. Comme ce grand type mince avec un accent qui distribuait aux filles des tickets pour assister à des émissions de radio. Il se disait allemand, ou plutôt "*américain* d'origine allemande". Il avait l'air très raffiné. » Gladys le revit, plus tard, après le départ de Beth. Il la cherchait. « Il avait des larmes dans les yeux, et devait bien avoir la cinquantaine. »

Plusieurs jours après l'incident, Beth passa au meublé qu'occupait Alex Constance à McCadden Place, non loin du Don The Beachcomber's et du Al Green's Night Spot. Elle dit à Alex qu'elle travaillait dans un petit restaurant de North Hollywood, « mais qu'elle commençait à fatiguer ». Alex était un peu plus vieux que le reste de la « bande ». Il possédait des tas de costumes et jouait à l'occasion les costumiers, mais il cherchait à se faire embaucher comme coiffeur par un studio de production. « Je m'entraînais sur les filles, expliquera-t-il. Sans les faire payer, bien sûr. »

Beth, remarqua Alex, toussait plus que d'habitude. « Elle m'a parlé de ses *boyfriends*, et je l'ai mise en garde en lui disant qu'elle devait se montrer prudente. J'ai ajouté : "À force de jouer A contre B, tu risques de les rendre fous de rage. Et certains types, quand ils s'imaginent avoir affaire à une allumeuse, peuvent devenir horriblement menaçants." » Alex expliquera plus tard qu'il aimait beaucoup Beth. Mais d'après lui, « d'une manière ou d'une autre, elle devait récolter des problèmes ». Plus d'une fois, il essaya de lui faire dire au fond ce qui n'allait pas, mais Beth n'était pas prête. Il faisait du café et s'asseyait calmement devant elle, tandis qu'elle se laissait aller : « Des larmes roulaient sur ses joues et elle n'arrêtait pas de répéter : "Je sais que ça finira par s'arranger." Mais parfois, tout ça lui paraissait sans espoir. »

Alex s'arrangea pour qu'elle puisse loger dans son meublé pendant quelques jours. « Allez, courage ! fit-il. Il se pourrait bien que tu doives déménager encore une fois. Souviens-toi de Paul Burke, ce beau garçon que je t'ai désigné l'autre jour, dans le couloir. Lui aussi, il essaye de faire son chemin dans le cinéma, et cette année, il a déjà déménagé *dix-sept* fois. »

Quand ils se retrouvèrent à nouveau autour d'un café, Beth déclara à Alex que ça allait mieux et que, grâce à Ann, elle avait trouvé un *coach* d'art dramatique.

Lauretta Ruiz était une actrice à la retraite qui s'était lancée dans les cours particuliers et la production de pièces de théâtre. Elle estimait que Beth avait une jolie voix, quoique un peu trop haute et fluette : « Elle avait un côté aristocratique quand elle descendait dans les basses, mais elle avait besoin de se concentrer pour parvenir à moduler sa voix. »

Malheureusement, il semblait toujours y avoir quelque chose pour tenir Beth en échec. « J'ai brièvement tenté de l'aider à s'en sortir en la présentant à des gens, racontera Lauretta. J'avais le projet de monter une pièce de Leo Gordon à Hollywood, et nous voulions avoir Richard Carlson dans la distribution, ainsi qu'Hedy Lamarr. J'essayais de convaincre Richard de faire cette pièce – il était très séduisant et c'était un excellent jeune acteur. Nous nous sommes vus une fois dans un restaurant ; j'avais Beth avec moi, et un autre acteur débutant. Richard a fait son apparition et a déclaré qu'il avait déjà rencontré Beth. Il est resté debout très poliment pendant que nous nous glissions sur les banquettes. Il l'avait tout de suite reconnue. Mais il avait l'air mal à l'aise. Beth lui a demandé s'il se souvenait du bracelet, ajoutant qu'elle l'avait toujours. Même si je n'avais aucun moyen de savoir ce qui s'était passé entre eux, j'ai senti intuitivement que ça sortait de l'ordinaire. Aujourd'hui encore, j'ignore totalement ce que cela pouvait être.

« Plus tard, Richard m'a dit qu'il ne connaissait "pas du tout" Beth. Il l'avait seulement fait profiter un jour de sa voiture, « juste pour quelques centaines de mètres, d'un endroit sur Vine Street jusqu'à un autre sur le boulevard ». Elle avait remarqué une boîte rouge sur le siège et lui avait demandé si elle contenait un stylo à plume. Il avait dit que non, que c'était juste un gadget qu'il avait eu à la radio, un bracelet, une simple breloque, ajoutant qu'elle pouvait le prendre si elle en avait envie.

« Un agent d'acteurs, un ami à moi, a lui aussi rencontré Beth et il a voulu arranger une séance de photos professionnelles. Elle disposait de plusieurs clichés amateurs, mais il estimait que ça ne convenait pas. D'après lui, elle avait une présence intéressante, et il était intrigué par son côté femme fatale. Mais ça, à mon avis, c'était peut-être chez elle un moyen de cacher ce que je ressentais comme un véritable conflit intérieur – ou des contradictions… »

Lauretta se souvient de l'attirance de Beth pour l'insolite, comme cette broche imitant une large fleur noire, avec au centre un camée égyptien en argent. Interrogée sur son origine, Beth avait répondu par un sourire. Elle montra un jour à Lauretta un étui à cigarettes teinté ivoire qui avait la forme de deux mains jointes, où elle conservait des cartes professionnelles.

« Partout où elle allait, elle semblait elle-même quelqu'un d'insolite, précise Lauretta. À Hollywood, c'est une démarche osée, et ça l'était plus encore à cette époque. » Pour elle, Beth avait un côté exotique. « Certaines personnes diraient même excentrique. Mais elle était très spectacle. Elle ne pouvait pas faire autrement que de travailler dans le show-business. Sa vraie place, c'était sur scène ! Il n'y avait pas d'autre salut pour elle, et c'est réellement un crime et un gâchis qu'elle n'ait pas été mise en valeur. »

Selon Lauretta, « Beth semblait séduite aussi bien par les hommes étranges que par les objets bizarres ». On lui avait raconté qu'elle sortait avec des types dont les autres filles n'auraient jamais voulu, parce qu'ils ne servaient pas leurs intérêts. Pour elles, ce genre de personnages n'étaient bons qu'à retarder une ambition.

Lauretta se souviendra lui avoir fait cadeau d'une pièce de lingerie fine. « Elle adorait la dentelle noire. Elizabeth, c'était une créature de la nuit. Elle était l'obscurité… »

Barbara se sentait terriblement mal à l'idée que Beth puisse se faire embobiner par Mark Hansen et devenir, selon son expression, l'une de ses « mignonnes ». La situation risquait de tourner très vite au donnant donnant... Mais Beth secoua la tête et lui répondit : « Il n'est pas question que je mange de ce pain-là. Tout ce que j'ai à faire, c'est de bouger un peu et de me montrer. Il n'y a rien d'autre. C'est vraiment agréable d'habiter là-bas, il y a quelques filles sympas, et je partage ma chambre avec Ann qui, *elle*, sort avec Mark, pas moi. »

Bob, l'ami de Barbara, tenta de faire signer à Beth un contrat d'actrice à la Paramount, via un producteur associé, espérant lui procurer assez d'argent pour devenir autonome et lui faire mettre le pied à l'étrier. « Mais ça s'est finalement mal goupillé, racontera Barbara. On s'est vus deux ou trois fois au Vagabond Isle, un bar à l'est de Vine. Elle a parlé des gens très en vue avec qui *elle* frayait – Hansen, bien sûr – et avec lesquels elle vivait, chez lui. Je n'aimais pas du tout cette combine avec Mark Hansen. Ça me donnait franchement mauvaise impression. Peut-être que Beth faisait ressortir mon côté maternel, alors que je n'ai jamais été trop comme ça. »

L'acteur Kevin Wilkerson allait garder quelques souvenirs de l'arrivée de Beth chez Mark Hansen et de ses premières apparitions au Florentine Gardens. « On la surnommait le Dahlia Noir, mais mon amie m'a dit que Mark, lui, l'appelait la *numéro huit aux cheveux noirs*[1]. »

La plupart des filles qui logeaient chez Mark étaient assez jeunes et, selon Kevin, elles travaillaient au bar, se contentant parfois de participer à la décoration des lieux et d'encourager les buveurs... Mais ce n'était pas exactement des entraîneuses – ou alors, des entraîneuses chic.

----

1. *The black-haired eight ball* : d'après la balle numéro huit au billard américain, de couleur noire, qui peut placer le joueur dans une position difficile.

Elles étaient attirées par la promesse d'intégrer la troupe des danseuses du Florentine Gardens. Les filles qui avaient assez de veine pour entrer dans la *maison* se croyaient en passe d'être « découvertes », généralement grâce à l'impresario du Gardens, Nils T. Granlund, « maître de cérémonie *deluxe* ». Il avait « donné leur chance » à des grands du show-business et criait sur tous les toits les noms des reines de beauté qu'il avait faites : Yvonne deCarlo, Betty Hutton, Jean Wallace, Gwen Verdon, Marie « the body » McDonald, Lili St. Cyr. C'était un second Earl Caroll ou un nouveau Flo Ziegfeld. On le désignait par ses initiales, « N.T.G., le Roi du Cabaret ».

Il vivait dans un petit appartement situé au-dessus du garage de Mark, où, de temps à autre, la dernière de ses « découvertes » venait lui rendre une visite privée. Une ex-*showgirl* devenue prostituée qui, aux dires de « Mère-grand Granlund », était allée voir ailleurs si l'herbe était plus verte, racontera plus tard que Beth « était censée devenir une autre Betty Hutton[1] ». On lui promit des apparitions dans la revue du Florentine Gardens. Mais au lieu de cela, Beth se retrouva à « servir de nourrice aux militaires et à jouer les taxi-girls dans l'un des nombreux dancings à deux balles que possédait Mark en ville ».

Wilkerson allait au Florentine Gardens pour y boire une verre, dîner et admirer les spectacles de variétés : des filles magnifiques qui dansaient presque nues, rendant le public fou. « NTG faisait marcher tout ça comme un camp de vacances », racontera-t-il. Le maître de cérémonie pointait telle ou telle célébrité dans le public (ou une étoile montante), l'invitait ensuite à venir sur scène pour se joindre aux chants et

---

1. Elizabeth June Thornburg, dite Betty Hutton, actrice et chanteuse née en 1921, devenue célèbre dans les années 1940.

aux danses. D'après les souvenirs de Wilkerson, « des gens grimpaient d'eux-mêmes sur l'estrade, qui ressemblait à un haut-de-forme, et essayaient de franchir le rebord. Moi, je n'aurais pas voulu m'exposer comme ça. Ça ne me plaisait pas de monter là-dessus, alors je me contentais de profiter des numéros et de regarder les célébrités se ridiculiser. »

Mark était en train de préparer la « Revue des Plus Belles Filles de 1947 », et, selon Ann, il avait promis un rôle à Beth. Un gardénia, ou une autre fleur géante, s'ouvrirait pour la laisser apparaître, vêtue d'un mini cache-sexe, avec une fleur couleur chair au niveau de l'entrejambe. D'après Mark, elle aurait dû devenir strip-teaseuse. Il a également évoqué une autre revue, *Flesh and Fantasy* (« Rêves de chair »), dans laquelle Beth devait porter de hauts talons retenus par une bride au niveau de la cheville, comme Ann Jeffreys dans le film *Dillinger*.

Au tout début du mois de novembre 1946, Barbara eut un accident dans la voiture de Bob, au cours d'une longue « plongée » alcoolisée en plein désert. L'auto fut remorquée vers un garage de la commune de Mojave. Barbara, après avoir pris deux ou trois verres de plus à la taverne locale, s'en alla errer sans but dans le désert. Elle laissa derrière elle son agent, Bob, ses ambitions et sa carrière.

Aux alentours de Thanksgiving, Wilkerson tomba sur Beth dans un bar près du croisement entre Sunset et Gower, où se retrouvaient les gens de la radio KMPC. « Elle était assise dans un box avec ce type, Ray, et un gars qui était chanteur, un certain John Frizell. Il travaillait assez régulièrement comme extra. Quelques jours plus tard, j'ai revu ce Frizell lors d'une soirée au Linola Apartments, sur Carlton. Beth était présente, ainsi qu'Ann. Un homme les accompagnait. Il n'était pas plus grand qu'Ann et paraissait se comporter plus affectueusement vis-à-vis d'elle que de Beth, assise par terre, sur le tapis. Beth, dans une posture décontractée, se montrait joyeuse. Elle souriait quand on lui adressait la parole. Elle inclinait la tête de droite à gauche et d'avant en arrière, d'une façon amusante, comme pour faire plaisir à ce gars qui n'arrêtait pas de lui parler. Elle s'efforçait de lui témoigner de l'attention – ou de vous en témoigner, si c'était vous qui lui parliez. J'avais envie de la connaître un peu mieux. Le gars qu'elle avait amené à la soirée ne me plaisait pas. Il avait fait décamper un chat perché sur l'accoudoir du sofa en lui soufflant la fumée de son cigare en pleine face.

« Beth avait des cernes autour des yeux. Pas des valises, mais on avait l'impression qu'elle n'était pas en forme, ou qu'elle manquait de sommeil depuis plusieurs jours. Derrière les sourires, on la sentait tracassée. »

La soirée se déroulait dans l'appartement d'un musicien, qui possédait un gros magnétophone enregistreur à fil, protégé par un coffret de bois. Il l'alluma pendant la fête et, à un moment, vint coller le micro sous le nez de Beth et lui demanda de prononcer quelques mots. Ne sachant quoi dire, elle se mit rire.

— Voilà un magnifique rire !

Elle rit de plus belle. Il lui demanda quel était son nom.

— Beth.

— Comment ça, Beth ?

— Elizabeth ou Beth.

— Beth ?

— Oui, je m'appelle comme ça.

— Mais Beth qui ? Quel est votre nom complet ? Nous avons besoin du nom complet, ici !

Il faisait semblant d'interviewer tout le monde pour un programme radio. Elle se pencha un peu plus près du micro et déclara que son nom était Elizabeth Short.

— Elizabeth *Short*? Pourtant vous n'êtes pas si petite que ça, non[1]?

La plaisanterie les fit rire aux éclats, l'un et l'autre.

Ensuite, il bricola son magnéto, rembobinant le fil pour leur faire réécouter son rire. Mais le fil se mit alors à sortir de la bobine.

Wilkerson croisa Ann Toth une semaine plus tard et il lui demanda des nouvelles de Beth. Elle avait entendu dire que Beth retournait dans l'Est, mais quelqu'un d'autre lui avait dit qu'elle partait pour San Diego.

— San Diego? Mais qu'est-ce qu'elle va faire là-bas?

— Qui sait, répondit Ann, après quoi peut bien courir une fille comme elle?

---

1. *Short* : « court », « de petite taille ».

9

Elle avait quitté Hollywood si brusquement qu'on la crut poursuivie. Avant son départ, elle passa tout de même un coup de fil à Ann, et la retrouva dans un *coffee shop*, le Brown Derby. Beth évoqua « une nouvelle romance ». Son nom était Lester Warren, il était officier dans la marine. Il lui avait suggéré d'aller à San Diego, où il pourrait peut-être lui trouver un emploi à l'hôpital militaire de la marine. Et, plus important encore, Mark Hellinger ne cessait de harceler Lester pour le faire jouer dans un film. Beth précisa que Lester l'avait invitée à San Diego afin de discuter de leur relation parce que pour lui, lui avait-il avoué, cela devenait de plus en plus sérieux. Elle sourit et, levant l'annulaire, dit à Ann qu'une demande de fiançailles était fort possible.

« Je lui ai répondu que c'était super, racontera Ann. Avec les grèves, il n'y avait absolument plus de travail. J'ai ajouté que la nouvelle valait bien un brunch, pour fêter ça. Je n'ai pas su quoi dire d'autre. » Beth a tempéré : elle devait d'abord commencer par se rendre à San Diego.

— Très bien, a repris Ann. Tu comptes aller sonner directement chez lui ?

— Non, non. On s'est déjà fixé rendez-vous.

Mais Beth ajouta qu'elle était un peu à court d'argent liquide et qu'elle avait besoin de quelques dollars de plus pour l'hôtel – juste de quoi se payer une simple chambre, comme ce qu'elle avait à Long Beach. Ann ne savait absolument pas à quoi elle faisait allusion, à propos de Long Beach, mais elle lui donna vingt dollars, que Beth promit de rembourser quand elle trouverait du travail à San Diego.

Deux jours plus tard, l'après-midi du 8 décembre 1946, Beth entra dans un café de San Diego, valises en main. Elle resta assise au comptoir pendant au moins une heure. Puis, selon la serveuse, elle présenta une requête inhabituelle. « Elle voulait si possible laisser la note sur le comptoir avec le montant exact de ce qu'elle devait, sans toutefois être considérée comme partie. Elle reviendrait peut-être prendre autre chose que l'on ajouterait à l'addition, dès qu'elle aurait fait enregistrer ses bagages à la consigne. C'était la première fois que je voyais cette fille. Après être allée déposer ses bagages à la gare routière – sauf ce qui ressemblait à une trousse de maquillage –, elle est revenue et m'a prié de lui servir une nouvelle tasse de café. Je lui ai demandé si elle désirait autre chose. Elle m'a déclaré qu'elle ne savait pas où il était et si elle devait l'attendre ou non, et j'ai imaginé qu'elle avait rendez-vous. J'ai dû dire "il est fait pour vous, ce gars-là !" ou faire une autre réflexion du même genre. »

Après avoir quitté le café, Beth remonta la 5ᵉ Rue en direction de l'Aztec Theater, où deux films étaient à l'affiche. Dehors, sur le panneau, on lisait « OUVERT TOUTE LA NUIT ». Elle acheta un ticket et, installée dans l'un des fauteuils recouverts de tissu pelucheux, elle s'assoupit pendant la projection.

Dorothy French, vingt et un an, travaillait comme caissière et ouvreuse à l'Aztec Theater. Lorsque l'éclairage de la salle s'est rallumé, elle a aperçu, au niveau des premiers rangs, cette fille endormie, la dernière personne à se trouver encore là excepté elle-même et le gardien.

Dorothy la réveilla et lui dit que le cinéma avait fermé ses portes. Beth parut déconcertée. Elle mentionna l'inscription à l'entrée. Dorothy s'excusa, déclarant que c'était une erreur ; ce panneau n'aurait pas dû être là. Les heures d'ouverture n'étaient plus les mêmes parce que l'établissement venait de changer de direction. Beth se mit à tousser et demanda un verre d'eau. Dorothy retourna dans le hall, prit un gobelet et alla le remplir à la fontaine. Elle revint vers Beth qui, après avoir bu quelques gorgées, s'excusa de s'être endormie. Elle expliqua qu'elle arrivait d'Hollywood, qu'elle n'avait pu rejoindre son contact et n'avait plus un sou en poche. Elle avait elle-même été caissière et ouvreuse, dans l'Est. N'avait-on pas besoin par hasard d'un peu d'aide, temporairement ?

« Quand elle a dit "temporairement", j'ai cru qu'elle ne recherchait pas un job fixe, se souvient Dorothy. Je lui ai suggéré d'en parler au gérant le lendemain. Elle avait un côté tellement triste – elle avait l'air perdue, complètement étrangère à l'endroit où elle se trouvait –, et j'ai eu envie de faire quelque chose pour elle. Je ne savais pas comment. Elle n'avait nulle part où aller. J'ai proposé qu'elle vienne chez moi et qu'elle passe la nuit sur le canapé de la maison, si cela pouvait l'aider. Elle m'a remerciée de ma générosité. Elle s'est servie de ce mot-là, "générosité", et m'a dit que la vie était difficile, à Hollywood, à cause des grèves. »

Dorothy avait lu des articles sur ces grèves et elle en avait entendu parler à la radio, dans les actualités, mais elle savait bien peu de choses de la lutte quotidienne que devait mener une jeune actrice à Hollywood pour s'en sortir. Tout cela, c'était très loin. Loin de la petite maison style boîte en carton qu'elle partageait avec sa mère, Elvera, et son jeune frère Cory, à l'extérieur de San Diego, à Pacific Beach. Le lotissement datait de la guerre, destiné à l'origine à abriter les ouvriers des chantiers navals.

Le bus que devait attraper Dorothy pour faire la demi-heure de trajet jusque chez elle partait dans moins de douze minutes. Elle se dépêcha de fermer, puis quitta le cinéma en compagnie de sa nouvelle amie. Dans le bus, Dorothy attira le regard de Beth sur le port et les lumières des navires qui longeaient la côte.

D'après les souvenirs de Dorothy, « Beth n'a pas dit grand-chose. Elle avait l'air triste, comme si elle n'avait personne vers qui se tourner. Même si je l'emmenais chez moi pour lui offrir un endroit où dormir, j'avais l'impression qu'elle était toute seule. »

Elles descendirent au croisement entre Balboa et Pacific Coast. Le carrefour était faiblement éclairé. Une station-service se trouvait à un angle, tandis que l'autre était occupé par une sandwicherie, Sheldon's. Elles gravirent la colline pour rejoindre la maison. Selon Dorothy, sa mère était encore debout : on voyait de la lumière dans la cuisine.

Elvera était assise devant une tasse de café et un journal. Ne s'attendant pas à recevoir de la visite, elle s'excusa pour le désordre. Dorothy s'empressa de déclarer que Beth allait « camper » sur le canapé pour une nuit, parce qu'on n'était pas venu la chercher. Dorothy alla ensuite chercher une couverture et un oreiller. Beth s'étendit et tomba tout de suite dans un profond sommeil. Dans la cuisine, Elvera dit à sa fille que la jeune femme avait le teint « pâle ». Dorothy ajouta qu'elle toussait, et que cela ressemblait à une sorte de congestion. Sa mère suggéra qu'elle aille voir un médecin.

Lorsque Elvera quitta la maison, le lendemain matin, Beth dormait toujours. Un peu plus tard dans la journée, Beth eut la surprise d'apprendre qu'elle faisait partie du personnel civil de l'hôpital militaire de la marine. Elle dit à Dorothy : « Ta mère va pouvoir me permettre de retrouver le lieutenant que je cherche. » Elle lui expliqua la proposition de Lester Warren au sujet d'un emploi civil à l'hôpital : « C'est la raison de ma venue. »

Durant l'après-midi, le jeune frère de Dorothy, Cory, prit le bus pour aller chercher les bagages de Beth à la gare routière Greyhound. Bourrés de vêtements, ils étaient tellement lourds que le garçon eut l'impression, dira-t-il, de transporter des valises remplies de pierres.

Beth passa un coup de fil grâce au téléphone d'un voisin pour se faire envoyer un mandat, via Western Union ou au bureau de Poste. Elvera lui conseilla de se faire expédier la somme ou la lettre directement à la maison. Beth allait donc s'installer jusqu'à ce que l'argent arrive. Elle offrit aux French de les dédommager pour le dérangement.

« Je lui ai répondu que ce n'était pas nécessaire, racontera Dorothy. Les temps étaient difficiles, il y avait une grave pénurie aussi bien de maisons que d'appartements. Ma mère lui a dit que sa présence ne nous dérangeait pas, que nous étions prêts à la dépanner dans la mesure de nos possibilités. »

Dans les jours qui suivirent, la situation se révéla cependant différente de ce que Dorothy avait prévu. Beth multiplia les grasses matinées jusqu'à 11 heures et plus. Elle déclara un soir à Elvera qu'elle avait trouvé un emploi chez Western Airlines et qu'elle commencerait probablement dès le lendemain matin ; même si elle n'était pas encore sûre de ses horaires de travail, elle allait bientôt entrer en formation. Mais lorsque Elvera rentra chez elle pour le déjeuner, elle trouva Beth profondément endormie sur le canapé. Ses vêtements étaient éparpillés dans le living-room, étalés en évidence sur le dossier des fauteuils et sur le poste de radio. « Une odeur forte, douceâtre, régnait dans la maison à cause des effluves de son parfum, se souviendra Elvera. Comme si elle en avait vaporisé partout. Ce qu'elle n'avait pas fait, bien sûr ; c'était simplement dû à la façon dont elle se parfumait. Ses vêtements semblaient assez coûteux, en particulier la lingerie. Elle avait des bas de soie noirs tout neufs. J'ai bien vu que c'était de la *soie*, et pas du nylon. »

Beth était rentrée à 2 heures du matin. Selon ses dires, elle était sortie avec un employeur potentiel. Elle promit ensuite à Dorothy de venir la retrouver à l'Aztec, mais elle tomba sur le gérant du cinéma et partit avec lui. Ils restèrent presque toute la nuit ensemble et, le lendemain, Beth passa la matinée à dormir… Elvera s'apitoyait sur la jeune femme. Elle la regardait dormir – souvent sur le ventre, le menton appuyé sur l'avant-bras. Même dans son sommeil, la brillante chevelure noire restait parfaitement en place. Plutôt que de la brosser ou de la peigner, elle paraissait lui donner simplement de petites tapes. Elvera ne la vit jamais démêler ses cheveux à grands coups de peigne comme elle le faisait elle-même et l'avait appris à sa fille.

Beth raconta à Dorothy que le gérant du cinéma l'avait invitée à aller manger un kebab chez lui. Il l'avait « trop fait boire » et lui avait griffé les bras en essayant de l'attirer à lui.

« Je n'en revenais pas. Beth avait de longues griffures rouges sur le haut des bras. D'après elle, le gérant lui avait avoué son amour, mais avait juré de recommencer à la griffer si elle tentait encore de se dérober. » Elvera incita vivement Beth à nettoyer ses plaies avec de l'eau oxygénée pour éviter une infection.

Un peu plus tard, Dorothy interrogea le gérant « en toute innocence » au sujet de Beth, mais il parut indifférent, disant seulement que celle-ci lui avait tenu compagnie pour le dîner. Il ajouta qu'il n'avait pas l'intention d'engager une personne supplémentaire. « Quand j'ai rapporté cette conversation à Beth, explique Dorothy, elle m'a dit que le patron du cinéma ne voulait pas l'engager parce qu'il craignait qu'elle se fasse harceler et qu'il ne parvienne pas à contrôler sa jalousie. »

En dépit du comportement douteux du gérant, Beth sortit de nouveau avec lui, ainsi qu'avec d'autres hommes, presque chaque soir. « Même quand on était dans le bus, rapporte Dorothy, certains gars la regardaient fixement et on avait l'impression qu'elle jouait la comédie, comme si elle voulait qu'on lui propose un rendez-vous. »

Parfois, Beth traînait en pyjama jusqu'au début de l'après-midi, en ne faisant que rédiger des lettres ou siroter son café. Elle écrivit à sa mère, l'informant qu'elle travaillait à l'hôpital. « Je suis prête à faire de gros efforts pour économiser le moindre sou, affirmait-elle, afin qu'à mon retour à Hollywood, quand les grèves seront finies, les choses soient plus faciles. » Elle lui disait qu'elle pointait régulièrement à l'hôpital. Mais selon Dorothy, il semble que Beth, durant son séjour à San Diego, n'ait jamais pointé nulle part, ni trouvé le moindre emploi. Et, alors que Noël approchait, il n'était apparemment pas dans ses intentions de changer ses habitudes. Elle continua à se prélasser dans sa robe chinoise noire, ornée de fleurs et de dragons, achetée depuis son arrivée chez les French. Dorothy se souvient d'avoir entendu sa mère demander à Beth de s'habiller de façon un peu plus stricte quand Cory était à la maison : « Elle avait remarqué que mon frère aimait bien faire un détour pour tenter d'apercevoir Beth. Non pas que ma mère fût prude, mais Beth attirait *vraiment* les regards, et quand elle était à moitié dévêtue, il était difficile de ne pas lui prêter attention.

Elle nous parlait de ses relations à Hollywood tout en se passant du vernis à ongles sur les orteils ou en

se maquillant. Souvent, elle se servait d'un lait déma-
quillant pour tout enlever avant de recommencer. Elle
m'en a vidé un pot entier, me demandant ensuite si
elle pouvait utiliser le Noxzema de ma mère. »

Beth choisissait soigneusement les différentes tenues
assorties qu'elle portait pour ses soirées en ville. Dorothy
trouvait magnifiques les broderies et les perles fines qui
ornaient l'un de ses pull-overs. Beth s'habillait pour sortir,
puis elle se plantait devant Dorothy, se tournant d'un côté
et de l'autre, comme si elle jouait les mannequins, en lui
demandant : « Alors, comment me trouves-tu ? »

Dorothy répondait qu'elle ne se serait pas sentie à
l'aise dans ce genre de tenues, mais qu'à Beth elles
allaient très bien. Elle avait l'impression que Beth lui
posait des questions pour se sentir admirée plutôt que
pour la faire participer à ses choix. À l'exception du
gérant du cinéma, Dorothy ne connaissait aucun des
autres types qu'elle fréquentait. Selon Elvera, pour
quelqu'un qui à son arrivée s'était présenté comme une
« âme en peine », Beth s'était plutôt bien débrouillée
pour s'attirer des admirateurs.

Cory, le frère de Dorothy, avait treize ans à l'époque.
Il raconta à sa sœur que Beth et lui avaient discuté et
envisagé ensemble qu'elle prenne sa chambre, tandis
qu'il dormirait sur le canapé.

— Ça ne fait rien si je m'installe là, non ? dit-il.

— Pourquoi veux-tu faire une chose pareille ?

Il répondit à sa sœur qu'il trouvait Beth encore plus
marrante que « les gars de la radio » et qu'elle faisait des
imitations à mourir de rire. Il la trouvait aussi très gentille.
Avec elle, il avait l'impression de vraiment pouvoir parler.

— Pas comme si elle était un adulte, expliqua-t-il à
sa sœur, mais plutôt comme si c'était quelqu'un que *je*
connaissais, moi aussi.

Il estimait donc juste de faire profiter sa nouvelle
amie de sa chambre.

— Elle est notre amie à tous, répliqua Dorothy.

Quand Dorothy fit part à sa mère de cette suggestion, celle-ci protesta :

— C'est *sa* chambre à *lui* et, pour l'amour de Dieu, si elle s'y installe, on ne pourra jamais revenir à la normale !

Elvera se surprit bientôt à marcher sur la pointe des pieds dans le living-room, le matin, en se préparant pour aller prendre son service. Elle se demanda pourquoi elle le faisait : après tout, elle était chez elle. Cette fille aurait dû être debout, habillée, prête à se lancer à la recherche d'un emploi, au lieu de dormir ou de se faire belle pour aller à un rendez-vous.

« Elle devrait retourner à Hollywood, dit Elvera. Puisqu'elle n'arrête pas de dire qu'elle veut travailler dans le cinéma, elle n'a qu'à rentrer là-bas et se faire engager par un studio. » Sans même le vouloir, Dorothy se fit alors l'avocat de Beth. Sa mère déclara que toutes ces histoires à propos d'Hollywood n'étaient que des « fanfaronnades », mais, selon Dorothy, la vérité était que Beth essayait d'y croire elle-même. Comme si, en le répétant suffisamment, en y croyant assez fort, cela deviendrait réalité. Et c'était la même chose pour ces deux histoires d'amour qu'elle prétendait avoir vécues.

Si seulement elle pouvait rencontrer un bel officier de l'armée de terre, ou un marin, ou un aviateur, qui lui rendrait tout l'amour dont elle se sentait capable et qui l'épouserait… Alors, peut-être que, d'un jour à l'autre, sa vie changerait.

Beth raconta à Dorothy que Gordan Fickling était toujours amoureux d'elle. Ayant quitté l'armée de l'air, il était devenu pilote dans le secteur privé, sur des vols commerciaux entre la Caroline du Nord et Chicago. « Elle s'asseyait à la table de la cuisine, avec ma mère et moi, raconte Dorothy, et nous parlait de son défunt mari, en nous disant à quel point elle continuait à l'aimer, ce qui l'empêchait de tomber amoureuse de quelqu'un d'autre. Et elle dépliait cette coupure de journal qu'elle nous lisait, répétant chaque fois la même chose au sujet des mots barrés : le journal s'était trompé. Elle évoquait aussi la mort de son bébé, raison pour laquelle elle ne pouvait trouver aucune situation où elle se sente à l'aise. »

À d'autres moments, les French se demandaient si Beth n'avait pas eu des ennuis à Los Angeles – si elle ne cherchait pas, d'une certaine façon, à se planquer. Elle écrivit à Gordan pour obtenir un peu d'argent : « Si c'est possible pour toi, je t'en prie, je t'en prie, câble-moi quelque chose. » Elle adressa une lettre à Ann, lui disant qu'elle la rembourserait dès son retour à Hollywood, mais qu'actuellement elle avait besoin de tout ce qu'elle était en mesure de lui envoyer.

Gordan lui répondit qu'il lui était impossible d'accéder à sa requête « pour l'instant ». Il ne pouvait rien lui envoyer. Il commençait par un « Chérie », ce qui lui fit du bien, mais le reste de la lettre la déçut : « Certaines obligations m'ont mis dos au mur. S'il te plaît, essaye de t'arranger autrement. Ta situation me tient à cœur et je suis désolé, crois-moi. »

Peu avant de lire ces lignes, dans une autre lettre, elle avait évoqué son amour pour lui. « Me suis-je conduite comme une idiote ? lui demandait-elle. Y aurait-il quelque chose que nous pourrions partager, un moyen pour nous d'être heureux ? »

Il se posait le même type de questions. « Mes sentiments envers toi, lui répondit-il, sont tels que si nous nous revoyons, je crains de tomber à nouveau amoureux de toi, et nous devrons affronter le même problème. Je sais que tu tiens profondément à moi, et tu sais que c'est réciproque. Réellement, j'ignore s'il peut y avoir un quelconque avenir entre nous. Tu veux que nous soyons bons amis. Je ne souhaite rien de plus que cela.

« Es-tu certaine de ce que tu désires vraiment ? Il faut maintenant que tu fasses preuve d'un peu plus de sens pratique. Je me réjouis de ta volonté de devenir cover-girl. Tu mérites d'avoir du succès. Tu as beaucoup d'atouts.

« Tu sais ce que je ressens, mais étant à ce point attaché à toi, je ne crois pas que nous puissions être simplement bons amis. Que pouvons-nous faire ? Je ne sais pas. Je m'inquiète pour toi. Je vais tenter de t'aider par tous les moyens, mais Beth, Beth, je t'en prie, il faut que tu le comprennes, quelle que soit mon affection, en ce qui concerne un éventuel avenir commun, je ne peux pas être optimiste... »

Pourquoi, pourquoi ? Dorothy voulait savoir. Pourquoi pensait-il qu'il ne pourrait y avoir d'avenir commun entre Beth et lui ? Mais Beth ne disposait d'aucun élément pour l'aider à comprendre ce qui troublait tant Gordan. Pourquoi il se disait incapable d'être à nouveau proche de cette jeune femme qu'il prétendait avoir aimée et à qui il se disait toujours très attaché.

Dorothy avait l'intuition que le problème, quel qu'il fût, ne cessait de s'aggraver. « Ma mère et moi, on a eu deux ou trois discussions animées. À mon sens, après lui avoir proposé de rester, on ne pouvait pas lui demander tout simplement de s'en aller. » Les French ne s'attendaient pas à un aussi long séjour. Elvera et Dorothy persistaient dans l'espoir que les contacts de Beth finiraient par aboutir. Mais au lieu de se lancer dans le monde pour « faire que les choses arrivent », selon l'expression de Dorothy, Beth passait son temps à écrire des lettres d'amour, avant de les cacher en déclarant qu'elle les posterait plus tard. « Elle m'a dit un jour, dans la cuisine, qu'elle allait les envoyer à Gordan. Ils auraient pu vivre ensemble, s'installer dans une petite maison, quelque part… Ç'aurait pu être une petite maison comme la nôtre. »

Elvera mentionna cette agence qui proposait des emplois intérimaires et Beth promit de leur téléphoner en se servant du poste des voisins. Elvera lui conseilla plutôt d'aller directement sur place poser sa candidature. « Bien sûr, vous avez raison, répondit Beth. Où ai-je donc la tête ? » Après avoir passé une heure à se maquiller, elle se mit en route, les mains gantées, coiffée d'un chapeau à voilette. Mais Dorothy, pas plus que sa mère, ne savait où elle allait réellement. Et elles n'étaient pas sûres que Beth le sût elle-même.

10

Robert Manley allait bientôt se retrouver dans une situation très délicate, la pire qu'il ait connue. Tout avait commencé de manière assez fortuite. Il n'avait même pas eu l'*intention* de prendre une fille en stop. Mais elle était apparue, et il n'avait pas eu d'échappatoire.

Il était à San Diego, venu de L.A. pour ses affaires. Il roulait sur l'artère principale, dans son vieux coupé Studebaker. Stoppant à un feu, il jeta un regard à droite vers une auto qui tournait au coin de la rue. Elle s'effaça pour laisser apparaître une très jolie jeune femme aux cheveux noirs, qui attendait debout à l'angle de l'immeuble, près des bureaux de la compagnie Western Airlines. À vingt-six ans, « Red », ainsi qu'on le surnommait à cause de ses cheveux roux, ne sifflait plus les filles, mais en d'autres temps celle-là n'y aurait pas échappé.

La voiture de derrière klaxonna et Red redémarra, examinant la fille au passage. Il tourna dans la première rue après l'intersection, fit aussitôt un nouveau virage vers la droite, longea deux pâtés d'immeubles, et contourna le second pour se retrouver exactement au même endroit, afin de voir si la fille était toujours là.

Elle n'avait pas bougé d'un cil. Il se demanda ce qu'elle pouvait bien faire. Elle ne semblait pas attendre que le feu change pour emprunter le passage piéton.

Toutefois, la rue dans laquelle il se trouvait était à sens unique, et si la fille s'avisait de traverser maintenant, elle risquait de disparaître derrière une porte avant qu'il ait pu refaire le tour. Il se gara à l'angle et se pencha côté passager.

— Hello, fit-il, je peux vous emmener quelque part ?

Elle tourna la tête, faisant mine de ne pas le voir.

Se penchant un peu plus à la portière, Red lui dit que ça l'arrangerait qu'elle monte, parce qu'il n'était pas du coin.

— Je suis ici pour affaires... Si je vous dépose, vous m'aidez à me repérer ?

Elle lui répondit, sans même le regarder :

— Je rentre chez moi.

— Eh bien, alors, laissez-moi vous y conduire ! Tout ce que je veux, vraiment, c'est retrouver mon chemin.

Elle le fixa un instant, descendit du trottoir et monta dans la voiture. Une fois assise, elle claqua la portière, puis tira sur sa jupe, les yeux tournés vers lui, en inclinant légèrement la tête. Un petit tour en voiture, déclara-t-il, valait mieux qu'attendre au coin de la rue.

— Qu'est-ce qui vous fait dire que j'*attendais* au coin de la rue ? fit-elle.

Il se sentit embarrassé, assurant que ce n'était pas ce qu'il avait voulu dire, et se présenta.

— Enchantée, mon nom est Beth Short, dit-elle en lui tendant une main, qu'il serra un bref moment avant de retirer gauchement la sienne.

— Je n'habite pas à San Diego. Je suis représentant, je vends de la quincaillerie.

Il lui demanda si elle connaissait Huntington Park, à l'est de *downtown,* à Los Angeles.

— Ça se situe plus au sud que *downtown*, mais dans la partie est de la ville, précisa Red.

— Je ne sais pas vraiment. Peut-être.

— Il n'y a aucune raison de connaître, en fait. À moins de vivre là-bas ou de travailler dans la quincaillerie. Ma boîte fait dans le collier de serrage pour tuyauteries.

Il ajouta qu'il n'avait pas l'intention de continuer jusqu'à la fin de ses jours.

— C'est un boulot comme un autre, dit-il.

Puis il répéta qu'il ne connaissait pas la ville.

— Moi non plus, fit Beth. Je suis en visite chez des amis qui habitent à Pacific Beach.

— C'est juste à côté de la route qui longe le bord de mer. J'ai vu le panneau en arrivant.

Elle déclara venir de chez Western Airlines, où elle était passée pour un emploi de bureau.

— Z'êtes mariée? demanda Red en jetant un rapide coup d'œil à sa main gauche.

— Non… Enfin, oui… Je l'étais, mais mon mari a été tué à la guerre. Comme officier, dans l'armée de l'air. Mais je n'ai pas l'impression de ne plus l'être. On n'est plus ensemble, voilà… Dans ce monde, en tout cas.

Avant qu'elle ait pu lui retourner la question, Ray changea de sujet. Pour un moment, il avait simplement envie d'oublier cette partie de son existence. De ne pas penser à sa femme et à son bébé. Depuis la naissance de l'enfant, des problèmes avaient surgi. Mais Red se disait qu'il s'agissait seulement d'une période de « réajustement ».

Il raconta à Beth qu'il avait été musicien dans la fanfare de l'armée de l'air.

— Je suis retourné à la vie civile… J'essaie de continuer dans la musique, mais c'est difficile d'en faire son métier. À moins d'avoir un réel talent.

Elle lui demanda s'il avait été officier. Il répondit que non, il était juste caporal. Elle voulut savoir s'il connaissait les Flying Tigers. Il dit que oui, un petit peu, d'après ce qu'il avait vu au cinéma. Son mari, reprit-elle, était major dans cette escadrille. Elle l'interrogea sur son âge et déclara qu'elle le trouvait très jeune.

— Quel âge me donnez-vous, à moi ? ajouta-t-elle.

— Je ne sais pas... Je pense que vous êtes jeune, plus jeune que moi. Mais pas trop jeune. Vous avez un côté très glamour. Quand une jeune femme est aussi attirante que vous, c'est difficile de lui donner un âge.

Elle eut un petit rire.

— Vous me trouvez attirante ?

— Certainement... D'ailleurs, vous le savez. Vous n'avez même pas besoin de le demander, répondit-il en riant à son tour, comme s'ils partageaient une bonne blague.

Elle lui indiqua la direction de la maison des French. Il se gara en bas et coupa le moteur. Puis il lui demanda si elle voulait dîner avec lui.

— Demain matin, je dois passer quelques coups de fil, mais, en attendant, je n'ai rien à faire. On pourrait aller boire un verre ou deux, et danser, peut-être.

Mais elle s'inquiétait de ce qu'allaient dire ses hôtes. Il lui suggéra alors de le présenter comme une relation d'affaires. L'idée ne lui parut pas très bonne. Elle préférait leur dire qu'il travaillait avec elle chez Western Airlines.

— Ce sera comme si on était collègues, fit-elle. On doit discuter de certaines choses et tu m'as invitée à dîner.

Il n'y avait rien de mal à cela, ajouta-t-il, puis il lui proposa de venir la chercher à 19 heures.

— Parfait, répondit Beth en sortant de la voiture. Ne me raccompagne pas maintenant. Viens sonner ici à 19 heures.

Red se sentit bien. Il roula jusqu'à un motel, où il réserva une chambre pour deux, inscrivant sur la fiche d'enregistrement son adresse, son modèle de voiture et son numéro de permis de conduire. Ensuite, il se rendit à pied dans un café qu'il avait repéré en venant, le Harry's. Il commanda une bière et demanda s'il y avait « un endroit sympa où aller dîner et danser ». On lui répondit que l'Hacienda Club figurait parmi ce qu'il y avait de mieux. C'était un peu à l'extérieur, du côté de Mission Hills.

Après avoir glissé deux ou trois pièces dans le juke-box et rêvassé à son rendez-vous avec Beth, Red finit sa bière et retourna au motel. Il prit une douche. Tandis qu'il se rasait, il se mit tout à coup à songer à son épouse et, par la force des choses, au bébé. Sa femme était jolie, mais pas autant que la fille qu'il devait voir à 19 heures.

Il n'était guère marié depuis plus d'un an. Il n'avait jamais trompé son épouse, mais elle avait perdu tout attrait pour lui. Il ne souhaitait plus avoir de relations sexuelles avec elle et, chaque fois qu'il le pouvait, il se dérobait. Il se demandait pourquoi il faisait ça. Il pensait que la grossesse avait changé la situation et l'avait rendu très nerveux. C'était le bébé, en fait, qui le rendait nerveux. Il se sentit coupable. Il se traita de minable. À plusieurs reprises, il était allé consulter à l'hôpital des vétérans et, à chaque fois, les médecins lui avaient dit qu'il gardait « toujours le même vieux problème ». Il n'avait pas été capable de supporter l'armée, excepté en tant que membre de la fanfare. Il avait détesté toutes les restrictions qu'on lui imposait, ainsi que la discipline.

On l'avait réformé. Il avait été classé dans la « section huit » : rendu à la vie civile pour raisons mentales. À cause de ses nerfs. Une ou deux fois, depuis un an, il s'était dit : « Attention, Red, tu es en train de perdre les pédales. » Mais, pour le moment, il savait encore où il posait le pied. Il avait simplement les nerfs à vif.

L'air de San Diego était terrible. Il s'assit sur le lit et respira profondément devant la fenêtre ouverte. Il y avait plein de problèmes à régler dans son couple. Il s'agissait peut-être essentiellement de petits détails, mais tout s'enchevêtrait. Comme une grosse pelote hérissée de bouts de fil qui lui échappaient. Il savait pourtant l'importance de tenir tout ça bien en ordre.

Tromper sa femme le troublait, mais il avait l'impression que c'était là le moyen d'éprouver son amour pour elle. Il changea de chemise, se tapota les joues avec un peu de lotion Aqua Velva, et prit la décision de ne plus accorder aucune pensée ni à son épouse, ni à son boulot, ni à ses nerfs. Il allait simplement sortir pour se relaxer un peu et se dérider.

Il arriva chez les French un tout petit peu avant 19 heures. Il se présenta comme un employé de Western Airlines, précisant bien qu'il avait travaillé auparavant comme représentant en quincaillerie, mais les French eurent l'impression qu'il en savait à peu près autant sur San Diego que Beth. Ils avaient l'air d'étrangers, venus d'on ne sait où, et cette rencontre dans le living des French ressemblait à une scène de comédie jouée pour Elvera et sa fille. « Beth se montra presque brutale, allait rapporter Dorothy. Elle est sortie avant que Red ait pu donner des détails à ma mère. Elle a ajouté qu'elle essayerait de passer me dire bonsoir au cinéma. »

Dans la voiture, elle dit à Red :

— Ça me met mal à l'aise de leur raconter des bobards comme ça. Elles se sont montrées si serviables avec moi... Mais je crois être arrivée au bout de ce qu'elles pouvaient m'offrir.

— Allons manger un morceau, ça ira peut-être mieux après.

Il n'était pas très sûr de la direction à prendre pour aller au restaurant. Il était près de 21 heures lorsqu'ils arrivèrent à l'Hacienda Club. Le Jerry Leonard Band jouait, ce soir-là, et, après avoir avalé un ou deux verres, Red et Beth se mirent à danser. Il avait l'impression qu'elle le jaugeait, traquant les fautes qu'il pourrait commettre. Elle lui demanda s'il était marié. Il répondit que oui, mais que sa femme et lui étaient encore au milieu du gué. Peut-être qu'entre eux, ça n'allait pas marcher.

Beth ouvrit son sac à main et en sortit une coupure de journal, qu'elle lui tendit. Il lut, puis l'interrogea au sujet des quelques mots rayés. Elle expliqua que le journal avait fait une erreur.

— Dans la voiture, tu m'avais dit t'appeler Short... fit observer Red.

— Oui, j'ai repris mon nom de jeune fille.

Red déclara qu'il était vraiment dommage que son mari ait été tué, surtout juste avant la fin de la guerre. Il commanda d'autres boissons, tandis qu'elle repliait sa coupure de journal. Elle dit qu'elle avait faim.

— C'est mort, ici, fit Red. Tu veux manger un morceau ?

Mais Beth ne trouva rien à son goût sur la carte.

— J'ai envie d'un sandwich, ou quelque chose comme ça. Un truc simple. Je n'ai pas assez faim pour un grand dîner. Et puis, pourquoi mettre de l'argent là-dedans ? Ça fait un moment que j'ai de grosses difficultés et je loge dans des conditions peu évidentes. Je suis au chômage. Je ne crois pas que ce soit une bonne idée de dépenser dans un dîner qui ne nous fera probablement pas plaisir.

— Comment peux-tu dire ça ?

— Eh bien, regarde autour de toi. Qu'est-ce que tu vois ?

— Rien du tout.

— C'est ce que je voulais dire...

De toute façon, on ne servait plus à manger. Alors ils finirent leur verre et sortirent. Beth se sentait un peu pompette. Red affirma qu'ils trouveraient un endroit où manger avant d'arriver en ville.

Il s'arrêta dans le premier drive-in, en laissant le poste allumé parce que Beth aimait ce qui passait. Elle commanda un sandwich et il prit un hamburger.

« Nous étions en plein casse-croûte, raconte Red, lorsque le type à la radio a donné l'heure. Il était près d'une heure du matin. Beth a dit qu'elle devait rentrer. Moi-même, je me levais tôt. Je ne lui ai pas proposé de faire un saut au motel pour un dernier verre avant d'aller au lit, alors que j'avais ça en tête depuis l'après-midi. »

À Pacific Beach, Red se gara et prit la main de Beth dans la sienne. Il lui expliqua qu'il avait envie de l'embrasser. Elle se tourna, il se pencha un peu en avant et posa ses lèvres sur les siennes. Au bout de quelques instants, elle fit mouvement en arrière, disant à Red qu'elle devait regagner la maison.

— Encore un petit baiser? demanda-t-il.

De nouveau, elle s'inclina et l'embrassa, mais ses lèvres étaient froides et presque figées. Ensuite, elle ouvrit la portière.

— Je te reconduis jusqu'à la maison, lança Red.

Il contourna la voiture. Elle sourit et lui prit la main.

— Demain matin, dit-il, après avoir réglé mes quelques affaires, je dois immédiatement repartir à L.A. Tu n'as pas le téléphone... Où puis-je te joindre ou te laisser un message?

Elle s'était servie jusqu'ici du poste des voisins, mais cela devenait de plus en plus difficile. Red annonça qu'il lui enverrait un télégramme chez les French pour l'avertir de son prochain passage en ville.

— On pourrait dîner, dit-il. J'aimerais vraiment te revoir.

Ça lui allait très bien. Elle ne savait pas combien de temps encore elle allait loger à cette adresse, mais elle attendrait son télégramme.

Red retourna au motel et s'assit dans le fauteuil de sa chambre, se sentant affreusement mal. Il avait seulement embrassé la fille. Mais il se dit qu'il était stupide de s'en faire à ce point.

Le lendemain matin, après avoir avalé un petit déjeuner chez Sheldon, la sandwicherie au bord de la grand-route, il roula vers Pacific Beach et stoppa devant la maison des French. Beth était sortie, lui expliqua Dorothy. Elle la croyait partie travailler, mais elle n'en était pas sûre. Red la pria de lui dire qu'il était passé et qu'il reviendrait plus tard.

Le premier télégramme que reçut Beth n'était pas signé Red. C'était quelques mots d'excuses de la part de Gordan, assortis d'un mandat télégraphique de 100 dollars.

— Je suis sous le choc, dit-elle à Dorothy. Je ne m'attendais plus à ce que Gordan m'envoie cet argent.

Elle se rendit à pied chez Sheldon, où elle passa un certain nombre d'appels en PCV, puis déclara qu'elle attendait une communication personnelle longue distance.

— T'en fais pas, ma chérie, lui répondit la serveuse, si ça arrive pendant que t'es partie, je te laisserai le message sur la broche à tickets, près de la caisse. Tu pourras venir le chercher jusque tard ce soir, ou demain.

À son retour chez les French, Beth écrivit une nouvelle lettre à Gordan. « Je vais peut-être pouvoir revenir à Chicago pour un travail... Je suis désolée que tu te sentes comme ça et j'espère que tu pourras trouver une jolie jeune dame à embrasser chaque année sous le gui. Je crois toujours que ç'aurait été merveilleux d'être l'un à l'autre. Je veux que tu saches que je n'oublierai jamais ce voyage pour venir te rejoindre dans l'Ouest. Même si, au bout du compte, tu ne m'as pas prise dans tes bras pour me retenir. Ça n'a pas duré, mais ce fut un beau moment… » Elle replia la lettre et la rangea dans son sac à main avec toutes celles qu'elles n'avaient pas postées.

La veille de Noël, Beth attendit que Dorothy ait fini son service au cinéma pour rentrer avec elle à la maison. Mais quand Dorothy sortit, elle aperçut un jeune homme qui discutait avec Beth. Celle-ci dit ensuite à Dorothy qu'elle avait été invitée à dîner chez lui. Elle fut de retour à Pacific Beach tard dans la journée du 25, apportant un petit cadeau à chacun.

Le lendemain fut difficile pour tout le monde. Dorothy se rendit compte qu'il était arrivé quelque chose à Beth, sans pouvoir comprendre de quoi il s'agissait. C'était comme si, désormais, elle avait brusquement tiré le rideau, ne voulant plus rien révéler de sa vie ni de ses projets. Elle passait le plus clair de son temps à la maison. Elle flânait, tripotait ses vêtements, les étalait pour les regarder ou pour les repasser. Elle écrivait des lettres, lisait des magazines, ou envoyait Cory faire une course. Le garçon n'y voyait aucun inconvénient. Mais Elvera dit à Dorothy qu'utiliser son fils comme un *coolie* était une mauvaise idée. Beth lui avait demandé d'aller lui chercher des serviettes hygiéniques et du papier à lettres parfumé. Dorothy suggéra ironiquement à Beth de s'en charger à la place de son frère : il ne saurait pas quoi acheter. Beth accepta avec joie, disant à Dorothy : « Oui, toi, tu pourras mieux choisir. »

Beth rédigea une lettre pour sa mère, puis une autre pour Gordan, et une autre encore pour Duffy, à Chicago. Ce fut Dorothy qui les posta en partant travailler.

« Le soir de la Saint-Sylvestre, racontera Dorothy, elle est allée au El Cajon Club, accompagnée d'un gard. Elle s'est saoulée et a fait un malaise. Le type avec qui elle sortait ce soir-là l'a ramenée à la maison

tôt le matin, et elle a dormi jusqu'à midi ou presque. »
Elle passa le restant de la journée, vêtue de sa robe
chinoise, à papoter avec Dorothy et Elvera. Elle semblait nerveuse et tenait des propos frivoles, d'après
cette dernière. Un peu plus tard, Beth écrivit à nouveau une lettre à Ann Toth, pour lui demander de l'argent qu'elle lui rembourserait à son retour à L.A. Il ne
lui restait plus rien des 100 dollars, et elle n'en avait
pas donné un seul à Elvera ou à sa fille.

D'après les souvenirs de Dorothy, « un ou deux jours
plus tard, des gens sont venus frapper chez nous. Il y
avait un homme et une femme, et un autre homme
encore qui attendait dans la voiture garée devant la
maison. Beth a eu très peur. Elle s'est mise à paniquer,
déclarant qu'elle ne voulait pas se montrer ni leur
ouvrir. Finalement, ils ont regagné leur voiture et sont
repartis. Même nos voisins ont trouvé cela très suspect. »

Le 7 janvier arriva un télégramme Western Union. Il
était signé Red. Il n'arrivait pas à oublier la fille qu'il
avait rencontrée à San Diego. Deux ou trois jours
avant d'envoyer ce message, il était allé à l'hôpital des
vétérans, se plaignant de souffrir d'une « dépression
nerveuse ». Le médecin lui avait répondu qu'il conservait ses facultés. C'était peut-être la faute de son travail. Ou le stress entraîné par ses problèmes de
couple. Red était sûr d'aimer son petit garçon, mais il
estimait avoir besoin de réflexion et de temps. Il voulait faire une pause et, surtout, revoir cette fille.

Le 8 janvier, Red fit sa tournée commerciale sur la
zone qu'on lui avait assignée à San Diego, puis, vers
16 heures, il se présenta au bureau de la compagnie
Western Airlines. Il attendit environ trente minutes,
mais Beth ne se montra pas. Il reprit alors la route de
Pacific Beach, jusqu'à la maison des French.

Dès qu'il descendit de voiture, il l'aperçut sur le pas
de la porte. Elle s'approcha et il vit son air contrarié.

— Il faut que je passe un coup de fil, lui dit-elle. Pourrais-tu me conduire jusqu'à la grand-route ?

Red avait envie de lui assurer qu'il était prêt à faire tout ce qu'elle demanderait. Elle prit place et ils descendirent la colline. Lorsqu'ils arrivèrent en bas, elle parut un petit peu plus détendue. Elle lui demanda l'heure.

— Il est trop tard maintenant pour passer ce coup de fil.

Elle semblait soucieuse. Il voulut savoir ce qui n'allait pas.

— Eh bien... Je m'en vais. Je suis vraiment heureuse que tu m'aies envoyé ce câble. Peut-être pourrais-tu me conduire à un endroit où je puisse trouver une chambre pour la nuit avant de prendre le bus, demain matin. Je dois rentrer à L.A.

Quand ils remontèrent chercher ses bagages, Red l'accompagna jusqu'à la porte. Les valises de Beth étaient dans l'entrée. Il les rangea dans le coffre. Jetant un coup d'œil en arrière, il vit Beth discuter sur le seuil. Elle était en train de donner un chapeau à Elvera : il l'entendit dire que ce n'était pas grand-chose, mais qu'elle savait qu'il lui plaisait. Beth paraissait joyeuse, maintenant ; en reprenant place dans la voiture, elle riait presque. Red démarra et redescendit en direction de la grand-route.

— Ne te trouvant pas en ville, j'ai pensé que le mieux était de venir te chercher ici, fit-il. Tu vois, on peut dire que je voulais vraiment te revoir.

— J'apprécie beaucoup, répondit Beth. Tu es vraiment adorable. Je suis désolée si la situation est un peu confuse.

— Je m'inquiète à propos de ce que tu vas faire... Je vais te trouver un endroit pour la nuit. Ensuite, si tu veux, on ira dîner à l'extérieur.

Dès que Beth eut sa chambre, elle apporta son nécessaire de toilette et s'assit au bord du lit pour se peigner. Il lui demanda si elle avait faim. Elle fit oui de la tête, avec un sourire. Elle se mit du rouge à lèvres, utilisant un petit applicateur pour retoucher les coins de sa bouche.

— Tu as envie d'un vrai dîner ou tu veux juste avaler un morceau quelque part ? demanda Red.

Avant qu'elle ait pu répondre, se souvenant de son début d'ivresse la fois précédente, il ajouta :

— On pourrait retourner à l'Hacienda Club. Ça te dirait de faire ça ?

— D'accord... Mais j'aimerais qu'on s'arrête chez Sheldon en passant.

Red acquiesça. Sur place, Beth voulut s'asseoir dans un box et commander un sandwich. Red alla chercher deux bières. Il mit quelques pièces dans le juke-box, laissant à Beth le soin de choisir les chansons. Il vérifia plusieurs fois sa coupe de cheveux dans la glace accrochée derrière le comptoir, ce qui la fit rire. Elle lui dit qu'il avait l'air de se peigner très souvent.

— Ils tiennent mal, répondit Red. J'ai besoin d'une bonne coupe.

Il se réjouit de la voir de meilleure humeur. C'était l'occasion, s'ils le voulaient, de passer une super soirée ensemble, ajouta-t-il. Mais il n'avoua pas qu'il pensait à cette chambre, au motel. Elle parla alors d'un autre endroit où elle aimerait aller, dans la mesure où elle ne reviendrait pas à San Diego avant un petit moment : le U. S. Grant, un grand hôtel où jouait un orchestre. L'idée plut à Red, qui demanda le chemin à la serveuse.

Ils trouvèrent assez rapidement. S'il y avait bien un orchestre, la piste de danse était toutefois à peu près déserte. Red commanda des boissons, mais nota un changement d'humeur chez Beth. Elle devint silencieuse et ne cessa plus de jeter des coups d'œil vers l'entrée ou le fond de la salle, comme si elle cherchait quelqu'un. Il eut l'impression qu'elle avait voulu s'arrêter ici pour voir cette personne avant de quitter la ville.

Ensuite, ils allèrent à l'Hacienda Club, où l'ambiance était plus animée. L'humeur de Beth bascula à nouveau. Red eut cette fois l'impression qu'elle s'amusait énormément. Ils dansèrent et burent encore quelques verres. L'heure avança et Beth déclara qu'elle voulait s'en aller. Dans la voiture, elle lança :

— Je me demande s'il ne faut pas que je prenne le bus.

— Tu veux dire, *ce soir même*?

Elle ne savait pas. Il lui rappela qu'ils avaient une chambre à leur disposition. Après une bonne nuit de sommeil...

— Je te conduis à la gare routière, si c'est ce que tu veux, précisa Red. Mais je peux aussi t'emmener à L.A. demain matin. Tu y seras plus vite qu'en bus.

Pendant un moment, ils restèrent silencieux. Puis il voulut savoir si elle avait encore faim. Elle répondit par l'affirmative.

— Allons manger un morceau, alors. Cette histoire de bus n'est peut-être pas une si bonne idée que ça.

— Oui, peut-être.

Son estomac la faisait un peu souffrir. Il proposa d'aller chercher quelque chose à emporter et de retourner à l'hôtel, où elle pourrait se détendre.

— Je dois avoir besoin de manger, dit-elle. Il est possible que le problème soit là.

Ils roulèrent vers le café du bord de la grand-route, où Red demanda à ce qu'on leur prépare un paquet contenant deux hamburgers et des sodas. Quand ils furent de retour à l'hôtel, Beth se changea et enfila un pull. Elle remonta les manches pour avaler son hamburger. Remarquant les griffures sur sa peau, Red fit observer que l'une d'elles semblait saigner. Elle regarda ses avant-bras et dit avec un petit sourire :

— J'ai un *boyfriend* jaloux.

— Tu veux dire que c'est quelqu'un qui t'a fait ça?

— Il est italien. Et il n'est pas du tout sympa, comme type.

Elle précisa que ce n'était pas récent, mais qu'elle avait gratté les plaies, les refaisant saigner. Elle se mit ensuite à frissonner.

Elle ramassa le manteau de Red et le plaça sur ses épaules en se plaignant qu'il n'y ait pas de chauffage dans la chambre.

— Tu veux que j'allume la cheminée?

— Oui, s'il te plaît..., dit-elle d'une voix faible.

Elle alla s'asseoir dans le fauteuil, les jambes repliées sous elle. Il fit du feu, mais elle ne parvint pas à se réchauffer. Elle grignota son hamburger pendant que Red orientait le fauteuil face à la cheminée. Il s'assit sur le bord du lit et tenta de faire la conversation, mais Beth tremblait de froid.

— Je suis glacée...

Il l'enveloppa dans deux couvertures.

— C'est mieux comme ça?

Elle hocha la tête. Elle voulait sa valise, la plus petite, celle qui était dans le coffre. Elle lui demanda s'il pouvait aller la chercher.

— As-tu besoin d'autre chose? fit Red. Veux-tu que je passe à la pharmacie? Y a-t-il quoi que ce soit que je puisse faire pour que ça aille mieux?

— Non, répondit Beth, en se blottissant dans les couvertures.

Elle se contenta de fixer les flammes. Red alla chercher la valise et deux ou trois autres choses dans le coffre, puis ils finirent leur soda. Il songea à la gaieté et à l'entrain dont elle avait fait preuve un peu plus tôt, à l'Hacienda Club. Elle n'était pas malade et n'avait pas eu froid, à ce moment-là.

Il s'assit sur le lit en disant:

— Je voudrais essayer de me reposer. Veux-tu t'allonger et faire un petit somme ? Je peux me mettre dans le fauteuil, ça ne me dérange pas.

— Non, j'ai trop froid pour dormir tout de suite. Vas-y, toi, prends le lit.

Pendant qu'elle lui tournait le dos, Red enleva sa chemise et son pantalon, puis se glissa rapidement entre les draps. Il se sentait bizarre. Il songea à sa femme et à son enfant, ce qui le rendit triste. Ce n'était pas ses nerfs – juste une sorte de tristesse, comme s'il s'était infligé lui-même le fardeau que représentait cette fille. Il avait confusément imaginé une romance, et il ne cessait de songer à la manière dont ils avaient dansé ensemble, se rappelant la sensation de ses seins contre lui, l'odeur de ses cheveux, et ce parfum qu'elle portait, inconnu, inhabituel.

En fermant les yeux, il eut l'impression d'être encore à l'Hacienda Club en train de virevolter avec elle. Comme elle dansait bien, et comme tout paraissait simple... Et son rire, sa tête qu'elle rejetait légèrement en arrière, sa chevelure qui flottait... Il eut la vision d'une bouteille d'encre noire très dense que l'on aurait secouée et qui se renverserait en se dispersant.

Il n'était plus du tout d'humeur romantique, maintenant. Il était juste fatigué. Il n'allait plus se rappeler à quel moment il s'est endormi.

Quand il ouvrit les yeux, il vit qu'il faisait jour, sans pouvoir deviner l'heure. Il eut un tressaillement des muscles, comme s'il chutait soudain et cherchait à se rattraper. Il redressa la tête. Beth se tenait appuyée sur un oreiller, de l'autre côté du lit, bien éveillée.

— Comment te sens-tu ? fit Red.

— J'ai eu des frissons toute la nuit.

— Tu n'as pas dormi ?

Elle secoua la tête et il regarda sa montre.

— Je suis en retard ! J'ai un rendez-vous !

Il devait se rendre dans le centre-ville ; ils décidèrent qu'elle l'attendrait au motel. Elle lui demanda s'il pouvait porter ses chaussures chez un cordonnier pour faire changer les fers.

— À ton retour, ajouta Beth, on pourrait s'en aller d'ici et prendre la route de Los Angeles.

— C'est ce à quoi je pensais, répondit-il en ramassant les chaussures. On doit libérer la chambre à midi. D'ici là, je serai revenu.

Mais il était près de 12 h 20 quand Red regagna le motel. Son rendez-vous avait duré plus longtemps que prévu.

Les chaussures étaient réparées et Beth était prête à partir. Elle avait l'air adorable, pensa-t-il. Elle portait une jupe et un cardigan noir ajusté sur un chemisier blanc dont le col était bordé d'un fin liseré de dentelle. Elle glissa le pied dans ses escarpins de daim noir et lui décocha un magnifique sourire en le remerciant pour la réparation.

Quelques minutes plus tard, ils roulaient sur la route côtière, en direction du nord.

— Je dois m'arrêter en chemin, fit Red. Une visite à faire pour le boulot. Je vais essayer de régler ça rapidement.

Beth ne dit rien, continuant de regarder droit devant elle.

Il fut retenu un petit moment chez un fournisseur d'articles de plomberie et, à son retour, Beth lui dit qu'elle avait faim.

— On prendra quelque chose dans le premier restaurant qu'on croisera, dit Red.

Vingt minutes plus tard, ils s'apprêtaient à descendre de voiture. Beth se pencha pour tirer sur la couture de ses bas. Elle lança à Red un regard triste en lui déclarant que c'était sa dernière paire.

Ils avalèrent un sandwich en vitesse, puis ils repartirent, pour ne s'arrêter qu'à Laguna Beach, où Red dut se ravitailler en essence. Pendant que le pompiste remplissait le réservoir, Beth annonça qu'elle voulait lui écrire, mais seulement si c'était possible, étant donné sa situation familiale.

— Je ne sais pas, répondit-il. Il vaudrait peut-être mieux que ce soit moi qui le fasse.

— Tu n'as qu'à me donner ta carte de représentant. Je t'écrirai à cette adresse-là pour te dire où je me trouve.

Elle sourit et ajouta :

— Ne t'en fais pas. Je ferai en sorte que ça ait l'air strictement professionnel.

Red donna son accord, mais il ne put mettre la main sur ses cartes. Il déchira un bout de bordereau de vente avec le nom et les coordonnées de sa société, qu'elle plia et rangea dans son sac à main.

— Tu es vraiment gentil...

Ils poursuivirent leur route sur la Highway 101, avant de stopper à nouveau pour boire un café et grignoter un morceau. En sortant, Beth déclara qu'elle devait passer un coup de fil, et il attendit près de la voiture pendant qu'elle donnait le numéro de son correspondant au standard des appels longue distance. Puis Red se rassit au volant. Quand elle reprit place à son côté, elle tenait un petit répertoire ouvert. Elle lui dit que sa sœur vivait à Berkeley et qu'elle était mariée à un professeur, qui enseignait là-bas, à l'université. Son nom de famille était West. Elle ajouta que sa sœur allait venir la rejoindre à L.A.

— Tu m'en vois rassuré... fit Red. Elle t'emmène à Berkeley ?

— Nous devons en discuter. Je suis à peu près sûre d'y aller pour quelques jours, mais il faudra que je me rende ensuite à Boston.

— À *Boston* ? Tu circules pas mal...

— C'est de là que je viens. Je suis de la région de Boston.

— Je ne l'aurais pas deviné, tu n'as pas l'accent. Bon, pour l'instant, on va à L.A. Où dois-tu retrouver ta sœur ?

Avant qu'elle ait pu répondre, il ajouta :

— ... dans un grand hôtel, j'imagine ? Au Biltmore ?

Il y avait dans sa question une pointe de sarcasme, mais elle fit :

— Oui, on a rendez-vous là-bas.

Red trouva ça plutôt drôle. Il se dit cependant prêt à la déposer. Elle l'assura de sa reconnaissance.

Ils continuèrent vers le nord, mais avant d'arriver à *downtown*, Beth ouvrit sa valise et en sortit un manteau beige, puis enfila une paire de gants de ville en coton blanc.

— J'aimerais d'abord aller déposer mes bagages à la consigne. Peut-on faire comme ça ?

Il était entre 16 h 30 et 17 heures. La circulation était mauvaise. Red stoppa devant la gare routière des bus Greyhound, sur la 6ᵉ Rue. Il descendit et transporta ses bagages à l'intérieur. Elle fit enregistrer son carton à chapeaux ainsi que ses deux valises. Elle lui conseilla de ne pas laisser la voiture devant en attendant qu'elle ait fini. Il répondit qu'il allait faire le tour du pâté de maisons et qu'il la prendrait en repassant devant la gare. Le quartier n'était pas très sûr, ajouta-t-il. Il nota son expression souriante au moment où elle faisait enregistrer ses bagages, puis il ressortit pour faire le tour du bloc. Il s'arrêta devant l'entrée de la gare et attendit plusieurs minutes avant qu'elle ne réapparaisse.

— On va au Biltmore Hotel, c'est bien ça, hein ?

Elle fit oui de la tête et soupira, paraissant tout à coup fatiguée. La route avait été longue.

— OK, fit Red.

Le Biltmore ne se trouvait qu'à quelques rues, vers l'ouest. Red trouva une place et ils marchèrent jusqu'au croisement entre la 5e et Olive, pénétrant ensuite dans le grand hall du palace.

— Il faut que j'aille faire un tour chez les filles, dit Beth. Ça t'embêterait, pendant ce temps, d'aller voir à la réception si ma sœur est arrivée?

L'employé dit à Red qu'aucune Mrs West n'avait réservé de chambre ni laissé un quelconque message.

En attendant que Beth revienne des toilettes, Red se demanda si sa sœur n'avait pas tout simplement proposé de se retrouver dans le hall de l'hôtel. Il remarqua deux femmes blondes qui avaient vaguement l'air d'attendre quelqu'un. Il demanda successivement à l'une et à l'autre si elles avaient rendez-vous avec leur sœur. L'une des deux lui faisant comprendre qu'il l'importunait, il alla s'asseoir.

Quand Beth fut de retour, il lui répéta ce que lui avait dit le réceptionniste.

— J'arrive sans doute trop en avance, fit-elle.

Elle allait patienter sur place, mais il n'était pas nécessaire que Red reste là. Il en avait assez fait. Il regarda sa montre. 18 h 30. Il commençait à se faire tard et il fallait qu'il reprenne la route pour rentrer à Huntington Park.

Elle le regardait en lui souriant. Ses yeux semblaient très clairs, très bleus. Comme s'ils brillaient.

— Bon, eh bien… d'accord, dit-il.

Et il lui rappela qu'elle pouvait lui écrire à son adresse professionnelle pour lui faire savoir où elle allait résider. Elle lui promit qu'elle le ferait. Puis il tourna les talons et s'en alla vers la porte donnant sur Olive Street. Il jeta un regard en arrière, voulant lui faire au revoir de la main, mais elle parlait au caissier du stand des tabacs. Elle lui tendit un dollar et il lui donna de la monnaie. Elle se trouvait toujours à cet endroit quand Red quitta le hall de l'hôtel.

Plusieurs employés du Biltmore remarquèrent sa présence, ce jour-là. Ils la virent traverser le hall de marbre un grand nombre de fois pour se diriger vers les cabines téléphoniques. Elle passa apparemment plusieurs appels. Le réceptionniste se rappellerait l'avoir aperçue assise dans un fauteuil, à l'opposé du coin des grooms. Elle avait fini par se lever pour quitter l'hôtel.

Dehors, le portier la salua. Il la regarda remonter Olive Street en direction de la 6e Rue. Il serait la dernière personne connue à l'avoir vue vivante. Elizabeth Short devait ensuite se volatiliser. Disparaître. Son corps mutilé allait être retrouvé six jours plus tard dans un terrain vague.

11

La morgue du comté de Los Angeles, à qui l'on confiait les corps des personnes assassinées ou décédées d'une mort suspecte en attendant leur identification ou leur inhumation, était un endroit exigu, où les conduites d'eau fuyaient. La plupart des portes vitrées étaient embuées, gluantes d'humidité. L'air vicié puait la décomposition et les ventilateurs électriques, constamment allumés, ne faisaient que chasser les effluves d'un couloir ou d'une pièce à l'autre. Les émanations de formaldéhyde, qui masquaient partiellement les odeurs, « restaient collées à vos vêtements », selon le détective Herman Willis, transféré de la Division métropolitaine pour apporter son concours aux investigations.

Willis avait été convoqué à la division de Central durant la soirée ; il devait aider aux recherches dans le fichier des personnes disparues pour essayer d'identifier la victime et se joindre aux hommes chargés de questionner une centaine de « dégénérés sexuels et d'individus soupçonnés de sadisme ». Les autres divisions unissaient leurs efforts dans un même objectif, mais le capitaine Jack Donahoe avait demandé à ce que Willis, le « brillant petit jeune » de la Métro qui devait travailler avec les détectives Finis Brown et Harry Hansen, lui rende compte directement.

173

« Je n'aimais pas aller à la morgue, racontera Willis. C'était un endroit horrible. » Pendant des années, des menaces de fermeture avaient pesé sur cet endroit – on prévoyait d'en réformer les installations ou de les déplacer. Plusieurs projets d'amélioration successifs avaient permis d'échapper à la fermeture, mais rien n'avait été fait. « Si la ville changeait par certains côtés, beaucoup de choses restaient en l'état. Certains s'en mettaient plein les poches et ce n'était pas les morts qui allaient ruer dans les brancards. »

Les salles s'ouvraient sur des couloirs bourrés d'adjoints du coroner qui buvaient du café, plaisantaient et discutaient, pendant que, dans telle ou telle pièce, les corps s'entassaient en piles de deux ou trois, « comme du bois de chauffe, dira Willis. Un jour, dans le cadre d'une affaire, le juge a ordonné une vérification sur une personne décédée. Un adjoint du coroner m'a conduit dans l'une de ces pièces et il a envoyé valdinguer les corps comme si c'était des bûches pour atteindre ceux du dessous. Je n'ai pas pu retrouver le bon cadavre. Et quand on est partis, il ne s'est même pas embêté à les remettre en pile, il les a laissés tels quels, tout retournés. »

Souvent, dans les couloirs, la sensation de chaleur se mêlait à l'humidité. À un certain moment, il y eut un tel embouteillage que, faute de matériel, on en vint à pratiquer les autopsies directement sur les chariots. Le sang et les humeurs débordaient des tables d'examen. « En ce qui concerne le règlement, les médecins légistes ne semblaient pas trop s'en faire », selon Willis.

Dans le privé, on en est venu à détester les gens de la morgue, aussi bien les médecins légistes que les employés. « Ça rouspétait du côté des funérariums, racontera Willis, parce qu'une fois sur deux les cadavres étaient renvoyés sans même avoir été recousus ni arrangés. Il arrivait que les morceaux de corps soient emballés dans du papier paraffiné – particulièrement en cas d'accident de la route – ou expédiés aux pompes funèbres dans des boîtes, en pièces détachées. Je me souviens d'un incident : le défunt, dont le visage avait été découpé et rabattu au-dessus du crâne, est reparti dans cet état vers la veuve et les parents. »

De temps en temps, la morgue ne livrait pas le bon numéro : « Si personne ne détectait l'erreur, le cadavre non restitué finissait à l'incinérateur et ses cendres allaient engraisser les parterres de roses du côté d'Exposition Park. »

Le matin du 16 janvier, Willis vint rejoindre Brown dans la pièce où devait avoir lieu l'autopsie de « *Jane Doe Numéro 1* ». Elle était allongée sur la table, la tête un peu inclinée de côté. Sa bouche et ses joues coupées, désormais béantes, laissaient les dents bien visibles. La partie inférieure du corps était sectionnée au niveau de la taille et son plan de coupe formait un angle d'environ 45 degrés avec celui du buste. Position initiale qui allait longtemps intriguer les enquêteurs, puis les conduire à penser que la victime se trouvait à demi couchée au moment de sa mort.

Victor CeFalu, adjoint du coroner, se tenait légèrement penché au-dessus de l'une des jambes. Il tenait un instrument de métal entre les cuisses du cadavre. « Et il y avait un autre type, Louis Delgado, se souvient Willis. Lui aussi portait un tablier, comme CeFalu. Faute d'avoir réussi la veille à obtenir une température rectale, ils réessayaient en s'échangeant divers instruments. Il apparut ce matin-là qu'on avait affaire à une sorte de blocage, nous a dit CeFalu, alors même que l'ouverture du rectum semblait exceptionnellement dilatée. CeFalu tentait de régler ça avant que le médecin en chef, Frederick Newbarr, ne commence l'autopsie. Puis on nous a fait savoir que ce blocage concernait à la fois le rectum et le vagin. Il fallut faire intervenir plus tôt que prévu le médecin légiste. »

Selon Delgado, en ce qui concerne le rectum, une sorte de pince médicale circulaire y fut insérée pour pouvoir ensuite entrer aux forceps. « Grâce à plusieurs mouvements saccadés, raconte Willis, comme quand on tire très fort sur quelque chose, ils ont réussi à retirer ce qui ressemblait à des morceaux de peau, qu'ils ont déposés dans une cuvette émaillée. Delgado nous a alors expliqué qu'il s'agissait de tissu épidermique, auquel restaient attachées des fibres musculaires. On avait introduit ça dans le rectum de la morte, comme pour venir combler un vide dans un puzzle. Une fois rapprochés, ces morceaux parurent correspondre au vide pratiqué dans la cuisse gauche. »

L'autre préoccupation de CeFalu était ce que le médecin légiste avait qualifié, au cours d'un examen superficiel, de « blocage apparent » dans la région du vagin. Brown voulait savoir de quoi il retournait, mais CeFalu déclara qu'il reviendrait à Newbarr de déterminer la « condition » du cadavre, c'est-à-dire l'éventualité que la morte ait subi des violences sexuelles.

Longtemps, en matière d'enquêtes criminelles, Brown était resté dans l'ombre d'Harry Hansen. Brown était un parieur invétéré, ce qui tournait quelquefois sérieusement à son désavantage. Il devait de l'argent à des personnes auprès desquelles il n'était pas très joli de s'endetter. Il allait venir un moment où il devrait rembourser sans pouvoir se retrancher derrière son frère aîné, Thad Brown, le chef adjoint, qui était l'un des policiers les plus respectés de toute la Californie. Finis devait faire très attention, chaque jour, à ne pas entacher l'impeccable réputation de son frère.

Au téléphone, Brown dit à Donahoe qu'il était pour le moment impossible de savoir si la fille avait été victime d'une agression sexuelle.

— Écoutez, répondit Donahoe, ou c'est un crime sexuel ou ce n'en est pas un ! La moitié des hommes du service sont en train d'interroger des pervers sexuels et le chef vient d'élargir le coup de filet à la Californie tout entière. Cette fille a été mutilée puis coupée en deux, alors s'il ne s'agit pas d'un crime sexuel, mon petit Brown, je vous demande un peu ce que c'est ! Dites-le moi, je le répéterai au commandant !

— C'est un crime sexuel, *sir*. Bien sûr. Et nous recherchons un pervers. On ne prendra aucun risque là-dessus.

Brown ajouta que le tueur avait apparemment enfoncé dans le postérieur de la fille le morceau de chair prélevé sur sa cuisse :

— On dirait que ça vient de cette blessure-là, même s'il en manque encore un bout. Mais ça, personne ne peut le savoir, à part le tueur – euh, et nous, évidemment. Hansen n'est même pas encore au courant. Willis était avec moi quand ils s'en sont rendu compte.

Donahoe ordonna à Brown d'appeler Willis dès que l'autopsie serait terminée. Il voulait que Willis ait accès à toutes les informations que partageaient Hansen et Brown.

— Vous pensez que c'est la meilleure politique ? demanda Brown. On ne le connaît pas vraiment bien, ce type.

— À chaque étape, il doit être impliqué. Et si ça ne vous plaît pas, à Hansen et à vous, vous n'avez qu'à vous plaindre directement au commandant, qui me soutient entièrement dans cette affaire.

Brown eut l'impression qu'une forme de défiance vis-à-vis d'Hansen et de lui-même était brusquement apparue chez le capitaine Donahoe. Il leur avait assigné la présence de Willis, comme si celui-ci devait leur servir de béquille dans l'espèce de course en sac où ils s'étaient tous lancés.

Le docteur Newbarr, plutôt petit, cheveux clairsemés et lunettes cerclées d'or, commença l'autopsie à 10 h 40, enregistrant ses constatations au fur et à mesure. Il avait affaire à « un individu de sexe féminin, âgé de quinze à vingt ans, mesurant 1,65 mètre et pesant 52 kilogrammes. De multiples déchirures sont présentes au milieu et sur le côté droit du front, ainsi qu'au sommet de la tête, dans la partie médiane. Un grand nombre d'écorchures minuscules s'alignent sur le côté droit du visage et sur le front.

« Il y a une petite lacération d'un quart de pouce sur chaque côté du nez, près de l'arête. Une profonde lacération du visage, longue de trois pouces, s'étend latéralement depuis le coin droit de la bouche. Les tissus environnants sont ecchymotiques et d'une couleur violacée tirant sur le bleu.

« On note cinq lacérations linéaires sur la lèvre supérieure droite, dans le tissu mou, distantes d'un huitième de pouce. »

Examinant l'intérieur de la bouche, Newbarr constata que les dents étaient très abîmées. « Les deux incisives centrales de la mâchoire supérieure bougent, tout comme l'une des incisives du bas. » Il releva des traces de caries sur les autres dents et décela « des zones d'hémorragie sous-arachnoïdienne du côté droit, ainsi que d'autres aires hémorragiques dans le corps calleux…

« Aucune fracture du crâne n'est visible, continuait Newbarr. Des deux côtés et sur la partie antérieure du cou, on constate une légère dépression, de couleur marron clair. Dans la partie antérieure médiane du cou, la peau présente une marque d'abrasion de forme irrégulière. Sur la partie antérieure gauche du cou, on note deux écorchures linéaires. À l'arrière du cou, il y a deux stries légèrement creusées, de couleur beige. Celle du bas se poursuit à chaque extrémité par une abrasion de la peau. Le pharynx et le larynx sont intacts. Aucun signe de trauma au niveau de l'os hyoïde, des cartilages thyroïde et cricoïde, ou des anneaux trachéaux. Il y a une petite zone d'ecchymoses sur les tissus mous du côté droit du cou, au niveau des anneaux trachéaux supérieurs. Pas d'obstruction du passage laryngotrachéal. »

La veille, dans l'après-midi, CeFalu avait suggéré la possibilité d'une suffocation ou d'un étouffement de la victime par son propre sang, consécutif aux importantes lacérations de la région buccale. Mais, en ouvrant la gorge, Newbarr ne trouva ni obstruction ni résidu de coagulation.

Examinant le haut de la poitrine, il signala « une déchirure irrégulière, avec perte d'épiderme, sur le sein droit. La surface de tissu manquant, à peu près carrée, mesure trois pouces un quart dans le sens transversal et deux pouces et demi dans le sens longitudinal. À partir de la zone médiane, on observe plusieurs autres déchirures superficielles de la peau. Il y a une ouverture en forme d'ellipse à trois quarts de pouce du mamelon gauche. Cette ouverture fait, en sa partie médiane, deux pouces trois quarts dans le sens transversal et un pouce un quart dans le sens longitudinal. Pas de décolorations importantes sur les bords. »

Ouvrant la poitrine, Newbarr examina le cœur et les poumons. « Le poumon gauche, d'une teinte rose, est bien ventilé. Le poumon droit est quelque peu adhérent, en raison d'adhésions pleurales assez fermes. Il est rose et bien ventilé. Il y a un épaississement calcifié de la neuvième côte, à droite, sur la ligne scapulaire. Le cœur ne témoigne d'aucune pathologie flagrante. »

S'agissant de la section du cadavre, « le tronc est entièrement tranché, en droite ligne, ou presque, observa Newbarr. L'incision, pratiquée au niveau du ventre, coupe l'intestin, le duodénum et les tissus mous de l'abdomen, puis le disque intervertébral entre les deuxième et troisième lombaires. Il y a très peu d'ecchymoses le long de l'incision. Une lacération béante de quatre pouces et demi s'étend longitudinalement de l'ombilic à la région suprapubienne. Des deux côtés de cette lacération, il y a de multiples déchirures superficielles. De multiples lacérations de la peau et des tissus mous s'entrecroisent au niveau de la région suprapubienne. On ne voit pas d'ecchymoses à cet endroit. »

Examinant le vagin, Newbarr constatait d'abord que « les grandes lèvres sont intactes. La moitié inférieure des petites lèvres est traversée par une déchirure, et leurs bords présentent une décoloration tirant sur le bleu. Au fond et tout en haut du vagin flotte un morceau de peau auquel sont attachés de la graisse et du tissu sous-cutané…

Le sphincter anal est dilaté. Son ouverture a un diamètre d'un pouce un quart. La membrane muqueuse est brune sur toute la circonférence. De multiples écorchures et un petit nombre d'ecchymoses sont visibles sur les bords. »

La chevelure de la morte avait été partagée en deux, suivant une ligne qui traversait le haut de la tête d'une oreille à l'autre. Newbarr coupa promptement le cuir chevelu. La première moitié fut rabattue sur le devant, la seconde vers l'arrière, laissant voir le crâne. À l'aide d'une petite scie électrique, il cercla dans l'os un disque d'environ dix centimètres de diamètre, qui fut cisaillé et enlevé afin de retirer le cerveau de la boîte crânienne.

L'horloge de la pièce indiquait 11 h 45. CeFalu nota l'heure sur l'étiquette du « prélèvement n° 7569 ». Le cerveau devait être soumis à l'examen d'un toxicologue pour déterminer la présence d'alcool ou d'autres substances.

Ouvrant l'estomac, Newbarr nota qu'il était « rempli de corps granuleux de couleur brun-vert, essentiellement des matières fécales, et d'autres particules », dont la nature ne put être déterminée lors de l'examen *post mortem.*

À l'issue de l'autopsie, Newbarr eut un entretien avec Hansen, Brown et Willis. Hansen n'appréciait pas de voir ses prérogatives foulées aux pieds par son supérieur hiérarchique qui lui imposait la présence d'un policier subalterne. Selon Brown, il se montra raide comme un piquet et plutôt condescendant face à Willis, que son attitude semblait laisser indifférent.

La cause immédiate de la mort, c'était la commotion cérébrale, ainsi que les hémorragies entraînées par les coups portés à la tête et les lacérations sur le visage, déclara Newbarr aux inspecteurs.

— Il m'est impossible de vous dire si elle a été violée. La recherche de spermatozoïdes a donné des résultats négatifs et l'examen a montré d'autre part que les organes génitaux de la victime *n'étaient pas* pleinement développés... Il n'y a ni tumeur, ni amas de tissus lié à des lésions, uniquement un morceau de peau inséré dans le vagin. La faible profondeur de cette région indique un développement incomplet du canal vaginal. D'éventuelles traces de spermatozoïdes auraient pu se trouver au niveau des zones lacérées allant du nombril à la région pubienne, si l'agresseur en avait fait un usage sexuel. Mais il lui aurait été impossible d'introduire son pénis dans le vagin de la victime. Comme le corps a été entièrement lavé, toute trace de sang, et peut-être de semence, a disparu.

— Êtes-vous en train de nous dire, demanda Hansen, qu'elle ne pouvait pas avoir de relations sexuelles normales?

— L'éventualité est possible... Après, c'est un domaine dans lequel je ne suis pas très versé et il faudrait que je consulte un...

— Non ! coupa Hansen avec une telle vivacité qu'il fit sursauter Newbarr. Si c'est bien à ce niveau-là qu'on se situe, on a un point d'avance sur le tueur. Ce fils de pute qui traîne quelque part en sait autant que nous. Pas sur le plan médical, mais si vous me dites qu'il manque certains organes à cette fille, qu'il en a enlevé d'autres, et qu'il lui a ouvert le ventre et s'est peut-être servi de cette partie de son corps ainsi que de son rectum pour la pénétrer parce qu'il ne pouvait pas le faire par le vagin et qu'il l'a rempli de morceaux de peau, alors il sait des trucs que *nous* savons. Des trucs que nous sommes seuls à savoir, concernant les blessures qu'elle a subies.

Hansen se dit troublé par la présence de fèces dans l'estomac.

— Il n'y a aucun indice de ce qu'elle aurait pu ingurgiter comme repas ou de l'heure à laquelle elle aurait pu avaler quelque chose ?

— Non, répondit Newbarr. Les matières fécales ont été introduites dans sa bouche. Elle les a ingérées et elles sont passées dans son estomac avant sa mort.

On ne pouvait déterminer quel genre de nourriture elle avait prise pour la dernière fois, ajouta le médecin légiste, puisque, à part les fèces et cette substance verdâtre indéterminée, il n'y avait pratiquement rien d'autre dans l'estomac.

— Pourrait-il s'agir de ses propres excréments ou de ceux de quelqu'un d'autre ? demanda Brown.

Newbarr expliqua qu'il manquait d'éléments de comparaison. Si des traces de sperme étaient découvertes ailleurs sur le corps, on pourrait les rapprocher des échantillons de matières fécales. Mais, selon lui, il était peu probable d'arriver à ce résultat, et il serait évidemment impossible de savoir si l'intestin grêle avait contenu de la nourriture, même en faible quantité, puisque cet organe avait été prélevé.

L'entretien, d'après Willis, était confidentiel. L'existence d'une malformation du vagin évoquée durant la discussion n'en était pas le seul élément inhabituel. « Beaucoup de gens auraient pu faire de ça un usage assez explosif. Et il y avait aussi le fait qu'on lui avait enfoncé de la merde à l'intérieur de la bouche en l'obligeant à l'ingurgiter avant de la tuer. Je dis "enfoncé", parce que, personnellement, je n'imagine pas qu'elle ait pu accepter de l'avaler d'elle-même. »

Il y avait aussi ces organes manquants. « Le tueur avait découpé une partie des organes féminins », racontera Willis. La discussion les conduisit cependant à supposer qu'ils puissent n'avoir jamais été présents. « On a spéculé sur ça, à titre d'exemple, dira Willis. Le visage d'Harry paraissait sans expression, il restait de marbre devant tout ce qui se disait. Mais il ne tenait pas en place et n'arrêtait pas de faire de petits bruits. »

Brown demanda si le corps pouvait avoir subi une transformation chirurgicale « avant d'être dans son état actuel ».

— Non, assura Newbarr. Les organes présents ont été retirés pour une autre raison.

— Quelle que soit cette raison, dit abruptement Hansen, je veux qu'aucun détail ni aucune information sur l'état du corps ne soit révélé. C'est de la dynamite, et ça doit rester entre nous. L'élément principal est qu'elle ne pouvait peut-être pas avoir de rapports sexuels satisfaisants. Où que se situe la vérité, je crois qu'il est préférable qu'à partir de maintenant, pas un mot sur cette affaire ne sorte d'ici. Je vous demande de rester totalement hermétiques à ce sujet. Je vais en parler à Donahoe et voir ce qui est possible. On pourrait avoir besoin d'une ordonnance du juge, demain ou même dès ce soir.

— Des centaines de photos ont été prises, dit Brown. L'essentiel de ce qu'on lui a fait subir a été rendu visible, mais personne ne peut connaître cette fille de l'intérieur, savoir ce qui, chez elle, n'était pas développé, sauf en l'ayant connue intimement. C'est-à-dire en ayant essayé d'avoir des rapports sexuels avec elle.

En sortant de la morgue, Hansen regarda Willis monter dans son auto banalisée et quitter le parking pour s'engager dans Spring Street. Il se glissa ensuite dans sa propre voiture, au côté de Brown.

— Personne d'autre que nous ne doit être au courant de ces développements, dit-il. Nous sommes les seuls à savoir qu'on lui a enfoncé ces morceaux de peau, à part le cinglé qui a fait ça. Maintenant, en ce qui concerne ces complications physiques...

— ... pour moi, elles sont complètement incompréhensibles, intervint Brown. Mais si tu ne veux pas tout divulguer, tu réalises que ça va être difficile avec le capitaine.

— On fera avec ce qu'on a. En cette minute même, ce foutu tueur se balade quelque part et nous on doit très vite lui coller aux basques.

— Ce type, on ne sait pas qui c'est, mais elle a vraiment dû le rendre fou furieux. Elle a dû lui faire vivre un moment difficile, Harry.

— Exactement, on parle bien de ça. Et cette histoire de sexe est la clé du problème.

Une superbe jeune femme qui représentait un gros point d'interrogation, voilà ce à quoi pensait Brown au moment où ils sortirent du parking de la morgue pour emprunter Temple en direction du sud. Il avait été question d'anomalies, d'état physique inhabituel – d'une fille qui avait l'air comme les autres, sauf qu'il lui manquait l'équipement nécessaire... Bon sang, mais qu'est-ce que c'était que ça ? Et qu'allait-on bien pouvoir en faire ?

D'un autre côté, pour Hansen, c'était presque un don du ciel, une sorte de défi. Brown n'avait pas l'habitude de le voir exulter de cette façon. Hansen n'était pas disposé à laisser qui que ce soit mettre la main sur les révélations de l'autopsie. Selon lui, le médecin légiste serait même bien inspiré de ne pas transcrire ses découvertes dans un rapport.

— Il doit y avoir un moyen d'étouffer ça, fit-il en conduisant.

— Pour l'amour de Dieu, Harry, c'est pas de notre compétence d'indiquer au coroner ce qu'il doit dire ou ne pas dire ! Si je fais ça, je vais me faire rembarrer comme un malpropre.

— Pas moi. Et encore moins si on dispose d'une ordonnance du juge. Il y a une seule personne qui sache ce que toi, moi et « Junior » Willis, on sait tous les trois. Cette personne, c'est celui qui l'a tuée, le type qui lui a collé de la merde dans la bouche, qui lui a salopé le cul et le vagin, et qui l'a coupée en deux foutus morceaux ! C'est ça, le lien entre nous, c'est notre ticket de groupe, c'est ce qui nous *rassemble*. Si on arrive à rester entre nous dans cette affaire, rien de plus, alors on va l'avoir, Brownie, et on va l'avoir *vite*.

Harry rêvait, songea Brown.

12

Il était en train de se passer quelque chose, déclara Sid Hughes à un photographe. Un truc sournois que l'on cachait aux reporters. La tactique, dans ce cas-là, consistait à éluder tout le reste pour trouver ce que ça pouvait être – ce qu'ils pouvaient foutrement bien dissimuler. Hughes avait pisté Hansen à la trace jusqu'à Central, puis la morgue.

— Reste là-bas, lui avait demandé Jimmy Richardson, le rédacteur en chef. Et tâche par tous les moyens de découvrir ce qui se trame. Tu es bon dans ce genre d'exercice, Sid. Je compte sur toi.

Hughes s'était entassé avec les autres journalistes dans la salle de presse des services du shérif.

— On n'en est pas encore à se bagarrer pour glaner des renseignements, dit-il à Richardson, mais le *Daily News* et quelques-uns des gars du *Citizen-News* d'Hollywood commencent à avoir l'écume aux lèvres. Rien ne sort de la morgue, ce qui veut dire qu'on a fermé le robinet à infos.

Le rédacteur en chef passa un appel au capitaine Donahoe, de Central.

— Jack, je sais qu'Aggie Underwood est sur le point de passer vous voir. Mais laissez-moi vous dire une chose : cette affaire, c'est pour l'*Examiner*. Ça crève les yeux. Nous voulons mettre le paquet. *Nous,* tout ce qu'on fera remonter, vous l'aurez directement sur votre bureau, Jack. J'ai réellement l'intention de jouer le jeu avec vous. Je vais tout vous exposer directement, vous allez pouvoir le constater. Deux de mes gars sont en route. J'espère vraiment qu'ils pourront se mettre en contact avec vous avant qu'Aggie ne le fasse.

L'*Examiner* s'était vite rendu compte qu'Elizabeth Short était une fille particulièrement glamour, dotée d'une silhouette à rendre jalouses toutes les apprenties miss qui posaient en maillot de bain. C'est ce qu'elle avait d'ailleurs fait en remportant un concours de beauté sur une base militaire. Elle avait dix-huit ans à l'époque, et c'était une petite bombe de 50 kilos avec un visage de star de cinéma. Wain Sutton avait commencé à soulever un coin du voile en trouvant sa famille : une mère et quelques sœurs à Medford, Massachusetts. Richardson lui avait demandé de joindre Mrs Short par téléphone. Et de monopoliser la ligne le plus longtemps possible pour empêcher les autres de lui parler.

« Mais il n'y avait pas de Short dans l'annuaire de Medford, se souviendra Sutton. On s'est mis à la recherche de l'abonné le plus proche, l'occupant d'un autre appartement dans la même maison. »

Richardson lui colla alors la pire tâche qu'il ait jamais eu à accomplir. « Il m'a obligé à appeler le voisin, en lui demandant d'aller chercher la mère d'Elizabeth Short. Il m'a dit de prétendre que c'était urgent. Et il a ajouté :

— Ne lui dis pas que sa fille est morte.

— Bon Dieu, ai-je répondu, mais qu'est-ce que je vais pouvoir lui raconter, alors ?

— Tu la gardes en ligne, Wain. Tu restes le plus longtemps possible au téléphone avec elle, et tu obtiens un maximum d'informations sur cette fille. Ton job en dépend.

« J'ai aussitôt entendu un "Allô?" à l'autre bout du fil. Je me suis assuré que la personne était bien la mère d'Elizabeth Short.

Elle m'a répondu oui, ajoutant que sa fille essayait de se faire une place dans le cinéma. J'ai posé une main sur le combiné et j'ai lancé à Richardson :

— Bingo ! La fille est dans le cinéma, elle joue dans des films !

« J'ai cru que les yeux allaient lui sortir de la tête tellement il les avait écarquillés.

— Qu'est-ce que je suis supposé dire ensuite ? Elle ne sait rien de ce qui s'est passé.

— Tu lui dis que sa fille a gagné un concours de beauté… et qu'on l'appelle parce qu'on veut en savoir un peu plus sur elle, pour faire un papier.

« De foutus menteurs, voilà ce qu'on était. Mais ça a marché à merveille. À entendre sa voix, Mrs Short était très enthousiaste. Elle s'est interrompue pour parler au voisin. Richardson m'a dit :

— Garde-la en ligne, bon sang !

« J'ai expliqué qu'elle voulait tout de suite répandre la bonne nouvelle, faire savoir au voisin que sa fille avait remporté un prix et que l'*Examiner* allait lui consacrer un article.

— Parfait, a répondu Richardson, continue à la faire parler et note tout ce qu'elle te dira. Et souviens-toi, Wain, je t'ai prévenu, tu as la tête sur le billot.

« Quel salopard… J'ai poursuivi la conversation en gribouillant sur mon carnet. Elle m'a indiqué que sa fille venait de passer Noël à San Diego à cause des grèves, me donnant le nom d'une amie chez qui elle résidait, juste à l'extérieur de la ville.

« C'était un second bingo et je me suis mis à répéter ses propos pour avertir mon entourage. Richardson me labourait le dos pour que j'obtienne le nom des personnes que connaissait sa fille à Hollywood :

acteurs, metteurs en scène, gens des studios, tout était bon à prendre ! Mais elle n'avait aucune information de ce genre, juste un vague truc au sujet d'un bout d'essai... »

Richardson alla hurler après Tommy Devlin, dans la salle des nouvelles locales. À l'époque, pour tout reporter qui avait l'ambition de devenir un crack, Devlin était la référence. Il était le meilleur, même si on le considérait comme un personnage distant, voire « lointain », selon Sutton. C'était quelqu'un de coriace. Avec son esprit tranchant, il n'avait pas d'égal parmi ses collègues journalistes.

« La mère d'Elizabeth, continua Sutton, m'a lu une lettre que sa fille lui avait envoyée de Pacific Beach, avec son adresse. Richardson m'a arraché des mains la feuille de papier sur laquelle je venais de la noter pour la tendre à Devlin et le charger de faire un saut à San Diego en quatrième vitesse. En ce qui me concernait, il était temps d'arrêter la comédie et de révéler la vérité à cette femme. J'y suis allé en douceur. Je lui ai expliqué que je devais d'abord avoir la certitude de parler à la bonne personne ; cette lettre me prouvait qu'elle était bien la mère d'Elizabeth Short et, en réalité, j'avais une nouvelle à lui transmettre. Mais ce n'était pas une bonne nouvelle. C'était même la pire qu'une mère puisse apprendre. »

Sutton lui déclara que sa fille avait été assassinée et que l'*Examiner* allait faire tout ce qui était en son pouvoir pour que justice soit faite. Il ne lui transmit aucun détail sur les circonstances du décès. À l'autre bout du fil, la mère d'Elizabeth Short semblait ne pas comprendre.

De nouveau, il posa une main sur le combiné, en disant qu'il ne voyait plus *comment* il pourrait continuer la conversation. Mais Richardson lui ordonna de la garder en ligne, de se mettre à pleurer avec elle, de s'apitoyer sur le sort de sa fille, et de discuter des moyens de la faire venir, elle et ses autres enfants. L'*Examiner* était prêt à leur réserver des chambres à L.A. et à payer tous leurs frais. Elle allait devoir venir pour procéder à l'identification du corps.

Mais Sutton n'était pas bien sûr qu'elle ait saisi. Elle lui demanda pourquoi il faisait ça, pourquoi il lui racontait cette sinistre blague... Tant que la police ne viendrait pas frapper à sa porte pour le lui confirmer, elle se refusait à y croire, dit-elle. Puis elle raccrocha. Lorsqu'il reposa à son tour le combiné, il se sentit souillé, essoré, vide. Ses mains étaient moites et il avait une forte envie de se saouler.

L'édition spéciale de l'*Examiner,* sortie deux heures avant les autres journaux, devint le second plus gros tirage de l'histoire du journal, juste après l'édition spéciale du 15 août 1945, jour de la victoire sur le Japon.

Alors que la moitié de ses concurrents venaient à peine de publier l'identité de la victime, l'*Examiner* fouillait déjà dans la vie d'Elizabeth Short.

Le téléphone de la rédaction n'arrêtait pas de sonner. Un événement important était arrivé. Le genre d'histoire sur laquelle tout rédacteur en chef espère ardemment tomber un jour. Richardson le rappellerait plus tard, « des histoires comme celle-là, il y en a une ou deux par génération, pas plus. C'était l'Affaire avec un grand A, le putain de Crime du siècle, et il venait d'atterrir pile sur notre pas de porte. » Richardson avait à sa disposition des as de l'investigation, les meilleurs reporters de toute la ville – Tommy Devlin, Sid Hughes, Jimmy Shambra –, les combattants de pointe de l'*Examiner.* « On était au journal de William Randolph Hearst et je travaillais pour le boss, qui s'était impliqué à titre personnel dans cette histoire. Il s'est mis à suer à grosses gouttes. À nous de nous débrouiller pour que l'histoire colle aux goûts de nos concitoyens et qu'à leur tour ils accrochent. Le but du jeu, c'était de vendre du papier, et celui qui en vendait le plus décrochait le pompon. »

Transféré des Vols avec violence aux Homicides, Donahoe venait d'être promu. D'après Richardson, « avant cela, il était relégué à des tâches administratives. Ce type compétent n'était employé qu'à brasser du papier au lieu de se voir confier des cas concrets. » Le rédacteur en chef savait qu'il pourrait *travailler* le capitaine de police ; ils s'étaient déjà rendu service pas mal de fois. Nul doute qu'il saurait trouver le moyen de l'utiliser. « Il suffit d'aligner les gens et d'appuyer sur le bon bouton pour que ça tombe tout seul, dira Richardson. Avec quelqu'un comme Donahoe, vous restez calme et obséquieux, si l'on peut dire, vous ne tirez pas trop sur les fils, parce que ce gars-là est d'une nature plutôt délicate. Il est très avide de lire son nom et de voir sa photo dans les journaux. Et là, en tant que rédacteur en chef, vous disposez d'importants leviers. On lui a obtenu l'identité de la fille... Dans une grosse affaire comme celle-là, vous abattez tout de suite vos atouts – en restant servile –, et vous prenez le gars au mot. Si plus tard vous le perdez, au moins, vous aurez récupéré des munitions entre-temps. Vous retrouverez facilement un autre type pour faire l'affaire, surtout dans la police.

« Le pouvoir d'un quotidien, ça consiste à façonner : façonner les gens, façonner les esprits, façonner les guerres et les batailles, et puis exploiter la gloire, la prendre et se tirer avec. Quoi qu'il advienne, vous vous frottez les mains... Vous pouvez trouver ça cynique, mais il faut reconnaître qu'on est tous dans le même bateau. On flotte tous dans un grand baquet avec de la boue au fond. Pas question de faire dans le sentiment. Il n'y a pas de place pour les lâches et les faiblards. Or, avec Jack Donahoe, on en avait justement un, de maillon faible, et un vrai de vrai. Il était censé être boxeur professionnel, mais il avait une mâchoire en verre et il était incapable d'encaisser un direct à l'estomac. »

Ce qui inquiéta le plus Richardson, au matin du deuxième jour, fut de voir l'affaire confiée à Harry Hansen. Donahoe l'avait de lui-même *donnée* à Hansen, parce que les divisions locales se voyaient retirer les grandes affaires criminelles. « Pas un seul flic ne restait indifférent aux sirènes de la presse, sauf un : Harry Hansen. Oh, il était tout aussi pressé que les autres de lire son nom dans la presse, mais avec Harry, c'était *lui* qui vous dictait les règles de la partie. C'était à prendre ou à laisser. Pire, il se foutait même de la façon dont vous jouiez, vous. Harry Hansen était une *prima donna*. Dès que l'affaire a quitté la division d'University pour tomber entre ses mains, on a compris que ça allait être dur d'obtenir des renseignements de l'intérieur. La meilleure chose était donc de contourner Hansen pour aller directement les chercher auprès de son boss... Et si on n'obtenait rien non plus du côté du boss, il fallait se tourner vers le foutu chef de la police municipale, Clarence Horrall. Lui, tant que vous arriviez à lui faire garder bonne mine, il coopérait. Puisque Harry avait hérité de l'affaire, on devait s'adresser à toute personne ayant un pas d'avance sur lui – aller chercher le bonus, et si rien ne se présentait, il fallait se servir des journaux pour secouer un peu tout ça. »

Du côté de l'*Herald-Express*, le frère ennemi de l'*Examiner* au sein du groupe Hearst, Aggie Underwood s'était lancée à la chasse aux tuyaux avec le même enthousiasme. Selon ses souvenirs, « ça s'annonçait déjà comme l'une de ces batailles majeures entre tous les journaux de la ville, où l'on se fout des beignes en cherchant à déterrer le meilleur scoop. Grâce à l'appui du grand chef, on avait une ligne de crédits pour nos frais qui nous permettait de laisser loin derrière une bonne partie de la concurrence. Mais il s'est produit quelque chose que je regretterai jusqu'à la fin de mes jours.

« On a tous rompu les ponts avec les flics : le *Herald*, et surtout l'*Examiner*, qui menait pourtant la danse en la matière. Évidemment, on a continué un peu à tirer dans le même sens, mais on a perdu cette vitesse des débuts, lorsqu'on avait contourné les obstacles qui nous séparaient les uns des autres.

« Vous devez travailler avec la loi – ce n'est pas à vous d'assumer les responsabilités des forces de police, ni de mettre en place votre propre code de conduite quand il s'agit de questions affectant la société tout entière. Et quand vous rompez avec la loi et que vous commencez à suivre votre propre chemin en prétendant que *vous*, grâce au pouvoir de la presse, allez être capable de résoudre cette fichue affaire en ne laissant aux forces de l'ordre que le soin d'épingler le coupable au dernier moment, les règles qui maintiennent un semblant de comportement civilisé commencent à céder. Ça a démarré comme ça. Et personne ne savait où ça allait s'arrêter. »

Sid Hughes, particulièrement bon dans le rôle du faux policier, était impatient de battre les flics sur leur propre terrain ; c'est donc à lui que Richardson fit appel, le faisant revenir de la morgue pour lui confier un « raid » sur les fichiers du personnel de Camp Cook, avant que les enquêteurs ne les mettent sous clé.

Wain Sutton, de retour au secrétariat de rédaction, se souvient de « Sid partant au galop, l'écume à la bouche. Il était connu pour sa capacité à réduire au minimum le temps de trajet entre deux points, et il devait nous appeler vingt minutes après son arrivée à

194

Santa Barbara. Sid avait emmené avec lui un autre journaliste plus jeune, un nommé Fisher, qui avait une tête de flic. En plus, le gars ne disait jamais un mot. Il restait planté devant vous, à vous fixer, c'est tout. Vous vous imaginiez avoir affaire à un type malin, capable de vous jauger, alors qu'il était tout simplement bourré, en fait. Il savait taper à la machine mieux qu'aucun autre reporter, et c'était précisément le moment où on avait besoin de lui aux nouvelles locales. Mais Sid avait eu cette idée d'utiliser une deuxième voiture à Santa Barbara et, avec l'aide de Fisher, de couvrir deux bases au lieu d'une. Le plus important, dans l'immédiat, c'était d'obtenir n'importe quoi, et vite. D'être les premiers. »

« Tout le monde s'est jeté dans la partie », se souvient Gerry Ramlow, petit homme au physique sec et nerveux, à l'époque reporter au *Daily News*. On faisait la queue pour téléphoner devant les cabines à pièces de l'hôtel de ville. Dans la grande salle de Central, Ramlow ne parvenait pas à trouver un seul poste de libre. Il s'en est plaint à l'inspecteur Al Shambra, dont le frère, Jimmy, était journaliste à l'*Examiner*, mais le policier s'est contenté de hausser les épaules en marmonnant : "Dur, ça, mon vieux." Il était trop occupé pour l'écouter. Et puis, comme par miracle, raconte Ramlow, j'ai aperçu un téléphone dont le combiné reposait sur son support et je m'en suis emparé de justesse. Il y avait dans les locaux de la police environ une douzaine de maniaques sexuels que l'on faisait circuler d'une pièce à l'autre. Ça allait du simplet à l'authentique malade. Il y avait même dans le lot, je m'en souviens, un ivrogne coupable de s'être soulagé dans une ruelle. Il a pété les plombs et ils l'ont bousculé un peu, jusqu'à ce qu'il s'écrase sur le distributeur d'eau réfrigérée. On s'est retrouvés à patauger dans des litres de flotte et à shooter dans les morceaux de verre tombés entre les bureaux. »

Selon Ramlow, l'élément particulier dans cette affaire, ce qui avait fait démarrer tout le monde au quart de tour, c'était « cette belle poupée appétissante – du moins sur la version retouchée des photos qu'on distribuait –, dénudée, balancée et coupée en deux comme une vulgaire saucisse, avec l'absence totale du moindre foutu indice au début de l'enquête : pas la plus petite preuve, rien pour commencer. Il y eut aussi des querelles de compétences entre divisions, même si l'affaire revenait sans aucun doute à la division de Central, en raison de l'énormité de la situation. J'étais un vieil habitué des affaires criminelles et de la façon dont on les traitait à Central. Mais sur ce coup, des gens ont envoyé la loi se faire mettre, ou ne se sont plus souciés que de la course au scoop. Ce n'était pas une maison de fous, c'était pire. On pouvait déjà prévoir qu'il allait être très difficile de garder une forme de contrôle sur les investigations. »

Les enquêteurs étaient trop nombreux. Trop de divisions différentes, trop d'agents qu'on envoya frapper aux portes dans plusieurs quartiers, et trop de spéculations lancées par Horrall et Donahoe au cours de cette chasse à l'homme, de ces recherches dans telle ou telle cave ou autre trou quelconque où la fille aurait été gardée prisonnière, puis torturée pendant des heures avant de recevoir le coup de grâce, cette large entaille qui lui avait fendu le visage dans le sens de la bouche. Le chef Horall reconnut, en aparté, que ce genre d'hypothèses représentaient au moins un axe de recherche, faute de mieux pour continuer. « Et pour chercher, ça, on a cherché, renchérit Ramlow. La photo a été montrée partout, on a demandé aux gens s'ils n'avaient pas vu quelqu'un brûler des vêtements, creuser un trou dans un jardin à l'arrière d'une maison, enterrer un truc suspect… Tout ce qu'on a récolté, c'est des réponses négatives. Nulle part on n'avait vu la fille, aucun cri n'avait été entendu dans la nuit. »

Passer quelques heures à Central, au milieu d'un trafic incessant, à remballer les lampes et à rassembler tout l'attirail, devenait pour les gars du labo une vraie attraction.

Les enquêteurs de la division de Central n'avaient pas pour base l'immeuble de Central Station, au croisement de la 1re Rue et d'Hill Street. Comme à la morgue, les installations étaient dépassées et trop exiguës pour le personnel, qui devait faire face à la montée en flèche de la criminalité à Los Angeles. Le service des Homicides de Central était allé s'installer dans l'aile nord-ouest de l'hôtel de ville. Les inspecteurs, qui trouvaient peu commode d'utiliser l'entrée principale, passaient par une porte-fenêtre donnant sur le côté du bâtiment. Cette partie du rez-de-chaussée abritait les Homicides, les Vols avec violence, et les Cambriolages, dont les unités étaient regroupées en un seul service.

Il y avait au sous-sol une enfilade de cellules destinées aux gardes à vue, et les bureaux du chef adjoint de la police se trouvaient au même niveau que l'unité en charge des homicides. Selon les souvenirs d'un agent, on ne savait parfois plus trop où l'on était : sur les portes vitrées, les plaques au nom des occupants changeaient sans cesse. Le temps de passer commande de nouveaux tampons de caoutchouc, il était trop tard. Entre-temps, les noms avaient encore changé.

Le labo de police criminelle, dirigé par Ray Pinker, continuait d'occuper l'étage supérieur des locaux de Central Station, sur la 1re Rue. Trois volées de marches de bois branlantes conduisaient au laboratoire proprement dit, au service photo, au « Scientific Investigative Department » (SID), à la microbalistique et aux empreintes. Ces trois volées de marches se trouvaient partiellement exposées aux intempéries et elles étaient recouvertes de crottes de pigeon, à cause de trous dans la toiture. Mais la municipalité tardait à engager les crédits nécessaires.

Finis Brown venait de faire un tour de cadran. Des équipes de policiers de différentes divisions se relayaient, chacune effectuant douze heures de travail avant de prendre douze heures de repos. Le déluge de pistes fourni par la masse d'individus qui prétendaient avoir connu Elizabeth Short à un moment ou un autre, et qui appelaient Central afin de proposer leur aide, ne faisait que compliquer l'enquête de façon désespérante.

« Toute piste, explique Brown, même si elle nous paraissait a priori insignifiante, devait obligatoirement être remontée et, dans cette affaire, chacune d'elles semblait mener vers quelque chose d'autre. Ça s'est poursuivi comme ça encore et encore, sans jamais déboucher sur un indice concernant le meurtre lui-même ou la semaine qui l'avait précédé.

« Au fil des jours, un problème apparut, qui allait devenir de plus en plus gênant : lors de la découverte du corps sur le terrain vague, dans la confusion, le service photo et le labo de la division d'University avaient négligé de prendre des clichés ou une empreinte de la trace de pneu et de la trace de pas, et de s'intéresser aux gouttes de sang sur le trottoir. »

Malgré les éléments inhabituels évoqués à la morgue entre policiers et médecin légiste, qui allaient former le socle de la partie secrète de l'enquête, les recherches avaient débuté de manière plutôt conforme à la procédure classique en matière de crimes sexuels : pensant que le tueur allait recommencer à frapper, on s'était précipité à la chasse aux indices, d'abord sur les lieux mêmes ou aux alentours de l'endroit où le cadavre avait été découvert, ensuite chez le coroner. La phase suivante consistait à fournir de nouvelles pistes convergentes, capables d'orienter les recherches vers l'auteur des faits.

« On avait la nécessité d'agir vite, dira Willis. Tous les policiers qui n'étaient pas en service furent rappelés à leur poste pour ramasser l'ensemble des délinquants sexuels connus et les interroger : établir leur alibi, vérifier et revérifier. »

L'emploi du temps de plus de cent cinquante de ces délinquants sexuels fut passé au crible dès le premier soir. « Pas un seul ne fut en mesure de nous fournir la moindre piste conduisant au meurtrier, raconte Willis. Et à l'exception de ceux qui avaient des mandats en cours sur le dos, tout les autres, appréhendés dans le cadre de ce qu'on a appelé le "coup de filet" de Donahoe, furent remis en liberté.

« Les crimes inhabituels suscitent toujours des confessions spontanées. On devait contrôler tous les mabouls qui venaient avouer en les soumettant à une grille de questions : sur la manière dont elle avait été mutilée, par exemple, en nous servant d'éléments que seuls le meurtrier et nous pouvions connaître, des faits non révélés dans la presse. Une ou deux fois, il m'est arrivé de rencontrer des cas où le type paraissait avoir oublié certaines choses, tout en se souvenant d'autres choses qu'on ne connaissait pas, nous – mais on pouvait vérifier.

« Dans l'affaire Elizabeth Short, même au cours des premières discussions franches qu'on a eues en conférence, Hansen ne s'exprimait pas sur l'enquête, et il se refusait à donner le moindre détail ou à formuler des hypothèses. Chaque fois que vous avanciez quelque chose, il se chargeait de le démolir, prétendant que c'était de simples ragots, de la foutaise. Harry me vouait une aversion particulière, parce que j'avais eu le privilège d'accéder à certaines informations confidentielles dont il voulait garder le monopole. Je travaillais avec Brown, et j'ai eu quelques entretiens avec son frère Thad, le chef adjoint, à propos de l'affaire. De plus, Donahoe m'avait chargé de bosser avec Baughm, Wain et Estrada sur une autre enquête, relevant du comté, avec laquelle il existait peut-être un lien.

« Très souvent, il arrive qu'un suspect oublie des détails ou tout simplement ne les ait pas *absorbés*. Mais il pourra vous raconter le meurtre en abordant certains éléments que la police est seule à connaître, mis à part lui... Harry avait une carte en réserve, du moins il le croyait, mais je n'étais pas sûr de ce qu'il était en train de faire. Il était d'ailleurs à mon avis le seul dans ce cas, puisqu'il avait dressé un tableau différent à chacun de ses interlocuteurs officiels. Aucun ne savait ce dont disposaient les autres. Ce qui laissait largement assez de questions de contrôle à poser aux cinglés venus se confesser, et ils commençaient à faire la queue dehors. »

Les journaux s'en donnaient à cœur joie autour de ces confessions : photos en première page et reconstitution immédiate de toute l'histoire, alors que les faits, vrais ou faux, venaient à peine de faire surface... Tommy Devlin était parti coincer Elvera et Dorothy French à San Diego, tandis que Sid Hughes, jouant les inspecteurs du LAPD[1], soutirait une photo d'identité judiciaire d'Elizabeth Short aux services de police de Santa Barbara. Il fit ensuite un saut dans les bureaux du quotidien local et envoya un télégramme à l'*Examiner*. Sid se disait impressionné par cette image de la fille, prise quand elle avait eu maille à partir avec la justice en tant que mineure. « Je l'avais vue morte, et j'avais même participé, au journal, à la réalisation du portrait censé lui ressembler, c'est-à-dire la photo retouchée à l'aérographe qu'on avait publiée en une. On était loin du compte. En général, les photos d'identité judiciaire, tout

---

1. Los Angeles Police Department, la police municipale de Los Angeles.

le monde les trouve horribles ; celles-là auraient pu figurer en couverture d'un magazine. Elle avait un genre de beauté obsédant, avec ce regard qui semblait fixé vers le lointain et ces lèvres closes qui vous parlaient de sexe et de mystère. »

Dorothy French confia à l'*Examiner* qu'une malle appartenant à Beth, réexpédiée depuis Chicago, était retenue par la Railway Express pour non-paiement de frais de stockage. L'*Examiner* remonta la piste jusqu'à l'entrepôt de la société, à L.A., tout en appelant Donahoe pour l'assurer que le journal ne cherchait ni à interférer dans la recherche de cet élément de preuve, ni à mettre la main dessus.

Les French parlèrent à la police de Red et des autres types avec qui Beth était sortie, mentionnant aussi les télégrammes adressés par Red et Gordan Fickling. Lorsque les inspecteurs contactèrent ce dernier en Caroline du Nord, il déclara ne connaître personne du nom de Beth ou Elizabeth Short. Puis, confronté aux lettres qu'il lui avait écrites, et à celles qu'elle avait rédigées à son intention sans les poster, Fickling changea de version. Il avoua aux policiers, sous le sceau du secret pour éviter toute publicité, avoir entretenu une relation avec elle. Mais Beth et lui, selon ses affirmations, n'avaient jamais eu de rapports sexuels, et il n'avait aucune information à offrir sur son assassinat.

Red, ou « Bob », ainsi que l'appelait Dorothy, devint le suspect numéro un. Dorothy pensait qu'il était employé chez Western Airlines à San Diego. Beth était partie avec lui le 8 janvier vers 18 heures. D'après les souvenirs de la jeune femme, il conduisait un coupé Studebaker portant un autocollant « Huntington Beach » ou « Huntington Park » sur la vitre arrière. Un avis de recherche fut diffusé par Télétype dans tout l'État de Californie et dans le Nevada, afin de retrouver Red pour prendre ses empreintes.

Dans les heures qui suivirent, à San Diego, la police mettait la main sur une fiche d'enregistrement dans un motel de Pacific Beach. Red y avait signé sous le nom de Robert Manley, donné une adresse à Southgate et indiqué ce qu'il avait comme voiture, avec son numéro de permis de conduire. La police envoya un télégramme à Sacramento pour obtenir une confirmation au sujet du véhicule. On avait trouvé Red.

La malle de Beth fut officiellement ouverte. Elle livra des vêtements, des albums photos et des dizaines de lettres couvrant les deux ou trois années précédentes. « La plupart évoquaient ses déceptions amoureuses, dira Brown. Essentiellement avec des militaires, qui tous avaient fait marche arrière avant que la relation ne soit consommée. On devait s'y intéresser sans en négliger un seul. Certains furent difficiles à localiser, et on a dû mettre sur le coup des gars qui se relayaient au téléphone vingt-quatre heures sur vingt-quatre. » Durant les premiers jours d'investigation, Brown, Hansen et les autres inspecteurs à la pointe de l'enquête consacrèrent à ces nouveaux indices une débauche d'heures supplémentaires. Et le labo criminel travailla de façon ininterrompue. Les hommes de Ray Pinker revinrent plus de quinze fois passer au peigne fin la parcelle de terrain vague et les environs du croisement entre la 39ᵉ et Norton.

Toutes les pistes furent évacuées ou abandonnées. À Long Beach, un inspecteur de police nommé Boynton retrouva la trace d'Elizabeth Short du côté d'une pharmacie située sur Linden, où quelques militaires et autres habitués de la fontaine à soda la connaissaient sous le nom de « Dahlia Noir », en raison de ses cheveux très sombres et de la couleur qu'elle aimait porter.

À Hollywood, le *Citizen-News* et le *Herald-Express* répercutèrent aussitôt l'information, et ce surnom de

DAHLIA NOIR se retrouva en une, dans leurs man-chettes. « Tous les autres ont aussitôt pris le train en marche, dira un journaliste, y allant à fond avec des titres du genre : "L'ÉTRANGE DESTIN D'UNE JEUNE FEMME VICTIME D'UN LOUP-GAROU SANGUINAIRE." » Ce qui entraîna des dizaines et des dizaines d'appels supplé-mentaires, à l'origine d'autres tuyaux conduisant vers de nouvelles fausses pistes. Toutes les unités en charge des homicides participèrent à l'élargissement des recherches, sans avoir un seul indice quant à l'identité du tueur.

Plus de sept cent cinquante enquêteurs étaient sur l'af-faire, dont quatre cents adjoints du shérif, et deux cent cinquante agents de la police routière de l'État. Tous espéraient finir par trouver quelque chose sur ce que la victime avait bien pu faire entre la soirée du 8 et le matin du 15 janvier. Des équipes constituées dans chaque divi-sion allèrent sonder les collecteurs d'eau qui se déver-saient dans le fleuve, sous les ponts de la ville, ou tel ou tel grenier présenté par la presse comme la « chambre de torture » où le Dahlia Noir avait été assassiné.

Soixante inspecteurs des Mœurs écumèrent les bars d'Hollywood et du centre de L.A. Environ trente poli-ciers s'occupaient spécifiquement des recherches sur les vêtements et effets personnels de la victime, tandis que quarante agents poursuivaient leur porte-à-porte dans les environs de Norton, en l'étendant progressi-vement aux secteurs d'Highland Park et d'Eagle Rock.

« Je suis revenu vers les Mœurs, à la Métro, pour aller fureter dans les bars du centre, raconte Willis. Le long de Main Street, c'était une interminable enfilade de petites boîtes de rien du tout où travaillaient des filles. Selon les suppositions du capitaine Donahoe, le Dahlia avait peut-être joué les entraîneuses dans l'un de ces endroits. En réalité, on la *connaissait*, simple-ment, ici ou là, comme au Rhapsody, au Dugout, au Loyal Café. Les filles se faisaient à peu près 40 dollars par semaine en harponnant tous les bonshommes qu'elles pouvaient – une coupe de champagne coûtait 15 dollars et quand elles en avaient assez de boire, elles renversaient discrètement la leur. Elles n'emmenaient jamais leurs michetons à l'extérieur, se contentant de les arnaquer sur les banquettes ou au bar – sans oublier, chaque fois qu'elles le pouvaient, de les délester de leur portefeuille.

« Il y avait cette gamine que je connaissais... Avant que ces trous à rats ne perdent leur licence, elle y avait croisé Beth Short, connue sous le nom de Beth, ou de « Miss Lèvre supérieure » selon certaines filles, à cause de ses grands airs. Les barmans avaient un faible pour elle, mais elle n'essayait pas de draguer pour se faire payer à boire, et elle n'adressait jamais la parole à un bonhomme, sauf s'il la traitait vraiment comme quelqu'un de spécial.

« Selon une autre fille, stripteaseuse entre deux bars, Miss Lèvre supérieure aimait voir les gars se monter la tête à propos d'elle, mais elle les laissait sur leur faim. Même sans savoir vraiment qui elle était, cette fille était sûre que Miss Lèvre supérieure n'avait jamais travaillé dans l'un de ces rades. D'après elle, Beth était une solitaire – elle aimait sortir pour passer un bon moment, mais elle restait seule. »

Les quelques vagues « témoignages » recueillis sur les allées et venues de Beth pendant la fameuse « semaine manquante » ne fournirent en définitive aucune indication sur son meurtrier. « Il ne s'agissait que de "peut-être", d'hypothèses non corroborées qui ne débouchèrent sur rien, explique Willis. Il n'y a pas eu une seule piste pour éclaircir la moindre minute de cette semaine. Pendant ce temps, on sentait une pression inimaginable : on devait absolument faire bonne figure, sortir quelque chose de concret. Et ça n'a fait qu'empirer. Mais on n'a rien trouvé. »

Lloyd G. Davis, membre du conseil municipal, voulut allouer une récompense de 10 000 dollars à toute personne qui découvrirait le meurtrier du Dahlia Noir. Une semaine plus tard, le *city attorney*[1] déclara cette décision illégale.

« S'ils avaient conservé ce système de récompense, estime Willis, quelqu'un aurait peut-être pu nous apporter un vrai tuyau. Au lieu de quoi, on n'a eu que des confessions spontanées, jamais motivées par une récompense. Leurs auteurs cherchaient désespérément à rattacher leur destin à celui du Dahlia Noir, c'est tout. » Une pluie de criminels repentis, du plus distingué au plus dérangé, s'est abattue sur la police. Ils venaient se mettre à table, couverts de sueur, en se fichant complètement de l'invraisemblance de leurs propos.

Le docteur Joseph Paul de River participait aux interrogatoires et enregistrait les entretiens au magnétophone. Le chef Horrall avait approuvé le recours à ses services comme « psychiatre et sexologue spécialiste en criminologie, aliéniste consultant auprès des juridictions intermédiaires ». De River avait été à l'origine du Sex Offense Bureau de la ville de Los Angeles, chargé de la lutte contre la délinquance sexuelle.

Alors même que le conseil municipal avait critiqué son manque d'expérience en psychiatrie, de River, qui travaillait comme médecin spécialiste des yeux, des oreilles et du nez dans l'administration des Vétérans, avait posé sa candidature et obtenu en 1938 le poste de « psychiatre de la police ».

« Aucun des repentis venus se confesser, dira Brown, ne put répondre, même imparfaitement, à la série de questions de contrôle mise au point par Hansen à partir des données confidentielles. Ceux qui

_____

1. À Los Angeles, procureur chargé de poursuivre les délits.

réussissaient, par hasard, à donner quelques bonnes réponses étaient pour la plupart éliminés lorsqu'on leur demandait ensuite comment la victime avait été violée et ce qu'on lui avait introduit dans le rectum. »

Selon Hansen, la probabilité de deviner la réponse était d'une chance sur un million. Et si une tierce personne parvenait à découvrir et révéler l'une ou l'autre de ces informations confidentielles, la police était prête à en nier aussitôt la validité.

De River recommanda de poursuivre certains repentis. « On a commencé à arrêter ce genre de personnages pour entrave à la justice, raconte Brown et, pendant un temps, on en a eu un peu moins, comme s'ils s'étaient passé le mot entre fêlés... Ce genre de truc finissait par vous rendre dingue. Tout indiquait, au moins à mon sens, qu'ils nous enterreraient bien avant qu'on ait pu interroger le vrai bonhomme, sans parler de l'envoyer derrière les barreaux. »

La police reprocha à la presse de compliquer la tâche des enquêteurs. Bevo Means, reporter au *Herald-Express*, apprit par un adjoint du coroner que le Dahlia Noir ne pouvait pas avoir de rapports sexuels avec un homme. « Une fuite », selon Brown, qui précise que « Bevo Means s'est aussitôt engagé dans la brèche. Il s'est imaginé que, puisqu'elle ne pouvait pas avoir de relations sexuelles avec un homme, c'est qu'elle en avait avec des femmes. Il l'a cataloguée comme gouine. Il a dit aux gens que "quelque chose, dans l'autopsie, indiquait une pathologie lesbienne". Il fallait vraiment faire beaucoup d'heures supplémentaires pour être capable d'avancer un truc aussi bête.

« Puis vous avez eu Sid Hughes qui s'est emparé des foutaises de Bevo. Il s'est mis à faire le tour des bars à goudous, essayant de dénicher une fille qui ait eu une aventure avec le Dahlia. Il allait dans des endroits comme le IF Club, sur Vermont... Il se faisait passer pour un flic, il affirmait même carrément être Harry Hansen, des Homicides. Il cherchait surtout, en réalité, une piste qui lui permette de doubler ses confrères. Eux comme lui, ils se fichaient tous des conséquences. Ils ont ensuite inventé cette histoire d'ovaires marqués d'une croix. Le tueur aurait tracé une croix au niveau des organes génitaux de la victime. La possible absence de ces organes à la naissance ne fera qu'ajouter à leur confusion. »

Finis Brown en vint à se persuader qu'Hansen était prêt à déplacer les dossiers d'enquête. Il confia à son frère Thad qu'Harry ne cessait de dire qu'il allait les mettre sous clé pour empêcher les autres inspecteurs d'y avoir accès.

Brown s'en souviendra, il était « personnellement inquiet d'entendre Harry répéter son intention de virer les dossiers de la morgue. Je l'ai interrogé sur ce qu'il avait derrière la tête. Il m'a répondu :

— Deux ou trois changements. Il y a trop de gens qui fourrent leur nez dans cette affaire et ils sont en train de tout compromettre. On n'arrivera jamais à pincer ce salaud s'il peut suivre chacun de nos mouvements.

« Je lui ai demandé ce qu'il entendait par là. Il essayait de faire en sorte que Donahoe s'écarte de Richardson et du journal, m'a-t-il dit. Et il a ajouté :

— On va faire un petit tour de passe-passe.

« Je lui ai rappelé qu'il faudrait une autorisation légale.

— On en aura une, a-t-il fait, mais d'abord, je veux m'assurer du contrôle sur l'enquête. Je saurai où aller, jusqu'à ce qu'on attrape ce fils de pute et qu'on lui coince le cul. D'ici là, personne n'aura peut-être eu le temps de s'en apercevoir. Et s'ils vont fouiller dans les tiroirs, ils ne tomberont pas sur ce qu'ils s'attendent à trouver.

— Harry, on ne peut pas faire les malins avec le comté. C'est le coroner qui décide de tout ça.

« Il m'a lancé un regard éloquent : je devais la fermer si je ne voulais pas me retrouver débarqué de l'affaire, ce qui aurait fait de nous des ennemis, parce que j'en savais à peu près autant que Willis et lui. Selon lui, j'avais un sacré culot pour venir lui parler d'éthique. Il m'a dit que je devais m'estimer heureux de ne pas être déjà en prison et d'avoir gardé ma place. J'ai répliqué :

— À toi de voir, Harry...

« Il s'est alors mis à rire, mais il était sérieux.

« Deux jours plus tard, une femme est venue de l'école de police pour classer les documents, de façon à ce que seuls Harry et Donahoe aient accès aux informations confidentielles. Personne ne pouvait plus désormais obtenir de réponse directe sur un point de l'enquête sans passer par Harry. Donahoe le laissait faire ; il avait entièrement confiance en son jugement.

« On est descendus du côté de la 6e Rue, sur indication, pour interroger une dénommée Hackett. Harry s'est mis à lui rentrer dans le chou. J'ai cru qu'elle allait avoir une attaque. Elle n'était pas très vieille, et plutôt agréable. Elle venait de la côte Est. Ses parents – son père du moins – se trouvaient toujours là-bas. Elle avait ces quelques lettres de Beth, avec deux ou trois autres trucs, et Harry lui a dit qu'il allait lui faire passer un mauvais quart d'heure, au nom des autorités fédérales, pour détournement et violation de correspondance. »

« Mais d'après Brown, Hansen devait d'abord "prouver l'intention" et montrer que, contrairement à ce qu'elle disait, Miss Hackett n'avait pas simplement reçu ces lettres en dépôt. Harry s'est emparé des enveloppes – il les lui a littéralement arrachées des mains. Certaines étaient ouvertes d'un côté, et il a fait : "Vous avez lu ces lettres ? Avez-vous ouvert ceci et lu ce qu'il y avait à l'intérieur au mépris de la loi ?"

« En d'autres termes, il lui laissait la possibilité de mentir, en affirmant qu'elle n'avait pas lu ce qu'il y avait là-dedans. Sinon, elle aurait enfreint la loi et il aurait pu l'épingler pour détournement et violation de correspondance... Tout ceci visait en réalité à ce que cette femme se tienne tranquille, à l'écart de ces foutus journaux et de leurs employés.

« Je crois qu'Harry s'imaginait pouvoir rapidement attraper le type qui avait assassiné la fille. Étant donné les effectifs et le niveau de contrôle dont il disposait, il avait l'impression d'être en mesure d'y arriver très vite ; rien ne pourrait se mettre en travers de son chemin. Ainsi, même s'il avait suffisamment secoué cette femme pour qu'elle se taise, il lui restait encore la possibilité de la retenir assez longtemps derrière les barreaux pour qu'elle évacue complètement de sa mémoire ce qu'elle avait pu apprendre en lisant ces lettres.

« Il voulait qu'elle oublie absolument tout, ou bien elle devrait affronter la justice fédérale. Tenant ces enveloppes comme si elles contenaient des preuves cachées, il les glissa avec précaution dans un sac en papier brun, en déclarant espérer vivement pour elle qu'on ne retrouve pas ses empreintes sur ce qu'il y avait à l'intérieur.

« Elle était toute pâle, très choquée, et je me suis senti désolé pour elle. »

Brown, au fond de lui, savait que rien de bon ne s'annonçait.

13

Rien. Ils faisaient chou blanc sur toute la ligne. Qui avait tué le Dahlia Noir ? Et qui *était* vraiment le Dahlia Noir ? Il semblait impossible aussi bien aux enquêteurs qu'aux journalistes de se faire une idée claire de cette fille, de ce qu'elle était, de son parcours, de la direction qu'elle suivait, s'il y en avait une. « Chaque jour ou presque, dira Herman Willis, elle faisait un nouveau mouvement. Et même ceux qui étaient supposés la connaître ne savaient pas qui elle était, parce qu'elle ne se montrait jamais franche et ne se confiait pas. »

Les dossiers de la police se remplirent de centaines de documents : des informations, des perspectives d'enquête, mais aucun indice concluant qui permette de la localiser un seul moment avec précision durant le fameux « trou d'une semaine ». Qui ? Où ? Pourquoi ? Il n'y avait pas la moindre piste. « L'image qui s'est créée, expliquera Willis, est celle d'une fille vivant au jour le jour, ayant rendez-vous pratiquement chaque soir avec un type différent. Comme elle l'avait fait avec Red Manley, l'homme qui l'avait ramenée de San Diego à L.A. »

D'après le sergent Sam Flowers, lancé sur la trace de Manley, celui-ci avait clamé son innocence dès l'instant où la police l'avait cueilli, au domicile de son employeur, à Eagle Rock, sous l'inculpation publique

211

de meurtre. Interrogé pendant plusieurs heures, le soir même, par Hansen, Brown et Donahoe, Manley fut soumis à deux reprises au détecteur de mensonge. La deuxième fois, il s'effondra, épuisé.

Pendant que Red répétait son histoire, des inspecteurs se rendaient à la gare routière des cars Greyhound, sur la 6ᵉ Rue, pour récupérer les bagages déposés par Beth à la consigne. George Wheeler, spécialiste des empreintes digitales, accompagné par l'inspecteur L. C. Hull, ouvrirent les valises et le carton à chapeaux, triant les vêtements, lettres, photographies, bougies qu'ils contenaient, ainsi que les papiers personnels de Beth. Chaque objet fut examiné et enregistré comme preuve. Ce furent les inspecteurs William Cummings, Al Shambra et L. C. Hull qui se concentrèrent sur cette phase de l'enquête.

Aggie Underwood interviewa Manley à la prison d'Hollenbeck, en présence de l'inspecteur Harry Fremont. Non sans peine, Red recommença son récit, toujours aussi inattaquable, et son alibi l'était tout autant. Aggie fit savoir qu'elle le croyait innocent, le décrivant comme une « malheureuse victime des circonstances ». Deux jours plus tard, il était libre.

Les Warren fut interrogé par des inspecteurs de San Diego et de L.A. ainsi que, plus tard, par le chef de la division d'Hollywood. Il affirma avoir rencontré Elizabeth Short à Hollywood, un soir, chez Earl Carroll, au cours d'un dîner organisé pour célébrer la victoire. Il était ce soir-là l'invité du producteur Mark Hellinger. Elle se trouvait à sa table. Elle s'était montrée amicale et pleine d'attentions, dit-il. Il avait dansé avec elle et lui avait appris qu'il travaillait dans un hôpital de la marine, à San Diego. Elle lui avait demandé si l'on pouvait y postuler pour des emplois civils, ajoutant qu'elle avait été hôtesse au Hollywood Canteen, durant la guerre.

Pour Warren, cette manière de faire connaissance était « tout à fait dans les règles », selon son expression. Il avait bien compris qu'elle se trouvait sans travail, à cause des grèves.

Beth avait passé de nombreux appels à l'hôpital de la marine au début du mois de décembre, mais Warren, selon ses dires, ne se trouvait déjà plus à San Diego, ni même en Amérique. Il avait été muté à Hawaii. Aucune communication ne s'était établie entre eux à San Diego, et il ignorait si elle avait tenté de le joindre dans le Pacifique.

Cleo Short déclara qu'il refusait d'identifier le corps. Hansen et Brown l'avait retrouvé à L.A., où il vivait seul, dans un appartement sur South Kingsley Drive. Il prétendait ne rien savoir des activités de sa fille à Hollywood, ayant perdu tout contact depuis 1943, « au moment où je lui ai dit de s'en aller... Je ne veux rien avoir affaire avec tout ça. »

Arrivée à L.A. à bord d'un vol de la compagnie American Airlines, Phoebe Short fut accueillie par les journalistes et un adjoint du coroner. Elle signa pour le coroner une autorisation d'enlever le corps, délivrée à la société Pierce Brothers, correspondant de Grant Miller, une entreprise de pompes funèbres d'Oakland, pour la prise en charge de la dépouille à l'issue des investigations. Après deux ou trois heures d'attente au Metropolitan Airport, Phoebe s'envola ensuite vers le Nord, sa fille Ginnie devant l'accueillir chez elle jusqu'à la fin de l'enquête judiciaire spécifique menée par le coroner.

Elle fut de retour à L.A. dans la matinée du 22 janvier, accompagnée par sa fille et son beau-fils. On vint les chercher à l'aéroport pour les conduire à la morgue. Ils entrèrent côté palais de justice. Brown et Harry Hansen les attendaient.

213

« Harry souhaitait s'entretenir personnellement avec Mrs Short, se souviendra Brown. Ils allèrent à l'autre bout de la pièce, où Mrs Short prit place dans un siège. Harry en rapprocha un autre et s'assit face à elle, nous présentant son dos. »

Phoebe Short avait protesté auprès des inspecteurs, s'indignant de ce qu'on racontait dans la presse. Elle était déçue de voir les journalistes de l'*Examiner*, qui s'étaient d'abord montrés si serviables, présenter Betty comme « une personne pas très sympathique ».

Leurs histoires, leurs ingérences, leurs calomnies, tout cela, lui expliqua Hansen, aboutissait à une espèce d'aveuglement, mais qui fonctionnait dans les deux sens. La police *connaissait* la vérité, affirma-t-il, tandis que le public l'ignorait. C'est seulement par ce biais que la police pouvait réussir à appréhender celui ou celle qui avait tué sa fille.

Hansen, prévenu par un adjoint du coroner, déclara à Phoebe qu'il était temps de procéder à l'identification – il fallait en passer par là, pour le procès-verbal. Il escorta Phoebe jusqu'à une cloison percée d'une baie vitrée à peu près à hauteur de la taille, cachée par des stores vénitiens, que l'on releva. Juste derrière la vitre se trouvait une forme humaine recouverte d'un drap, étendue sur un chariot.

Ginnie et son époux rejoignirent Beth derrière la vitre pendant que, de l'autre côté, l'assistant dépliait le drap, révélant les traits de la morte.

Phoebe et Ginnie regardèrent fixement ce visage qui, même dans la mort, restait meurtri et comme exténué. « Je ne peux pas dire, maman, déclara Ginnie. Je ne sais pas… » Elle se tourna vers Hansen, lui demandant s'il était possible de baisser un petit peu plus le drap sur l'épaule gauche.

« Elle a un grain de beauté à cet endroit », compléta Phoebe. Sa voix semblait distante. Aussitôt l'épaule dénudée, Ginnie fit un léger bruit. C'était bien Betty.

Ils remontèrent ensuite l'escalier vers une salle d'audience située au rez-de-chaussée du palais de justice. On procéda alors à l'enquête judiciaire. Phoebe fit sa déposition, imitée ensuite par Hansen, Red Manley et Jess Haskins. Elle fut toutefois excusée aussitôt après avoir déposé et, évitant le contact avec la presse, elle put repartir pour Berkeley. La dépouille de sa fille fut remise à la société Pierce Brothers, chargée de le faire parvenir à Oakland.

Trois jours plus tard, six membres de la famille Short, vêtus de noir, se tenaient en rangs serrés au bord d'une tombe à flanc de colline, dans l'enceinte du Oakland Mountain View Cemetery. Il faisait gris, et les parents et amis de la défunte étaient moins nombreux que les agents de police et les journalistes, qui se tenaient à une distance convenable. Les policiers s'étaient demandé s'il y avait une chance qu'une « personne suspecte » fasse son apparition. Mais il n'y avait aucun badaud, pas un seul curieux. Le service funèbre s'acheva rapidement.

La plaque de marbre rose choisie pour marquer l'emplacement de la tombe portait ces simples mots : « MA FILLE, ELIZABETH SHORT. 29 JUILLET 1924-15 JANVIER 1947. »

Dès que l'affaire commença à retomber en bas de page, un mystérieux colis, empaqueté dans du papier brun et adressé « Au *Los Angeles Examiner* et autres journaux », fut trouvé dans une boîte aux lettres située non loin du Biltmore Hotel.

On lisait aussi sur le paquet, en caractères d'imprimerie découpés dans un journal, « Voici les effets personnels du Dahlia Noir » et « Lettre suit ».

Ce petit colis fut transmis à l'Inspection fédérale des services postaux parce qu'il avait été ouvert d'un côté.

Un inspecteur appela l'*Examiner*, informant le rédacteur en chef de nuit que l'on devait procéder à l'examen du paquet conformément aux règles régissant les envois postaux. Le lendemain, plusieurs inspecteurs de police, ainsi que des représentants de la presse, furent convoqués dans les locaux fédéraux. On vida le paquet contenant un répertoire d'adresses dont la couverture portait, gravés en lettres d'or, le nom de « Mark Hansen » et l'année « 1937 » ; des cartes professionnelles ; le certificat de naissance de Beth ; sa carte de Sécurité sociale ; plusieurs photos d'elle en compagnie de militaires ; enfin, les tickets de consigne des valises qu'elle avait laissées à la gare routière, ou leurs talons. Le répertoire était rempli d'une profusion de noms et de numéros de téléphone, mais plusieurs pages en avaient été arrachées.

« On avait fait tremper tout ça dans de l'essence pour effacer les empreintes, racontera Willis. Même si ça avait séché entre-temps, on pouvait encore sentir l'odeur. Le répertoire était farci de noms, ce qui signifiait une montagne de travail pour retrouver trace de chaque personne dans l'espoir de dénicher, peut-être, un lien quelconque avec le meurtre. Ça voulait dire qu'on allait se retrouver à nouveau submergés.

« Les deux ou trois empreintes sur l'enveloppe elle-même, maculées d'essence, étaient inexploitables. Pour l'*Examiner*, c'était un énorme scoop et, chez nous, certains ont commencé à se poser des questions… Si cette histoire de paquet n'était pas un coup monté, on avait là un véritable communiqué de la part du tueur. Mais si c'était un canular, on pouvait se demander si quelqu'un de chez nous n'avait pas détourné le répertoire et le reste avant leur enregistrement comme preuves. Ce qui aurait constitué une grave atteinte à l'enquête. »

Un policier confiera que « Jimmy Shambra, de l'*Examiner*, avait rencontré son frère, l'inspecteur

Al Shambra, deux jours auparavant, juste après la découverte des bagages du Dahlia à la gare routière... Al fut bien chambré là-dessus, puisque son frère Jimmy était reporter. D'autant plus que Sid Hughes et ses petits copains regardaient le paquet d'un air penaud. Juste au moment où la sauce retombait, voilà que les journaux bénéficiaient d'un coup de booster, d'une véritable éruption volcanique – il y avait là-dedans les noms de et d'Hollywood, ou celui d'un mystérieux docteur sur South Lake Street. Ça permettait des allusions à tout un tas de choses, avec en prime la belle histoire du héros mort à la guerre et de sa jeune fiancée qu'il aurait dû retrouver à Medford "et épouser", ces derniers mots étant curieusement barrés... »

Le sergent Floyd Phillips, de la section Homicides-Vols avec violence, avait travaillé deux semaines sur l'opération Dahlia. « Après le raffut fait par la presse autour de ce répertoire au nom de Mark Hansen, racontera-t-il, les recherches se sont compliquées de manière presque désespérée. Bien sûr, on disait "motus et bouche cousue", "les murs ont des oreilles", etc., tout ce genre de conneries... Mais on était emportés dans un grand tourbillon et il nous fallait trouver une piste concrète qui nous mène au tueur. Pour moi, ce répertoire était suspect, puisque un grand nombre de pages en avait été arrachées très récemment et, selon tout probabilité, juste avant qu'on l'ait porté à l'attention du public.

« Et puis, il y avait cette poignée de cartes professionnelles fourrées à l'intérieur, nettoyées une par une avec de l'essence pour faire disparaître toute trace d'empreintes.

« Je n'ai pas pu voir les tickets de consigne de la fille. C'était le seul petit élément de preuve permettant d'attribuer l'envoi du paquet à quelqu'un qui l'avait vue dans les derniers moments. Personne, à part la fille, ne pouvait avoir conservé les tickets, puisqu'elle était allée elle-même déposer ses bagages, Red faisant le tour du bloc en attendant. J'ignorais s'il s'agissait de la preuve de dépôt ou de simples talons fixés sur les bagages eux-mêmes. Si on était dans ce dernier cas, alors c'était vraiment une sale blague, que seul aurait pu jouer un type de chez nous, en cheville avec quelqu'un d'autre à l'*Examiner*. »

Avec le nom de Mark Hansen gravé en lettres d'or sur le répertoire, Harry Hansen et Donahoe voulurent aller voir jusqu'où ils pourraient remonter grâce à lui. Pendant qu'un duo d'inspecteurs se mettait à le suivre comme son ombre, d'autres policiers retrouvaient et interrogeaient les individus dont on avait trouvé la carte à l'intérieur du répertoire.

Martin Lewis était l'un de ceux-là. De plus, selon lui, la police avait eu connaissance, grâce à un informateur, de ses rendez-vous avec Beth à la cafétéria. « Les inspecteurs se sont montrés impitoyables, racontera Martin. Face à eux, je me suis retrouvé pratiquement sur les genoux, à les implorer. Plusieurs fois, ils sont revenus à la charge, avec des photos d'elle ou des clichés montrant d'autres personnes. J'avais l'impression qu'ils ne croyaient pas un mot de ce que je leur racontais.

« Je leur ai répété, encore et encore, que oui, oui, elle m'avait acheté des chaussures. Comment, bon Dieu, aurais-je su d'où venait l'argent avec lequel elle avait réglé ? Moi, je m'occupais d'un magasin de chaussures. Qu'est-ce que j'en avais à faire, de la façon dont mes clients se procuraient de quoi acheter mes articles ? J'ai reconnu être tombé une ou deux fois sur elle à la cafétéria de Selma Avenue, ou l'avoir croisée devant par hasard, et j'ai expliqué qu'elle s'était alors jointe à moi pour déjeuner ou prendre un café. Mais, non, je ne savais pas où elle allait et qui elle voyait. On s'était assis à la même table... Bien. On aurait dû manger debout, peut-être ? Je n'aurais pas dû accepter de déjeuner avec une jolie cliente, sympathique et amicale ? Elle *m'achetait* des chaussures ! Ils ont voulu savoir si j'avais gardé une trace écrite de ces transactions. Mais il n'y avait pas moyen de les repérer dans mes livres de comptes.

« Je pouvais prouver que ma femme et moi, on se trouvait à Portland au milieu du mois de janvier. Mon beau-père, qui souffrait des reins, était sérieusement malade, et on était allés le voir à Portland juste au moment où Elizabeth Short a été assassinée. Donc, Dieu merci, j'avais un alibi à toute épreuve, qui s'appuyait sur mes beaux-parents et le personnel de l'hôpital de Portland. Les enfants étaient restés dans la vallée, avec ma mère, que j'avais appelée plusieurs fois au téléphone. J'avais les dates, avec la trace des appels. »

La police se demandait tout de même pourquoi Lewis était aussi inquiet, puisque on ne faisait que lui poser des questions. « Mais vous savez, dira-t-il, ce n'était pas seulement ça, et si je n'avais pas eu au *Citizen-News* d'Hollywood un bon copain qui était proche du chef de la police d'Hollywood, ils auraient bien pu continuer à m'importuner. J'ai dû demander à mon avocat d'appeler leurs supérieurs hiérarchiques, du côté de l'hôtel de ville. La situation était très délicate, et j'ai vite découvert, grâce à mon ami journaliste, qu'un certain nombre de gens – bien intentionnés et, pour quelques-uns, plutôt influents – étaient harcelés de la même manière. Les inspecteurs présentaient ça comme quelque chose d'inoffensif. Ils ne voulaient pas effrayer les individus qu'un lien matériel rapprochait du meurtre, afin de leur faire divulguer un maximum d'informations. Mais on s'est rapidement rendu compte que c'était une façon de piéger les gens extrêmement irritante. En ce qui me concerne, je me sentais coupable, parce que je mentais à la police dans le cadre d'une enquête sur un meurtre. Cependant, si je leur avais dit la vérité, soit on m'aurait sérieusement réprimandé, soit l'un de ces messieurs très polis serait venu me chercher sans crier gare à la boutique ou au milieu de ma petite famille.

« Je ne tenais absolument pas à ce que mon nom apparaisse dans les journaux. Mon avocat le leur fit bien comprendre. Beaucoup de ceux qu'on interrogeait – j'ai appris ça par les inspecteurs eux-mêmes – redoutaient de pâtir d'une mauvaise publicité.

« J'aurais pu être placé en garde à vue, ou peut-être atterrir en prison, si un D. A.[1] avait eu envie de jouer les méchants. Je pensais à mes gamins. Je n'étais pas l'un de ces coureurs de jupons comme il y en a tant. J'avais trois enfants. Il y avait eu, à une certaine période, quelques problèmes entre ma femme et moi. Ce n'était pas une excuse que je m'inventais pour faire oublier mes actes. Plutôt une faiblesse de ma part, et je me sens responsable de ce que j'ai fait, c'est-à-dire mon infidélité, et pour d'autres choses pas terribles non plus. Mais je peux me pardonner d'avoir dissimulé cette infidélité à la police, afin de ne pas causer de tort à ma famille et d'éviter une publicité très embarrassante, et très préjudiciable pour moi en tant que businessman. »

Pendant des jours, les adresses, les noms, les annotations figurant dans le répertoire furent vérifiés, revérifiés, croisés entre eux, puis ajoutés aux dossiers d'enquête, en constante expansion, qui se remplissaient d'informations détaillées et d'indices ne menant toujours nulle part.

---

1. *District Attorney*, procureur qui, à Los Angeles, est chargé de poursuivre les crimes.

Brown, qui ne partageait pas le scepticisme de beaucoup d'enquêteurs, croyait le paquet réellement envoyé par le tueur. « Ce qui m'a convaincu, expliquera-t-il, c'est le soin apporté à la chose, cette manière de tout nettoyer si minutieusement avec de l'essence. C'était le même genre d'obsession pathologique pour la propreté que dans le traitement du cadavre. »

Et si c'était un canular monté par les journaux pour faire du battage, il ne s'agissait alors, selon Brown, que d'une nouvelle étape dans la sale pagaille créée dès le début par les journalistes eux-mêmes. La haine vouée à la presse par certains inspecteurs n'était dépassée que par l'antipathie, la défiance et la suspicion qu'ils entretenaient les uns envers les autres.

14

— Et cette histoire de fille tuée dans sa baignoire, il y a quelques années ? demanda Aggie à l'inspecteur Fremont.

Elle voulait en parler à Donahoe, suggérer un possible lien avec le Hollywood Canteen. Fremont lui affirma que Donahoe refuserait de laisser la priorité à une vieille histoire non résolue qui dépendait du shérif.

— Hansen risque même de se mettre à hurler, dit-il, s'il imagine qu'on veut lui prendre son bébé pour le donner au comté.

— Il ne s'agit pas de *donner* quoi que ce soit au *shérif*, répliqua Aggie. Et la question n'est pas de jouer à celui qui fera pipi le plus loin ! On parle de filles assassinées, là, et de tueurs qui courent toujours...

L'affaire Georgette Bauerdorf, selon Louis Young, *city editor*[1] au *Herald-Express*, avait été un véritable poison. « Quand la nouvelle du meurtre a été connue, on s'est jeté dessus et on a mis le paquet. Tous les autres journaux du groupe Hearst ont fait de même. C'était le bon filon : du glamour, une fille de la haute, jeune, jolie, la macabre découverte dans la baignoire...

---

1. Rédacteur en chef adjoint responsable des nouvelles locales.

« On arrivait presque au bout et on envisageait de changer d'angle, puisque le shérif n'avait rien obtenu, quand j'ai reçu une note signée Hearst. L'un de ces mémos pressants qu'il envoyait parfois ; il valait mieux laissait tomber tout ce que vous étiez en train de faire pour en suivre les instructions à la lettre. J'étais en ligne avec quelqu'un, que j'avais mis en attente, et ma conversation avec Hearst n'en finissait plus – je me demandais où il voulait en venir. Il m'a déclaré : "Quand on pend l'un de ces foutus bons à rien de fils de pute, personne ne le regrette, et c'est tant mieux. Mais il y a des gens *bons* qui, eux, gardent des cicatrices toute leur vie, qu'ils transmettront à leurs enfants et à leurs petits-enfants avec leur nom de famille, un nom pourtant resté *bon*, sans tache, depuis *sept générations*."

« J'ai répondu que je comprenais, bien sûr. Puis il m'a priée de libérer la ligne et de lui passer le rédacteur en chef. En réalité, je ne savais pas ce qu'il avait voulu dire. Le rédac' chef est ensuite venu me parler :

— On laisse tomber cette foutue histoire. Bauerdorf, c'est mort.

— Ah bon ? pourquoi ?

— Parce que le boss veut laisser tomber, point.

— Oh... C'était ça qu'il voulait dire ?

Tous les articles de « suivi » furent donc annulés, au *Herald*, mais aussi à l'*Examiner*, et dans l'ensemble des publications du groupe Hearst, partout où l'on aurait pu avoir envie d'en rajouter encore un peu sur cette affaire. »

« Tricher pour fabriquer une bonne histoire, c'était OK, explique Young. Mentir, c'était OK. On mentait donc au *Herald* pour rétablir la balance vis-à-vis des mensonges de l'*Examiner*. Je suppose que pour Hearst, c'était juste une banale compétition au sein de la même famille, un peu de chahut entre frère et sœur.

« Mais Hearst, de temps en temps, se braquait sur certaines choses, comme s'il s'agissait de petites croisades personnelles. Il fixait alors de nouvelles règles affectant tous ceux qui abordaient ces sujets-là. »

Aggie Underwood avait des amis dans les services du shérif : non seulement le capitaine Gordon Bowers, aux Homicides, mais aussi le lieutenant Garner Brown, censé poursuivre les investigations sur l'affaire Bauerdorf. C'était ce dernier qui, un peu plus tôt, l'avait convaincue de l'existence d'un lien entre le meurtre de Georgette et celui d'Elizabeth Short. Mais, si dans un premier temps, Garner Brown avait pu lui confier certaines choses, il se montrait désormais réticent, par peur de « répercussions en haut lieu », selon Aggie.

— Le comté laisse dormir l'affaire Bauerdorf, lui dit la journaliste. Il ne fait plus ce qu'il faut. Vous avez des empreintes. Ce n'est pas assez convaincant ?

— Même pas pour obtenir un mandat...

— Qu'est-ce que vous en dites, *vous*, Garner ?

— Je ne peux pas dire, voilà ce que je dis !

— Dans ce cas, pour l'amour de Dieu, voulez-vous me dire *pourquoi* vous ne pouvez rien dire ?

— Pas de commentaire là-dessus non plus... L'enquête ne mène à rien et c'est mort.

— Il n'y a que la victime qui soit morte.

Il restait cependant à Aggie la possibilité d'interroger une autre connaissance : Frank Esquival, un jeune inspecteur récemment arrivé à Central. Esquival allait lui confier ce que personne d'autre ne semblait capable de lui expliquer.

Parmi les objets versés au dossier par le bureau du shérif, outre le morceau de serviette éponge retiré de la gorge de Georgette, il y avait son journal intime. La jeune femme y évoquait à la fois les militaires qu'elle fréquentait et ses rencontres avec des célébrités au Hollywood Canteen. Il contenait des notes sur ses rendez-vous galants, ses ami(e)s, ses connaissances – comme cette « Beth », durant l'été 1944. Un jour, Arthur Lake, croyant s'adresser à Beth, avait appelé Georgette « ma mignonne ». Et, confiait celle-ci à son cher journal, il avait rougi, expliquant aux deux jeunes femmes qu'il voyait « comme une ressemblance » entre elles.

Dans les bureaux du shérif, quelqu'un fit le lien entre l'affaire Bauerdorf et celle du Dahlia Noir. Les auteurs des deux crimes étaient peut-être un seul et même individu. Encore fallait-il trouver de qui il s'agissait.

La piste du Hollywood Canteen fut transmise au LAPD, où trois inspecteurs reçurent pour tâche de l'explorer : Marty Baughm, J. Wass et Frank Esquival. « S'il y a bien un lien entre les deux meurtres, dirent-ils à Aggie, ce sera le seul. L'enquête n'étant pas de notre ressort, ça doit ensuite remonter chez le shérif. Si le Canteen est à L.A., le meurtre s'est déroulé dans le comté, c'est donc une affaire non résolue pour le shérif[1]. »

Les trois inspecteurs n'étaient pas sûrs qu'Elizabeth Short ait bel et bien joué le rôle d'hôtesse au Hollywood Canteen, même s'ils savaient, par Brown, qu'elle y avait fait la connaissance de plusieurs hommes, dont Gordan Fickling.

Pendant que des vérifications étaient effectuées auprès des patrons du Hollywood Canteen, Esquival interrogea une ancienne hôtesse du club, qui se souvenait avoir vu Arthur Lake s'entretenir un jour avec les deux jeunes filles.

Lake fut immédiatement contacté et il eut un entretien avec les inspecteurs. Il leur dit qu'il ne pourrait

---

1. Les pouvoirs de police du shérif s'étendent sur les zones « non municipales » du comté de Los Angeles et certaines villes « sous contrat », tandis que la police municipale de L.A., dirigée par un *chief of police*, s'occupe de la ville proprement dite, enclavée à l'intérieur du comté.

rien faire pour les aider. S'ils insistaient pour lui poser des questions qui remettaient en doute ses « activités patriotiques », alors il estimait que cela devait se faire en la présence de son avocat.

Baughm lui répondit qu'il ne pensait pas que ce fût nécessaire, dans la mesure où ces questions n'avaient rien de personnel. Ils voulaient simplement vérifier certaines informations au sujet d'Elizabeth Short et de ses liens avec Georgette Bauerdorf, s'il y en avait eu.

« Dagwood nous a regardés droit dans les yeux, l'un après l'autre, racontera Esquival. Il nous a déclaré qu'il souhaitait nous faire bien comprendre que sa femme, Patricia, était la nièce de Marion Davies, amie intime de William Randolph Hearst ; que George Bauerdorf, le père de la jeune victime, connaissait M. Hearst ; et que M. Hearst refusait que des « fouineurs » viennent retourner le passé de la fille de George Bauerdorf. La mort de cette pauvre enfant était déjà, en soi, une tragédie. La famille ne pourrait en supporter davantage. »

Un assassinat, c'était toujours une tragédie, en effet, assura le policier. Mais en tant que représentants de la loi, ils avaient l'obligation de résoudre cette affaire aussi vite que possible, afin que d'autres événements aussi tragiques que celui-ci ne puissent se reproduire.

« Avec réticence, *beaucoup* de réticence, se souvient Esquival, Dagwood a fini par admettre qu'il avait peut-être parlé à Elizabeth Short *et* Georgette Bauerdorf au Hollywood Canteen. Plus de 135 filles étaient passées dans ce club... C'était sans doute au cours d'une soirée destinée à recueillir des fonds. Il se rappelait qu'on lui avait offert un énorme *Dagwood sandwich*[1], et qu'il avait fait une blague à propos des deux jeunes

---

1. Avant d'être incarné à l'écran par Arthur Lake, le personnage de Dagwood, dans le *comic strip* original, aimait se préparer de volumineux sandwichs en empilant un peu n'importe quoi.

femmes, leur trouvant un air de ressemblance, d'autant qu'elles étaient "vêtues presque de la même façon, comme s'il s'agissait d'une sorte d'uniforme". L'une d'elles était Georgette ; quant à l'autre fille, on lui avait dit qu'elle jouait de petits rôles au cinéma. »

On montra à Lake des photographies d'Elizabeth Short. Il expliqua qu'il les avait déjà vues dans la presse. Mais c'était peut-être « l'autre fille », en effet. Puis il déclara ne se souvenir de rien d'autre. Pour toute nouvelle question, il faudrait passer par son avocat.

« Pour le moment, on n'avait rien contre lui, explique Esquival. On l'a remercié. Mais notre impression, c'était que... Eh bien, on avait cet acteur célèbre et cette très jolie figurante... Difficile de ne pas s'imaginer des choses, même si on n'a pas poursuivi dans cette direction. »

Les patrons du club, exhumant deux ou trois papiers et quelques clichés, suggérèrent à Esquival d'interroger certaines filles que Bauerdorf avait eues pour amies au cours de l'été et de l'automne 1944.

Selon Esquival, « ce n'était pas de notre ressort, l'affaire dépendant du shérif, mais j'ai tout de même tenté de contacter chez eux, aux Homicides, un inspecteur que j'avais eu l'occasion de croiser. Ce type, Ray Hopkinson, qui avait beaucoup travaillé sur l'enquête, m'a confirmé qu'il n'y avait plus d'investigations en cours, sans pour autant que le dossier soit classé. Si le LAPD avait une piste, il voulait bien en prendre note. Mais, précisa-t-il, cette histoire avait généré beaucoup de publicité inutile, ce qu'on leur avait vivement reproché. D'après lui, c'était d'ailleurs pour cette raison qu'on avait mis fin aux recherches. Si je souhaitais vérifier quelque chose, il faudrait passer par la petite porte. »

Al Hutchinson, l'adjoint du shérif qui avait répondu à l'appel signalant la découverte du corps et s'était déplacé à l'appartement de Georgette Bauerdorf, apprit à Esquival qu'on avait voulu museler les enquêteurs. Selon sa « vision personnelle » de l'enquête, fondée « sur ce qui circulait », il y avait un possible suspect, un « militaire, un type de plus d'1,90 mètre ». La victime était sortie avec lui, avant de le laisser tomber quand elle s'était aperçue qu'il s'agissait d'un sale type. D'après Hutchinson, ce gars aurait été assez grand pour dévisser l'ampoule dans l'entrée, sans avoir eu besoin d'une échelle ou d'un tabouret – on n'en avait pas retrouvé sur place.

L'adjoint du shérif avait également affirmé qu'une empreinte essentielle avait été relevée sur l'ampoule par John Shiffling, expert en ce domaine. Ray Hopkinson pensait que Shiffling avait pu la comparer à celles que l'on avait retrouvées dans l'appartement et sur la voiture.

« Cette empreinte, c'était l'indice qu'il nous fallait, avait dit Hutchinson, la preuve *irréfutable* d'une préméditation. D'après ce que j'ai compris, la victime tenait son journal et elle y avait noté quelque chose à propos d'un autre G.I.'s, un ami de ce sale mec. »

Selon les déductions d'Hopkinson, les enquêteurs qui travaillaient sur l'affaire pour le shérif n'avaient pas réussi à identifier le grand type mentionné dans le journal intime de Georgette. Quant aux empreintes, Hopkinson n'avait jamais pu obtenir d'éclaircissements là-dessus.

Esquival découvrit que Gordon Bowers et Garner Brown s'étaient focalisés sur une zone en particulier, correspondant aux blocs 20 à 40 autour de deux rues parallèles, San Pedro et Trinity, avec l'assistance d'agents du LAPD.

Dans la semaine qui avait suivi le meurtre de Georgette, Aggie Underwood avait eu un tuyau par un informateur, à propos d'un type jeune, grand et mince, qu'on avait vu s'éloigner du lieu où la voiture de la victime avait été retrouvée, au croisement entre la 25e Rue Est et San Pedro. Cet individu, apparemment un militaire, « avait le teint très mat, selon l'informateur d'Aggie, mais ce n'était pas un Nègre ». Il ne portait pas de veste, juste ce qui semblait être une chemise et un pantalon de l'armée. De plus, « il se déplaçait d'un pas hésitant ».

Aggie s'était dit que ce type, peut-être, se faisait passer pour un militaire afin de pouvoir approcher les filles au Canteen. Quant à l'amie de Georgette qui s'était souvenue de l'homme grand et mince avec qui elle était sortie, on ne pouvait plus l'interroger.

En outre, toujours selon Aggie, l'assassin d'Elizabeth Short devait avoir travaillé ou habité près de San Pedro et de la 25e Rue, c'est-à-dire « pas très loin, en suivant une route directe, du croisement entre la 39e et Norton, où le cadavre avait été découvert ».

Après avoir rencontré Hopkinson, Esquival prit rendez-vous avec la journaliste, qui lui promit de lui arranger un entretien confidentiel avec Bowers. « L'affaire Bauerdorf était toujours sous l'éteignoir », d'après elle. Esquival n'était même pas sûr de ce qu'il cherchait à exploiter ou à découvrir. Mais l'assurance avec laquelle Aggie attribuait les deux meurtres à une seule personne le surprenait.

S'il ne pouvait obtenir ni les feuilles d'empreintes, ni des photocopies du journal intime de Georgette, Esquival estimait cependant toujours possible de relier les deux affaires et d'entreprendre des investigations conjointes, pilotées à la fois par le LAPD et les services du shérif.

Dans chacun des deux meurtres, le corps de la victime avait plongé, semblait-il, dans une baignoire ou une cuve remplie d'eau. Ou bien, en ce qui concernait Short, on avait utilisé d'une manière ou d'une autre cette cuve pour y couper le cadavre en deux, le vider de son sang et effacer toute trace compromettante.

Chaque fois, la victime avait été étouffée, totalement ou partiellement : on avait introduit un bout de tissu dans la gorge de Georgette et il y avait des traces de liens sur le cou de Beth, sa gorge n'ayant toutefois pas subi de dommages. Si les journaux avaient rapporté qu'Elizabeth Short était morte étouffée par son propre sang, après qu'on lui avait élargi la bouche, on n'en avait retrouvé ni dans sa gorge, ni dans son larynx. Le morceau de tissu enfoncé dans la bouche de Georgette l'avait été avec une telle force que cela avait provoqué des déchirures aux commissures de ses lèvres. Il était très possible, suggéra Aggie à Esquival, qu'on ait inséré une sorte de bâillon dans la bouche d'Elizabeth Short pour empêcher que le sang ne lui coule dans la gorge, ce qui l'aurait l'asphyxiée.

Aggie et Esquival spéculaient sur les détails insolites que l'on retrouvait dans les deux affaires, quand le *city editor* du *Herald*, sans prévenir et sans explication, retira l'affaire à la journaliste. Il lui dit simplement : « Tu t'assieds là et tu ne bouges plus. »

« Je l'ai compris plus tard, dira Underwood, il y avait Hearst derrière tout ça. Mais il ne savait pas trop quelle décision prendre. Allais-je être oui ou non capable de me tenir tranquille ? N'y avait-il pas un risque que j'aille voir le *Times* ? Il s'interrogeait. En fait, je n'étais pas complètement sûre de connaître la raison de mon éviction. Mais, au fond de moi, je savais fichtrement bien où était le problème. Je suis donc allée m'asseoir dans le couloir, pour faire un peu de broderie... Le reste de la bande a adoré ; ils étaient pliés en deux. Et, tout d'un coup, le même *city editor* est venu me voir, en me disant que je pouvais recommencer à bosser sur cette affaire. Du jour au lendemain, une décision avait été prise. »

Aggie alla tout de suite voir le capitaine Bowers, mais celui-ci refusa de rencontrer Esquival. On leur avait donné d'autres missions. Des ordres étaient venus d'en haut. En ce qui concernait l'affaire Bauerdorf, les recherches étaient terminées. « Je ne peux rien ajouter de plus, conclut-il. Et tout ce que je vous ai dit doit rester strictement entre nous. »

La journaliste était déjà prête à aller porter « en droite ligne » les informations d'Esquival chez Donahoe, quand elle fut stoppée par le *city editor*. Il lui apprit qu'on lui retirait de nouveau l'affaire. Mais cette fois, une surprise l'attendait.

« On ne me mettait pas sur la touche, raconte-t-elle. On me faisait grimper de force dans la hiérarchie. J'étais nommée *city editor*! J'avais la tête qui tournait. J'ai demandé à Lou Young :

— Et pour l'affaire Bauerdorf, on fait quoi ?

Il a posé un doigt sur ses lèvres et m'a répondu :

— Interdit dé prononzer ze nom! *Verboten!* On ne la connaît plus.

« Les choses alors sont devenues plus claires. Je pouvais balancer tout ce que je voulais sur l'affaire du Dahlia Noir mais, parce que j'avais tenté d'établir un lien avec le meurtre de Georgette, j'étais désormais exclue des enquêtes criminelles de terrain. On m'occupait au bureau en me confiant des responsabilités qui ne me laissaient plus le temps de rédiger des papiers.

« Mais qu'est-ce que je préférais? Être *city editor* au *Herald* ou rester une simple journaliste qui va faire du porte-à-porte? J'ai choisi la première option. À partir de là, je n'avais plus rien à ajouter sur l'affaire Bauerdorf, même si j'ai passé des nuits dans mon lit sans dormir, à me demander si j'avais bien fait. »

Esquival se retrouva convoqué, avec Baughm et un autre inspecteur, dans le bureau de Donahoe. « Baughm faisait une sale tête, se souviendra Esquival.

Le capitaine était debout quand je suis arrivé, et il m'a dit de m'asseoir, sans faire de même. Il nous a déclaré que c'était au shérif de s'occuper de ses propres affaires criminelles. Il s'était écoulé beaucoup de temps depuis que l'homicide sur lequel on enquêtait avait été commis, et les services du shérif n'avaient jamais été fichus de trouver la moindre piste payante. Ça les concernait *eux*. Il nous a demandé, à Baughm et moi, de lui remettre tous nos rapports d'enquête, et il m'a lancé que je retournais à Hollenbeck. En me remerciant pour mon aide sur l'affaire Short.

« Quand on est sortis du bureau, Baughm m'a confié qu'il pensait être bientôt réexpédié à Highland Park. Il a ajouté que si je ne faisais pas gaffe, j'allais me retrouver à préparer des tortillas dans une gargote. »

Aussitôt après cet entretien, Esquival appela Aggie au *Herald*, pour lui apprendre qu'on lui retirait l'affaire et qu'on le renvoyait dans son ancienne division. Elle lui avoua qu'elle était elle-même appelée à d'autres fonctions par de vieux amis bien intentionnés.

— On m'a fait comprendre où était le bon sens, reconnut-elle. C'est une situation assez compliquée...

— En tout cas, répondit Esquival, ils doivent « malheureusement » faire sans moi...

On l'avait mis au pilori, et il n'était qu'un subalterne, avec cinq ans d'ancienneté seulement dans la police. Il avait de plus à la maison quatre petites bouches à nourrir, qui réclamaient « beaucoup de tortillas ».

— En tout cas, Aggie, je vous promets de vous faire passer des infos, si je réussis à en arracher. Même si officiellement, je ne travaille plus sur l'enquête.

Elle le remercia, en lui répétant :

— Par pitié, il faut que ça reste confidentiel. C'est strictement entre nous.

15

Le dossier du Dahlia Noir, estampillé « En cours et Non résolu », commençait sérieusement à s'essouffler. Le nouvel inspecteur affecté à l'équipe, le sergent Stephen Bailey, transféré des Vols avec violence, n'avait pas apprécié sa nomination – comme bien d'autres fonctionnaires de police avant lui. Il avait l'impression qu'on lui refilait un boulot de concierge en lui confiant tout un tas de cinglés et de pistes en forme d'impasses. D'après lui, « Hansen et Henry Hudson poursuivaient tranquillement l'enquête sur le Dahlia et s'amusaient maintenant à monter un dossier contre Mark Hansen, à croire qu'ils n'avaient rien trouvé de mieux.

« Le problème, continue Bailey, était que Mark avait des amis, dont Tommy Devlin, doté d'un certain talent de faire remonter à la surface de quoi salir n'importe quelle réputation. Sans citer aucun nom, Devlin laissait entendre qu'en actionnant le bon levier il se trouverait toujours au bureau du D. A. un type prêt à vous faire passer un sale quart d'heure… De quoi empêcher Harry et Donahoe d'envoyer Mark sur la chaise électrique en lui collant sur le dos le meurtre de l'une de ses favorites. Mais Short n'était pas restée tout le temps chez lui, elle était repartie à deux ou trois reprises, et on n'était pas certain qu'elle ait vraiment été l'une de ses petites amies.

« Lorsque les policiers se sont penchés sur lui, Mark Hansen n'a pas passé un bon moment. Ils voulaient l'inculper, même sans disposer de preuve, excepté le fait qu'Elizabeth Short avait vécu chez lui, parmi d'autres petites pépées, et qu'elle se servait d'un répertoire siglé de son nom.

« Devlin, si j'ai bien compris ce qui s'est passé, a réussi à les convaincre de ne pas le poursuivre. Donahoe n'avait plus qu'à chercher un nouvel angle d'attaque. Il fallait qu'il trouve un autre bonhomme à allonger sur le gril. Le problème, c'était que l'affaire n'avait pas avancé d'un poil. Aucune piste n'avait abouti. On se contentait de combines pour continuer à rebondir, sans s'interroger sur le *pourquoi* de cette absence de progrès.

« L'échec du coup monté contre Mark se traduisit par une intense pression exercée par la hiérarchie sur une série de meurtres de femmes (souvent liés à une certaine forme de prédation sexuelle) pour lesquels on n'avait pas été capable de coller un seul type en prison. Le docteur Paul de River, du prétendu "Bureau de lutte contre la délinquance sexuelle de la ville de Los Angeles", passait des heures en réunion avec Harry et Donahoe. Et pendant ce temps, du côté des instances municipales, on se demandait ce que la police fabriquait. »

Un certain Debs, conseiller municipal, se mit à soulever certaines questions à propos du docteur. Il fit observer que « rien, dans le dossier professionnel de M. de River, n'indique qu'il puisse fournir une assistance professionnelle, scientifique, technique ou une expertise d'une exceptionnelle valeur qui le dispense de se plier aux règles de recrutement de la fonction publique… Sa qualité de psychiatre n'est absolument pas prouvée. Au contraire, les affirmations de M. de River, lequel prétend avoir reçu une formation dans plusieurs écoles réputées, ont été démenties par ces établissements eux-mêmes. »

Malgré son manque de qualifications, le docteur était parvenu à obtenir un poste fixe au sein de la police sans avoir eu à passer un quelconque examen d'entrée.

« Chaque fois qu'on récupérait un nouveau meurtre dont le mobile n'était pas l'argent, racontera Bailey, ou qui n'avait pas été commis au cours d'un vol, de River intervenait. Il interrogeait en profondeur les suspects et enregistrait les confessions. Quand il n'y en avait pas, on pouvait compter sur lui pour en obtenir une.

« De River avait mis au point un système de fiches sur les auteurs de crimes sexuels, qui renvoyait à tous les types de délits ou crimes connus ; ça allait des simples voyeurs aux assassins ayant violé leur victime. Il avait ses propres bureaux et on lui accordait tout ce dont il avait besoin, sur ordre du chef de la police. Certains le critiquaient, faute de saisir ce qui l'animait réellement, mais le chef Horrall, lui, le traitait comme son caniche adoré. »

Il fallut attendre la fin de 1948 pour que le docteur soit reconnu, non seulement comme un charlatan, mais aussi comme un escroc : il faisait de la gratte et en reversait directement une partie à certains juges sous forme de pots-de-vin. « De River, qui publiait des articles et des livres sur les auteurs de crimes sexuels, explique Bailey, avait passé un accord avec la Cour supérieure du comté concernant les affaires relevant de la psychiatrie : quand il y avait sursis avec mise à l'épreuve, la personne visée lui était envoyée pour traitement, contre honoraires. Et si le "patient" omettait de payer, le juge lui laissait entendre que, faute de régularisation, son sursis pourrait bien être résilié. »

La presse et le public étaient très remontés contre l'apathie de la police et son incapacité à protéger les citoyens des tueurs et des gangsters. « Certaines personnes étaient littéralement assaillies de critiques, selon Bailey. Le chef Horrall était le premier concerné, et ça a fini par retomber sur les Homicides, sur les Vols avec violence et sur l'équipe constituée par Horrall pour lutter contre les gangsters.

« Puisqu'il n'y avait aucun progrès dans l'affaire du Dahlia ni dans d'autres meurtres de femmes particulièrement brutaux et vicieux, puisque on n'avait aucune piste, aucun suspect, rien de rien, il fallait absolument trouver un moyen de regagner les faveurs du public, et de River semblait en avoir déniché un. Il a débarqué dans le bureau du chef pour lui dire qu'il avait une nouvelle piste dans l'affaire du Dahlia et estimait qu'en la "travaillant" un peu, on pourrait avoir un suspect "acceptable". Aussitôt, le chef a mis sur les rangs le lieutenant William Burns, flanqué d'une petite équipe d'inspecteurs de son propre bureau. Hansen et Brown devaient assurer la coordination avec de River, l'objectif étant de "faire du résultat". »

En octobre 1948, Leslie Dillon, vingt-sept ans, marié, père d'un enfant, groom dans un hôtel à Miami et apprenti écrivain, avait envoyé une lettre à Paul de River. Dillon avait lu un article sur l'affaire du Dahlia Noir dans un *detective magazine* où le nom du « Psychiatre de la Police » était cité.

Alors qu'il se trouvait à San Francisco, il avait discuté de l'affaire avec une de ses connaissances, Jeff Connors. Celui-ci lui avait déclaré avoir rencontré Elizabeth Short juste avant qu'elle ne soit assassinée. En envoyant ce courrier, Dillon souhaitait suggérer une « piste potentielle », Connors pouvant détenir des informations utiles aux enquêteurs.

En guise de réponse, de River lui passa directement un coup de fil à Miami. Le jeune homme fut très impressionné. « Il m'a dit qu'il aimerait beaucoup avoir un entretien avec moi, racontera-t-il. Je lui avais confié dans ma lettre que je m'intéressais à ces questions,

238

que j'effectuais des recherches sur la psychologie sexuelle et, au téléphone, j'ai ajouté avoir une idée de livre sur le sujet. De River m'a répondu que lui aussi travaillait sur un ouvrage de ce genre et qu'il serait peut-être envisageable que je lui apporte mon assistance, d'une manière ou d'une autre. »

Dillon eut une autre conversation avec de River un peu plus tard dans la même semaine, puis il reçut de sa part un billet d'avion. « Je devais prendre un vol pour Las Vegas. Il serait là pour m'accueillir, et nous échangerions nos vues sur le sujet », explique Dillon.

Le jeune homme ayant quelques difficultés financières, de River annonça qu'il lui serait peut-être possible de l'engager comme secrétaire. « Je devais être rémunéré directement par lui, continue Dillon. Je me suis envolé pour Las Vegas, où il est venu m'attendre à l'aéroport. » De River était en compagnie d'un autre homme, qu'il présenta comme son chauffeur.

L'inspecteur Bailey se rappelle « dans quelles circonstances, avec leurs causes et leurs effets » (selon sa formule), se sont produites la prise de contact et la rencontre entre Dillon et de River : « Avec tous ces meurtres non résolus, on se faisait descendre en flammes… Il fallait faire quelque chose de spectaculaire pour sortir du rouge.

« Dès que de River a été certain d'avoir l'appui du chef, il s'est procuré un billet d'avion pour Dillon. Ce dernier ayant mentionné un contact à San Francisco, de River y vit un moyen de le balader un peu. Il voulait coincer Dillon, et les choses devaient se dérouler cordialement jusqu'à ce qu'il arrive à ses fins. Tout ce qui allait se passer serait secrètement consigné. Le chauffeur du docteur était l'inspecteur John J. O'Meara, du bureau du chef Horrall. »

Dans la voiture, la conversation s'engagea sur les antécédents de Dillon. De River se montra très intéressé par son passage à Los Angeles, à partir de l'automne 1946. Sa curiosité fut particulièrement éveillée quand Dillon lui apprit qu'il avait vécu dans une caravane sur South Crenshaw Boulevard à l'époque où il travaillait comme groom dans un hôtel de Santa Monica. Il était ensuite parti occuper un autre poste à San Francisco, où il habitait Sacramento Street avec sa femme Georgia, dont il avait fait la connaissance l'année précédente, dans l'Oklahoma.

« J'ai indiqué au docteur qu'il m'arrivait parfois de signer "Jack Sands" quand j'écrivais, raconte Dillon, et il a dit que c'était intéressant comme nom d'emprunt. J'ai répondu que ce n'était pas un nom d'emprunt, mais un nom de plume… Il m'a demandé si "Jeff Connors" était aussi un nom de plume. J'ai répondu que non, le gars de San Francisco s'appelait comme ça, c'est tout. Il m'a ensuite interrogé sur mon passage dans la Navy, dont je n'avais parlé qu'au téléphone. Je lui ai dit que les conditions dans lesquelles j'étais revenu à la vie civile n'avaient pas été très régulières. Mais, depuis que j'étais marié, je m'efforçais de faire quelques changements dans le bon sens… » De River semblait en possession d'informations personnelles au sujet de Dillon, notamment ses petits démêlés avec la loi. Dillon s'aperçut très vite que de River avait fait faire une recherche sur lui et, la curiosité du docteur s'intensifiant, il se sentit de plus en plus mal à l'aise.

« Mes efforts pour changer de vie l'intéressaient beaucoup, et il a fait observer que j'étais marié depuis moins d'un an quand Elizabeth Short avait été assassinée, ajoutant que je me trouvais à Los Angeles au moment du meurtre. J'ai répondu que c'était exact, mais que je ne voyais pas ce qu'il voulait dire par là. Il s'est alors mis à me parler d'une forme d'instabilité mentale que l'on rencontrait parfois chez les jeunes gens au début de leur mariage ; au cours de la première année, par exemple, quand on se rendait compte que les choses n'étaient pas tout à fait telles qu'on les avait imaginées... Il souhaitait que je lui donne mon avis là-dessus, puisque, moi-même, j'avais l'expérience de ce genre de situation. Mes indications lui seraient certainement d'une grande utilité. Il a dirigé la conversation vers la psychologie et, quand nous sommes arrivés dans un motel, à Banning, il m'a dit, alors que je ne m'y attendais absolument pas, qu'il me croyait responsable du meurtre d'Elizabeth Short. »

Abasourdi, Dillon rejeta l'accusation, déclarant à de River qu'il se trompait sur toute la ligne. Le docteur répondit aussitôt que cela faisait bien longtemps qu'il n'avait rencontré quelqu'un d'aussi intelligent que lui et qu'il paraissait même en connaître davantage sur les « psychopathologies sexuelles » que beaucoup de psychiatres. Dillon se retrouva dans la seconde même avec une paire de menottes aux poignets.

« Ils m'ont gardé dans cette chambre d'hôtel jusqu'à l'arrivée de trois ou quatre autres hommes, raconte-t-il, puis ils se sont mis à m'interroger. À un moment, de River a commencé à répéter que j'étais trop malin pour me tromper moi-même. Comme je ne savais absolument pas ce qu'il voulait dire, il a ajouté que j'avais "trop de savoir et trop d'intelligence" pour me dissimuler la vérité.

" Je ne voyais pas ce que j'aurais pu me dissimuler. Il m'a répondu : "Certains faits dont le souvenir est trop douloureux." Puis il s'est mis à me questionner en détail sur ce qu'on avait fait subir au Dahlia, sur les mutilations intimes qu'on lui avait infligées. Je ne savais là-dessus que ce que j'avais lu dans des articles et dans ce *detective magazine*, c'était tout. Mais dès que de River me posait une question, il me mettait aussitôt la réponse dans la bouche. »

De River et les inspecteurs qui l'entouraient voulurent plus de détails sur ce fameux Jeff Connors mentionné par Dillon. Il leur répéta ce qu'il savait de lui, et ce que Connors avait déclaré à propos du Dahlia : il l'avait rencontrée peu avant sa mort.

« Vous choisissez le sérum de vérité ou le détecteur de mensonge ? » demanda le docteur à Dillon. Dillon répondit qu'il voulait bien subir n'importe quoi, mais que s'ils avaient l'intention de le garder prisonnier, il sollicitait l'autorisation de passer un coup de fil à sa femme et un autre à un avocat.

« Ils n'avaient aucune intention de me laisser téléphoner à qui que ce soit. Je ne pouvais m'adresser à personne, sauf au docteur ou aux inspecteurs... parfois, c'était les policiers qui m'interrogeaient, ou bien ils me questionnaient à tour de rôle, ou ils y allaient tous en même temps. On m'a ensuite remis brusquement les menottes et on est repartis pour San Francisco. »

Le docteur voyageait avec Dillon et deux policiers dans une voiture, le reste des hommes les suivant dans une seconde. Avec le renfort d'un petit groupe d'inspecteurs triés sur le volet, des recherches furent entreprises à San Francisco, durant vingt-quatre heures, pour retrouver Jeff Connors. Comme on ne put mettre la main sur aucun type portant ce nom, de River se déclara convaincu qu'il s'agissait là d'une pure invention de Dillon, ou d'une « aberration à partir des faits ».

Le convoi reprit la route du Sud le lendemain matin. La première semaine de l'année 1949 touchait à sa fin. Dillon, lui, restait sur le gril : « Je n'avais le droit de parler à personne. Je ne pouvais pas appeler ma femme, ni me faire aider par un avocat ou n'importe qui d'autre. À Paso Robles, dans un nouveau motel, ils ont continué à m'interroger. Ils ne semblaient pas près de s'arrêter. Ils m'ont fait déshabiller et ils ont pris des photos de moi entièrement nu. J'ai dû subir un interrogatoire, les poignets attachés au radiateur.

« Ils devenaient vraiment méchants. Ils m'ont affirmé que cela faisait deux ans qu'ils me suivaient à la trace et qu'ils pouvaient faire voler en éclats toutes mes histoires, tout mon alibi. Je leur ai répété que je disais la vérité. De temps à autre, de River faisait sortir les inspecteurs pour s'occuper de moi seul à seul. Il m'assurait que je pouvais lui parler en toute confiance. "On va te traiter comme un garçon qui a besoin de soins, pas comme un criminel", me disait-il. Il voulait que je lui avoue le meurtre du Dahlia, mais j'en étais incapable. Je ne l'avais pas tuée : je ne pouvais pas confesser ce crime. »

De River lui affirma qu'il souffrait d'une « affection grave ». Il avait commis un crime si horrible que sa conscience refusait toute référence à cet événement. « C'était comme si quelqu'un d'autre se cachait au fond de moi, un être malveillant qu'on s'efforçait de me faire découvrir, explique Dillon. J'ai essayé, mais je ne me suis pas reconnu dans ce type gravement malade pour lequel on tentait de me faire passer. »

Le petit convoi reprit la route, direction Los Angeles cette fois. On conduisit Dillon dans une chambre du Strand Hotel, sur Figueroa, où il fut gardé *incommunicado*, trois nouvelles équipes de deux inspecteurs arrivant en renfort pour participer aux interrogatoires.

Pendant la semaine où Dillon fut maintenu au secret, de River poursuivit ses tentatives visant à le convaincre qu'il était « un garçon dérangé sur le plan psychologique » et qu'il avait expulsé la vérité de sa conscience.

« Ils ont presque réussi à me persuader que j'étais fou ou un truc de ce genre, reconnaît Dillon. J'avais peut-être bien tué le Dahlia – pour l'oublier ensuite, tout simplement. »

Malgré sa peur et son désespoir, Dillon réussit à griffonner quelques mots sur une carte postale, qu'il laissa discrètement tomber par terre dans la rue quand les inspecteurs l'emmenèrent déjeuner. Elle était adressée à Jerry Giesler, avocat spécialisé dans les affaires criminelles, très connu à Los Angeles, et portait ces mots : « Je suis retenu prisonnier dans la chambre 219-21 au Strand Hotel... en relation avec le meurtre du Dahlia Noir, par le docteur de River, pour autant que je puisse en être sûr. Je voudrais obtenir une assistance judiciaire... » Signé « Leslie Dillon ».

Le lendemain matin, Dillon fut emmené au LAPD et présenté au chef Horrall par les inspecteurs Burns et O'Meara ainsi que par le lieutenant James Ahearne, suivis par Hansen. Horrall interrogea personnellement Dillon, que l'on plaça ensuite dans une autre pièce, pendant que de River et Burns échangeaient leurs conclusions avec le chef de la police.

Horrall se prononça pour une transmission immédiate de l'affaire aux *top guys* du bureau du procureur, afin d'engager avec succès des poursuites criminelles. Puis, il convoqua la presse : « Il ne fait pour moi aucun doute, déclara-t-il aux reporters, que Dillon est le suspect le plus brûlant qu'on ait jamais eu dans cette affaire. »

Dans l'intervalle, Dillon fut soumis à un nouvel interrogatoire par deux adjoints du D. A. « Ça a duré une dizaine d'heures, raconte-t-il. Je n'arrivais plus à suivre ce qui se passait. Je répétais avec insistance que je ne l'avais pas tuée, mais le docteur essayait encore et encore de me convaincre que j'empêchais la vérité de pénétrer dans mon cerveau, que ma confession était nécessaire pour me sentir libre des problèmes que je devais affronter. »

Le deuxième soir, Dillon fut officiellement inculpé, sur présomption de meurtre. On lui retira brièvement ses menottes, le temps de laisser la presse photographier le « suspect le plus brûlant », mais les journalistes ne furent pas autorisés à lui poser la moindre question. Ensuite, on fit claquer les menottes et il repartit sous la garde de cinq hommes, qui ne firent aucun commentaire sur l'endroit où ils l'emmenaient.

« Nous ne laisserons personne lui parler, et ce, jusqu'à ce que nous ayons bouclé l'affaire », déclara aux reporters le porte-parole du D. A. Dillon, confia de River aux journalistes, « est mieux renseigné sur le meurtre du Dahlia que la police elle-même, et il en connaît plus sur la psychopathologie des déviances sexuelles que bien des psychiatres ».

À son tour, Barnes, le D. A., donna son opinion à la presse : seul le tueur lui-même ou un homme en relation directe avec lui pouvait être au courant de ce que savait Dillon. « Je me sens convaincu, ajouta-t-il. Et je soutiens la police sur le fait que Dillon est le suspect le plus brûlant jamais apparu dans cette affaire. »

Le lendemain, la carte postale de Dillon atterrit sur le bureau d'un avocat de Los Angeles. Avant la fin de la journée, il avait contacté la mère du jeune homme dans l'Oklahoma, qui le prit comme défenseur. Il rédigea immédiatement un mandat d'*habeas corpus*[1].

Des inspecteurs de Los Angeles et de San Francisco avaient entre-temps localisé Jeff Connors, à Gilroy, au sud de la Bay Area. Il se trouvait chez lui, en compagnie de sa petite amie, lorsqu'il fut arrêté et conduit à San Francisco pour y être interrogé par Joseph Reed, chef adjoint de la police de Los Angeles, arrivé par avion en compagnie de deux policiers membres de l'équipe spéciale constituée par Horrall. Aucune charge particulière ne fut retenue contre Connors, simplement gardé à vue pour les besoins de l'enquête et emmené à L.A., où les interrogatoires devaient se poursuivre.

---

1. Enjoignant le juge d'expliquer les motifs de la détention.

L'histoire que raconta Connors au chef adjoint Reed correspondait presque point par point avec la version de Dillon. Jeff Connors, quarante-quatre ans, se présentait comme un « auteur et acteur free-lance ». Il déclara avoir fait la connaissance de Dillon alors qu'ils travaillaient l'un et l'autre comme aides serveurs dans une cafétéria de San Francisco : « Je bossais là-bas pour m'imprégner de l'atmosphère en vue d'un livre, et Dillon m'a dit qu'il écrivait, lui aussi. C'est comme ça qu'on s'est mis à discuter. »

Niant toute participation au meurtre du Dahlia, Connors pouvait rendre compte de son emploi du temps au moment où Elizabeth Short avait été assassinée. « Je suis absolument innocent, assura-t-il. Je n'ai jamais parlé à Dillon de l'affaire du Dahlia Noir, ni affirmé avoir connu Elizabeth Short. Je lui ai simplement dit qu'un jour quelqu'un m'avait fait remarquer sa présence, dans un bar, à Hollywood… et que, peu de temps après, on l'avait retrouvée morte. D'ailleurs, je suis allé spontanément porter cette information à la police, qui n'en a pas voulu, l'estimant sans importance. »

Dès que le chef adjoint Reed et les deux inspecteurs arrivèrent à L.A. avec Connors, celui-ci fut réquisitionné par le chef assistant Bradley, le capitaine Francis, des Homicides, Hansen et Brown.

Dès le milieu de la matinée, le bureau du procureur, à l'issue d'une réunion spéciale, publia une déclaration selon laquelle la police n'avait pas établi de preuves suffisantes pour justifier une plainte contre Leslie Dillon. L'adjoint du D. A. expliqua au chef des inspecteurs qu'on ne pouvait pas aller en justice avec un dossier pareil. « Le D. A., racontera-t-il, m'avait envoyé assister sans y prendre part aux réunions de la police, qui s'étaient déroulées à huis clos, et, d'après le compte rendu que j'en avais fait à nos services, les conditions n'étaient pas réunies pour engager des poursuites. »

Peu de temps après, Hansen et Brown reçurent l'ordre de remettre Dillon en liberté et, simultanément, « d'arrêter Jeff Connors sur présomption de meurtre pour que nous puissions boucler notre enquête ». Selon le chef des inspecteurs, une fois qu'on aurait inculpé Connors, on le relâcherait aussitôt et il serait mis hors de cause.

D'après Stephen Bailey, « personne, dans l'équipe spéciale du chef Horrall, ne fut disponible pour faire le moindre commentaire. Tout le monde était apparemment accaparé par d'autres tâches. Hansen et Brown durent éponger eux-mêmes tout ce gâchis... Il fallait non seulement libérer Dillon, mais s'assurer qu'il reçoive des excuses en bonne et due forme, faute de quoi le LAPD en prendrait pour son grade. »

De River fut le premier à se présenter dans la cellule de Dillon. Il essaya de lui expliquer le raisonnement qui l'avait conduit à employer cette procédure spéciale et « l'importance » de certaines méthodes d'enquête pour tenter de découvrir la vérité avant que la presse ne s'en empare. Une « personne aussi remarquablement intelligente » que Dillon pouvait sans doute le concevoir et comprendre « le point de vue des autorités, ainsi que la nécessité de poser des questions psychologiques ».

Hansen et Brown vinrent le faire sortir. « Vous êtes un homme libre », lui dit Brown. Dillon s'exprima brièvement devant les reporters, qui lui demandèrent s'il avait prétendu que Connors était responsable du meurtre du Dahlia Noir.

« Je n'a jamais déclaré une telle chose, leur répondit Dillon d'un ton brusque. Je leur ai seulement dit qu'il avait rencontré le Dahlia Noir. Je n'arrive pas à saisir ce qui a poussé la police à me mettre ce crime sur le dos. Je ne vois pas pourquoi ils ont toujours refusé de me croire. »

Leslie Dillon, tel un minuscule Samson s'imaginant soudain capable de renverser un adversaire corrompu, réclama aussitôt à la Ville de Los Angeles, en réparation de son préjudice, 100 000 dollars de dédommagement.

16

Si la secousse donnée par Dillon ne put faire basculer la structure tout entière, il réussit tout de même à attirer l'attention du conseil municipal sur le chef Horrall et sur « le gâchis provoqué par son autoritarisme et les méthodes illégales qu'il a employées pour réactiver l'enquête sur le meurtre du Dahlia Noir », selon la formule du conseiller municipal Ernest Debs.

La déclaration d'Horrall, qui avait qualifié Dillon de « suspect le plus brûlant qu'on ait jamais eu dans cette affaire », finit par se retourner contre lui. Le grand jury constitué pour enquêter sur la corruption policière se concentra sur l'affaire du Dahlia Noir, sur d'autres crimes non résolus, sur un système de pots-de-vin et de dessous-de-table, et sur toutes les jalousies et les disputes qui faisaient rage entre services. Simultanément, le conseiller Debs demanda que soient publiquement examinées les compétences de Paul de River.

Les policiers de l'équipe spéciale du chef Horrall, qui avaient participé au « scandale Dillon », furent convoqués devant le jury d'accusation, Harry Hansen compris. Le rapport final, signé par le président du jury, tira les conclusions suivantes :

> « Le Grand Jury de 1949 a enquêté de
> manière approfondie sur le meurtre d'Elizabeth

Short, surnommée "le Dahlia Noir". C'est l'un des nombreux crimes violents survenus ces six ou sept dernières années à Los Angeles et restés sans solution [...].

Les dépositions de certains fonctionnaires de police chargés de l'enquête [...] laissent clairement apparaître leur tendance à se dérober [...]. Le présent rapport, de l'avis du Grand Jury, révèle une situation aussi consternante que dangereuse.

Il se commet une grande variété de crimes destinés à figurer dans les annales : meurtres, disparitions inexpliquées, crimes sexuels abjects. [...]

Par leur caractère même, ces assassinats et ces crimes sexuels constituent une menace permanente pour les femmes et les enfants, dont la sécurité n'est plus assurée. [...]

Après avoir étudié les preuves remises entre ses mains, relatives à la vague de criminalité qui a balayé le comté de Los Angeles ces deux ou trois dernières années, le Grand Jury de 1949 en arrive à la conclusion qu'il y a quelque chose de radicalement mauvais dans le système actuellement en place pour appréhender les coupables.

L'augmentation alarmante du nombre de meurtres non résolus et autres crimes graves reflète l'inefficacité des différents services chargés de faire respecter la loi ; la Cour rappelle que l'existence de conflits d'attributions et de jalousies entre ces différents services ne saurait être tolérée. [...] Là où sont intervenus un ou plusieurs services, il semble qu'il y ait eu un manque de coopération dans la présentation des preuves [...] et une répugnance à enquêter ou à engager des poursuites. »

Après la publication de ce rapport, un vaste remaniement s'ensuivit dans les services de police. De nombreux policiers furent mutés en bloc, et Horrall prit sa retraite.

Parce qu'il n'avait été impliqué que de manière secondaire dans le fiasco Dillon-Connors et qu'il n'avait fait qu'obéir aux ordres du chef Horrall, le comportement de Finis Brown n'affecta pas la carrière de son frère ; Thad Brown hérita du commandement des services d'enquête de la police. C'était Horrall, et lui seul, qui dans sa soif de publicité et de notoriété, avait usurpé le rôle des enquêteurs en charge de cette affaire en leur substituant sa propre « équipe spéciale d'inspecteurs de haut niveau » pour relancer les investigations, « avec de River dans le rôle du coach », expliquera Brown.

Le fait qu'Hansen ait joué un rôle actif dans ce que le grand jury avait qualifié de « disputes et rivalités sournoises entre les différents groupes de policiers », ainsi que son impatience à, selon les propos de Bailey, « chercher à obtenir une confession de "quelqu'un" par tous les moyens », finirent par jeter une ombre sur la manière dont il avait traité les suspects dans l'affaire du Dahlia Noir. Le bureau des Homicides adopta alors une attitude beaucoup plus soupçonneuse. Les « montrez-le-moi » et les « prouvez-le-moi » fleurirent, revenant sans cesse au cours des recherches, dont l'intensité baissa graduellement.

« On se protégeait, on se tenait sur nos gardes maintenant, racontera Bailey. Avant qu'Horrall aille faire un petit tour ailleurs, il y avait de véritables *escrocs* dans les bureaux du chef, à l'intérieur des services de lutte contre le crime et même parmi les îlotiers qui battaient le pavé. Après ça, tout en faisant notre job – c'est-à-dire en permanence, puisque on n'arrêtait jamais –, il a fallu qu'on garde des yeux derrière la tête, chacun de nos mouvements étant désormais épié par un commissaire divisionnaire. »

Alors que Brown était toujours affecté sur l'affaire du Dahlia et travaillait de façon quasi exclusive sur d'autres homicides, le fossé commença à se creuser avec Hansen. Thad Brown avait fermement réclamé que son frère reste « associé aux principales investigations ». Mais d'après Bailey, une fois encore, malgré les intentions manifestées, « les recherches proprement dites se figèrent ».

Un mois après la convocation du grand jury, Brown fut informé par la femme de Manley que celui-ci souffrait d'une « dépression nerveuse » et qu'il était traité par électrochocs. « Elle nous pointait du doigt, expliquera Brown : on l'avait tellement secoué qu'il ne serait plus jamais le même homme... Je ne pouvais pas avaler ça, mais ça représentait encore un nouvel accroc. Harry continuait à penser que Red en savait plus que ce qu'il prétendait, sans pour autant croire à son implication dans le meurtre. Il avait été complètement mis hors de cause, mais il y avait toujours eu chez lui quelque chose qui embêtait Harry et, bien sûr, à cause de ça, je me suis moi-même demandé si Red n'était pas un petit peu tracassé par sa conscience. Quand j'ai informé Harry de sa dépression nerveuse, il m'a dit : "Ce fils de pute nous a caché quelque chose, Brownie ; ça le rongeait et, maintenant, il est train de payer la facture." Et Harry a ajouté que ce n'était pas la dernière fois qu'on entendrait parler de lui. »

Depuis le grand jury, Brown en était arrivé à la conviction personnelle qu'Harry perdait légèrement les pédales. « Le fait d'être allé si loin dans cette affaire et de ne plus pouvoir continuer... »

La mystérieuse piste du Dahlia Noir avait été suivie sans relâche par des bataillons entiers d'enquêteurs, mais le quand, le comment, le pourquoi restaient toujours sans réponse. Avec chaque nouvelle possibilité, chaque nouvelle découverte, elle s'était muée en un déroutant labyrinthe, compliqué par de nombreuses rumeurs et de vaines spéculations.

Selon l'inspecteur Bailey, « le grand jury avait recommandé de poursuivre l'enquête, mais il n'y avait plus aucune direction à explorer – on pouvait seulement revenir sur un terrain déjà défriché. Les nouvelles pistes ne nous apportaient que des histoires saugrenues ou parfaitement stupides, qui nous coûtaient des heures et des heures de travail. »

Tandis que la presse reprochait à la police son goût du secret, Brown en voulait de son côté aux reporters, qu'il tenait pour partiellement responsables de l'incapacité des Homicides à arrêter le tueur. « Sans les journalistes, j'aurais eu de meilleures chances. C'est à cause d'eux que j'ai perdu énormément de temps à me lancer sur les traces de trucs qui ne collaient pas avec les faits… En plus, ils ont fait tellement de battage autour de cette affaire que ça a encouragé des petits copieurs à commettre d'autres crimes du même genre. J'ai eu neuf affaires après celle-là, toutes des crimes sexuels, et je suis sûr que ces gars-là – ceux qu'on a attrapés – avaient tous voulu imiter l'assassin du Dahlia Noir. Ils me l'ont dit. »

On remonta la trace du Dahlia depuis le Massachusetts, vers Chicago puis Saint Louis, Indianapolis, et jusqu'à Miami en partant d'Hollywood et des figurants, avant de retourner à Long Beach, puis à San Francisco, au Texas, à La Nouvelle-Orléans, à Santa Barbara, et de revenir finalement à Boston. C'était une sorte de marigot énigmatique, presque insondable, agité de tourbillons perpétuels.

« Aucune piste n'était concluante, dira Brown. Chaque fois qu'on trouvait quelque chose, ça s'évanouissait devant nos yeux. On avait l'impression d'avancer dans une rue à sens unique pour tomber au fond d'un cul-de-sac.

« Un autre facteur est venu compliquer l'affaire : l'obsession développée par certains hommes pour la morte, comme beaucoup l'avaient été du vivant d'Elizabeth Short. Ça se traduisait par des confessions spontanées au LAPD. »

Les inspecteurs disposaient toujours de la série de questions clés établie à partir des informations qu'Harry avait soustraites au dossier général. Aucun de ces « *confessing Sams* » n'a jamais su donner les bonnes réponses.

Si un individu n'appartenant pas aux Homicides parvenait à découvrir au moins certaines de ces informations cachées, Hansen se tenait prêt à nier leur véracité. « Le risque qu'un fêlé obtienne quelque chose de ce type-là était trop mince pour nous inquiéter, dira Hansen. On craignait plutôt que des gens de la presse ou autre aient vent de ces informations ; notre attitude, dans ce cas-là, devait simplement consister à prétendre que ça n'avait aucun rapport avec l'affaire. Leurs chances de prouver le bien-fondé de ce qu'ils avançaient restaient donc tout aussi minces. »

Les inspecteurs héritèrent d'un nouveau tuyau à peu près à l'époque de la première dépression nerveuse de Red Manley. « Ça venait de Chicago, raconte Brown. Il s'agissait d'un médecin, dans l'Indiana, qui avait examiné la fille durant l'année précédant le meurtre, à la fin du printemps. » Brown était allé à Chicago pour y travailler avec la police locale lorsqu'on s'était intéressé à Gordan Fickling, durant la toute première semaine de l'enquête. Il semblait qu'Elizabeth Short ait consulté un docteur à Hammond, dans l'Indiana, au moment où elle était allée rejoindre Fickling à Chicago.

« Ce fut seulement grâce aux ennuis que connaissait ce médecin lui-même, ayant rendu nécessaires certaines vérifications auprès de ses patientes, que cette visite fut portée à notre attention, via la police de Chicago. » Fickling, depuis la Caroline du Nord, en apporta confirmation. Il savait que Beth Short était allée chez un médecin dans la région du Lake County.

Elle s'était présentée sous le nom de « B. Fickel », tout en donnant sa bonne date de naissance et son vrai groupe sanguin, AB, un groupe rare. Brown apprit par un inspecteur de Chicago que, selon les registres du cabinet, la jeune femme, alors âgée de vingt et un ans, avait consulté au sujet d'une possible colposcopie. Mais le praticien s'était montré incapable de rendre un diagnostic sur le plan gynécologique, dans la mesure où, d'après lui, la jeune fille souffrait « d'une certaine anormalité physique qui rend impossible tout examen vaginal ». Selon le médecin, cet état de choses était « lié à sa morphologie », et il avait recommandé sa patiente à un confrère de Chicago, David Stine, urologue au Cook County Hospital.

Pour Hansen, la priorité était maintenant de se débrouiller pour que le médecin d'Hammond garde ces informations secrètes. Sur l'impulsion du moment, il trouva une solution assez inspirée.

Brown, surveillé d'un œil critique par la presse, s'envola vers l'Est pour des entretiens dans le cadre des « investigations », ce que les journaux de L.A. qualifièrent de « nouveau voyage aux frais de la princesse, payé par le contribuable ». Il atterrit à Boston, faisant croire qu'il venait chercher un mandat d'extradition, mais il se contenta en réalité de réinterroger Marjorie Graham, revenue dans la région, ainsi qu'un jeune homme qui était sorti avec Beth, à Cambridge, dans le Massachusetts. Au retour, il s'arrangea pour faire une halte à Chicago. Un membre de la police lui fit ensuite passer la frontière de l'État de l'Indiana, le conduisant en voiture dans le Lake County, où le docteur devait être interrogé.

« Ce type était dans le pétrin, expliquera Brown, et la justice locale lui donnait des sueurs froides. Une plainte avait été enregistrée contre lui à Chicago, qui n'avait pas été suivie d'effet, sauf dans ses rapports avec un ou deux policiers du Lake County. Lorsque je l'ai rencontré, son avocat était présent, mais j'ai pu m'entretenir directement avec lui, même si l'autre donnait des signes de nervosité. Le docteur a identifié Short comme étant bien la fille qui lui avait rendu visite, sans rien m'apprendre de plus que ce qu'il avait déjà raconté aux inspecteurs de Chicago. »

On lui fit bien saisir la nécessité de préserver la confidentialité de ces informations jusqu'à ce qu'un suspect soit envoyé derrière les barreaux. Brown lui déclara qu'à L.A., on pourrait peut-être faire quelque chose pour l'aider dans ses difficultés, s'il se montrait réglo. Les charges retenues contre lui l'étaient peut-être à tort... S'il coopérait avec le LAPD, on verrait ce qu'il était possible de faire pour alléger ses soucis. Le médecin assura Brown qu'il pouvait compter sur lui, tout en niant ce qu'on lui reprochait.

Par la suite, Brown prétendra avoir laissé courir une histoire à propos d'un autre docteur. Saisissant une opportunité, il avait voulu orienter la presse dans la mauvaise direction. « J'ai raconté à deux ou trois journalistes avoir l'intime conviction qu'elle avait été tuée par un médecin d'Hollywood, à la tête d'une clinique qui pratiquait des avortements. Je m'étais rendu compte que certaines pensionnaires de l'hôtel où logeait le Dahlia allaient chez ce charlatan, et Harry l'avait même soupçonné, mais sans fondement. Ce type était très bizarre, il était vraiment toqué, c'était un pervers sexuel, et il avait fait à certaines des filles deux ou trois trucs qui méritaient un séjour dans une cellule capitonnée.

« On commençait à se pencher sur lui, quand environ un an après le meurtre de la fille Short, cette espèce de phénomène s'est suicidé. C'était un peu une manœuvre, mais j'ai dit que je le croyais responsable du meurtre. Qu'elle était allée le voir pour se faire avorter.

« Lui, de toute façon, ça ne risquait plus de lui faire du tort, et ça m'a servi à détourner ces connards de journalistes du fait qu'elle ne pouvait pas avoir de rapports sexuels, même en faisant le poirier et en appelant la fée Clochette à son secours.

« Je ne sais pas trop comment la presse a pris ça, mais en tout cas, ça m'a donné une certaine satisfaction, et ça n'a causé aucun tort à Harry, ni à personne d'autre chez nous, tout en contribuant un petit peu à protéger l'enquête.

« En ce qui me concerne, à aucun moment je n'ai envisagé que le tueur puisse venir un jour se livrer. Pas le vrai, en tout cas. Il n'abattrait pas ses cartes de cette façon-là… On s'est donc contentés par la suite de passer les mabouls au crible, rien de plus. Je savais qu'on ne le verrait pas arriver. Je mourrais bien avant qu'on sache de qui il s'agissait, sauf coup de chance extraordinaire.

« Harry est resté sur l'affaire, à s'agiter autour de ses papiers et de ses rapports, bâtissant une véritable théorie à partir de ça. Moi, j'ai tout envoyé promener. Ce qu'on faisait, ce n'était pas de l'*investigation*. On était plutôt comme des pigeons qui rappliquent quand un truc tombe par terre pour aller voir ce que c'est. Très souvent, Harry affirmait que ça ne mènerait à rien, que ce n'était pas la peine d'explorer la piste. Et toujours avec une sorte d'aigreur, comme s'il était sur la défensive et *contre* l'idée même de faire le moindre progrès.

« Peu après, quand tout le monde en a eu plein le cul des conflits de compétence, j'ai laissé tomber l'enquête. Je n'avais pas envie d'être traîné devant un second grand jury. Harry et Donahoe provoquaient une hostilité générale parce qu'ils refusaient toute coopération, même entre nos propres foutues divisions. »

Au début, Brown croyait ce que Harry lui disait. « C'était un brillant enquêteur, un homme malin, très malin ; mais c'était aussi un solitaire et un oiseau à part. Il ne plaisait pas. On ne peut pas dire qu'il déplaisait, non... Il ne plaisait pas, c'est tout. Il était trop à l'écart et trop au-dessus des autres dans sa façon de penser. Il tenait à ses propres opinions sur untel ou untel, et sur la police en général.

Harry ne le savait pas à l'époque, comme peut-être aucun de nous, mais avec l'affaire du Dahlia, il était tombé sur un adversaire plus fort que lui. Ça a été son Waterloo. »

Le sergent Danny Galindo hérita des fiches à entrées multiples mises au point par Hansen quand celui-ci partit à la retraite. Galindo prenait le relais à la demande de Thad Brown. « Il ne s'agit pas d'une punition, Danny, lui avait assuré le chef des inspecteurs avec un sourire. Vous connaissez bien l'affaire, depuis le début... Actuellement, l'enquête n'est plus active, mais ça revient de temps à autre, simplement à cause de la presse qui cherche toujours à faire du battage. En fait, c'est une sorte de boulot d'officier de surveillance. »

Galindo était effectivement un très bon connaisseur de l'enquête. Il avait interrogé en espagnol certains auteurs de confessions spontanées et de prétendus suspects qui ne parlaient pas du tout l'anglais ou le maîtrisaient mal. Il vérifia les dossiers et les fiches, réétudia les pistes de ses prédécesseurs. Il fit des recoupements, puis referma les pistes l'une après l'autre, ajoutant son nom au dos des fiches. On y trouvait le reflet des combats menés par les différents enquêteurs, la quasi-impossibilité de découvrir la vérité et toute l'étrangeté de ce mystère qui, avec le temps, ne faisait apparemment qu'épaissir.

« Il faut mener chaque piste à son terme, dira Galindo. Recoudre les petites déchirures. Revenir en arrière et recommencer depuis le début. Et quand rien sort de tout ça, rediriger les recherches dans un autre sens. Vous restez bloqué sur un meurtre resté sans réponse, mais ça n'empêche pas que d'autres crimes soient commis à L.A. L'enquête est donc officiellement toujours en cours, l'affaire est *non résolue*, mais les recherches s'arrêtent.

« Vous ne savez pas qui il est. Lui, il sait qui vous êtes. Donc, ça peut être à vous d'attendre qu'il fasse le premier pas... »

17

La police fut informée qu'une certaine personne souhaitait s'exprimer sur le meurtre. Cette personne devait être payée par l'informateur qui apportait aux Homicides son étrange histoire. Mais il y avait un « truc » : cette personne souhaitait bien faire comprendre qu'elle ne fournissait pas ses informations sur la base d'une connaissance personnelle des faits. Elles lui venaient d'un tiers, impossible à localiser. Il s'agissait d'informations « par ouï-dire » et « fondées sur des présomptions ».

L'inspecteur Marvin Enquist fut le premier, aux Homicides, à entrer en contact avec l'informateur. « À ma connaissance, dit Enquist, il s'agit de la seule personne, dans toute l'histoire de cette enquête, à ne pas vouloir établir de contact direct avec la police. »

Enquist écouta les neuf minutes de la cassette audio que lui avait remise l'informateur. Par moments, l'enregistrement était confus. Il proposa que les services de police fassent une copie, dont la qualité sonore pourrait être améliorée grâce à un procédé électronique. Enquist demanda à l'informateur si celui-ci voyait un inconvénient à leur confier la cassette. Il répondit par la négative. Il avait, dit-il, transcrit sur papier le contenu de la bande. Un certain nombre de détails, qui ne se trouvaient pas sur l'enregistrement, furent rapportés à l'inspecteur par l'informateur. Ils permettaient de reconstituer la manière dont le corps avait été tranché en deux. L'opération s'était déroulée dans une maison de la 31ᵉ Rue, près de San Pedro. La personne qui avait confié tout cela à l'informateur se présentait comme un certain Arnold Smith.

Enquist fit venir John Saint John et son coéquipier, Kirk Mellecker, et pria l'informateur de répéter toute l'histoire devant eux. John Saint John était l'un des policiers les plus respectés de la ville ; il s'était même vu consacrer un livre ainsi qu'une série télé, *Jigsaw John*. Durant sa carrière, émaillée de nombreux succès, John Saint John avait travaillé sur quelques-uns des crimes les plus tristement célèbres à Los Angeles, et il avait été chargé de l'affaire du Dahlia Noir pendant un an environ.

Selon les inspecteurs, ce que racontait ce Smith sur le meurtre était du plus haut intérêt, bien que son histoire fût parfois confuse. Certains épisodes restaient vagues et contrastaient avec le reste, comme si des fragments de l'histoire en avaient été retranchés et mis de côté, créant ainsi des lacunes. De toute évidence, les informations livrées ne représentaient pas la totalité de l'histoire ; les vides correspondaient à des épisodes au cours desquels Smith lui-même s'était trouvé directement impliqué ; il ne s'agissait plus alors ni de propos rapportés, ni d'informations fondées sur des présomptions.

« Nous n'aurions jamais pris en considération les présomptions de preuve contre cet individu, expliquera John Saint John, si l'information ne nous était pas parvenue par la petite porte, si l'on peut dire. Probablement, dès le départ, il y a de cela des années, nous avons manqué de renseignements suffisants pour nous faire une idée claire du suspect potentiel. Il arrive tellement souvent qu'il soit là, près de vous, qu'il traîne dans le coin ; vous le savez, mais vous ne pouvez pas le placer dans votre ligne de mire.

« Tout ce qui peut travailler contre une enquête a été présent dans l'affaire du Dahlia Noir dès le moment où on s'est lancés à la poursuite du tueur – c'est-à-dire bien avant que moi-même j'y prenne part. »

John Saint John tenait « énormément », dit-il, à parler à Smith.

— Est-il disposé à venir s'entretenir avec nous ? demanda-t-il à l'informateur. Vous serait-il possible de nous l'amener pour un entretien ?

— Non, il n'est pas du tout prêt à cela.

Smith s'était confié à l'informateur, espérant ainsi rester en dehors du tableau.

— Vu le genre d'informations qu'il possède, reprit Saint John, on peut bien comprendre qu'il préfère éviter la police. Et je présume qu'Arnold Smith n'est pas son vrai nom...

— Il m'a dit qu'il s'appelait comme ça, mais, la première fois que je l'ai vu, je crois me souvenir que certains le désignaient autrement.

L'informateur donna une description détaillée de Smith : 1,80 mètre ou plus, très mince, une jambe plus courte que l'autre.

— Donc il boite ? fit Saint John.

— Oui.

Il précisa qu'il ne disposait d'aucune indication sur l'endroit où ce Smith pouvait se trouver.

— Vous étiez là quand il a parlé de tout cela ? reprit Saint John.

L'informateur répondit par l'affirmative, et le policier ajouta :

— À part ce qu'il y a sur la bande, y a-t-il d'autres choses qu'il prétend lui avoir fait subir ?

L'informateur répéta le scénario que Smith lui avait détaillé, et Saint John dit plusieurs fois à Mellecker :

— Je veux trouver de qui il s'agit et lui parler le plus vite possible.

Saint John voulut également que l'informateur retrace l'histoire de ses rapports avec Smith.

L'informateur affirma avoir rencontré Smith pour la première fois « pas mal de temps auparavant », dans un appartement occupé par un certain Eddie et une fille, du côté de Silver Lake. « Le garage était rempli de tout un tas de machins provenant probablement de plusieurs cambriolages. Il y avait trop de matériel électronique dans la maison, des chaînes hi-fi stéréo, des appareils médicaux (microscopes, par exemple), des clubs de golf, une grande quantité d'argenterie... C'était essentiellement Eddie qui gérait ça. Ce soir-là, deux autres personnes étaient présentes : un Indien qui à la fois travaillait dans une aciérie et cambriolait des maisons ou des appartements, en liaison avec Eddie, et un type grand et mince, l'air malsain, un certain Arnold Smith. Eddie n'a fait aucun commentaire sur ce qui l'amenait, ni sur la nature de leurs relations. On a bu et discuté en écoutant des disques choisis par la fille. La discussion est venue sur Los Angeles à l'époque de la construction de la Hollywood Freeway, quand on démolissait des centaines de vieilles maisons et d'immeubles d'habitation entre Temple et Sunset Boulevard, c'est-à-dire dans les années 1940. À partir de là, la conversation a dérivé vers plusieurs meurtres de femmes commis dans le centre-ville, et Eddie, qui était le plus âgé, a demandé à Smith :

— C'est pas là que le Dahlia Noir a été assassiné ?

« Smith répondit que les flics n'étaient pas allés chercher dans cette direction. Eddie affirma alors que Smith avait connu le Dahlia Noir ; il avait lui-même pu voir une photographie sur laquelle il figurait en compagnie de la jeune femme... Je l'ai interrogé là-dessus, mais Smith s'est mis à me parler essentiellement d'un autre type, un travesti originaire d'Indianapolis.

« À un moment, tandis que les autres se trouvaient dans la cuisine, il m'a raconté comment ce type, qu'il appelait Morrison, ramassait des filles dans le centre. Il les faisait monter dans sa voiture et les conduisait à son hôtel. Morrison faisait semblant de les étrangler, parce que ce truc-là l'excitait. Selon Smith, Morrison avait un jour presque tué l'une d'entre elles, et elle s'était mise à beugler en courant à toutes jambes, mais ça n'avait pas eu de conséquences. Et Smith m'a dit ensuite que, cette fois vers 1945 ou 1946, Morrison lui avait expliqué ce qu'il avait dans la tête à propos d'une serveuse qui travaillait dans un restaurant italien sur Figueroa. Il lui avait raconté qu'il pourrait lui lier les quatre membres comme on attache une truie, la baiser de cette façon-là, repliée, et la maintenir dans une certaine position, "à la renverse", a-t-il dit, en faisant en sorte qu'elle s'étrangle ou qu'elle s'étouffe. J'ai voulu savoir comment il la ferait suffoquer et il m'a répondu en lui mettant quelque chose dans la bouche. Quand on plaçait quelque chose d'une certaine façon dans la bouche, il devenait impossible de respirer par les narines. »

À propos de ses rencontres avec Smith, l'informateur signala qu'il ne se référait jamais à Elizabeth Short en la désignant par son nom. « Il ne l'appelait ni Elizabeth, ni la fille Short, ni Beth, mais *elle*, ou bien, quand je n'arrivais plus à suivre et demandais ce qu'il voulait dire, *"elle,* celle dont on parle, là". En me rapportant ce qu'il prétendait tenir de ce Morrison, à propos des circonstances de la mort de la fille, il ne manifestait aucune émotion, aucun regret, ne montrait aucun signe de tristesse et ne s'intéressait absolument pas au fait qu'elle soit déjà morte ou encore vivante à tel ou tel stade. Il ne se servait pas de son nom. Il employa uniquement ce *elle* et jamais l'expression "Dahlia Noir". »

Smith déclara *l'*avoir vue une ou deux fois au Al Greenberg's Café, sur McCadden, ajoutant qu'elle était amie avec la femme d'un écrivain « bidon ». Ce type s'appelait Henry Hassau et vivait sur Sycamore, un peu plus haut que le Grauman's Chinese. Smith expliqua à l'informateur que plusieurs types qui gravitaient autour du Greenberg's Café, dont Greenberg lui-même, avaient trempé dans un grand nombre de cambriolages. Une autre fois, alors qu'ils buvaient dans un bar du centre, Smith affirma connaître l'un des membres de ce gang, un certain Bobby Savarino. Il y avait eu entre eux quelques problèmes.

À cause de cela, il avait craint une arrestation. Il avait eu peur d'être compromis dans le cambriolage d'un night-club. Cet épisode se situait autour du mois de janvier 1947. D'après Smith, Hassau s'était fait attraper. Greenberg aussi avait été arrêté, ainsi que d'autres, à la fois pour ce cambriolage et d'autres braquages.

« Il y avait cette femme blonde, au Roosevelt Hotel, sur la 29e Rue, qui était liée à un Chinois, lui-même propriétaire de vieux appartements où Smith prétendait avoir logé, même si, à mon avis, il n'y avait séjourné que par intermittence. Sa mère avait habité là à une époque, mais elle était ensuite partie en maison de retraite. Selon Smith, au cours de cette période particulière, quand il craignait d'être arrêté pour le cambriolage, il s'était replié sur Hollywood. La femme d'Hassau avait raconté aux flics que ce jeune gars, le grand maigre, celui qui buvait et qui était infirme d'une jambe, vivait dans la partie sud de *downtown*. Smith se faisait du souci à cause de ça. Il connaissait l'autre, la blonde ; il disait se souvenir qu'elle avait joué dans des films et qu'elle faisait aussi la pute. C'était elle qui s'occupait de ces vieux apparts où il avait logé, sur la 31e Rue. »

Un autre jour, alors qu'ils s'étaient retrouvés au 555 Club, sur Main Street, Smith avait apporté une vieille boîte à bonbons de la marque See's, fermée par des élastiques. Il y conservait des coupures de journaux et des affaires personnelles, des photographies, des épingles à cheveux et un petit mouchoir qui avaient appartenu à Elizabeth Short. L'une des photographies avait été prise dans le bar qui se trouvait autrefois à l'emplacement du 555 Club. On y voyait un Smith plus jeune, Elizabeth Short et une fille blonde. Il y avait également un autre jeune homme sur ce cliché. Smith affirma qu'il s'agissait d'Al Morrison. Il refusa que l'informateur manipule cette photo, la tenant devant lui, par les bords, afin qu'il puisse l'examiner sans la toucher. C'est à ce Morrison que Smith devait attribuer la responsabilité du meurtre d'Elizabeth Short. Morrison avait une chambre au Wilcox Hotel, à Hollywood et, quand il n'y était pas, Smith s'en servait pour « aller cuver ». Il avait eu plusieurs fois l'occasion de partager une bouteille avec un réceptionniste de l'hôtel qui faisait les nuits.

L'informateur rapporta qu'aux dires de Smith il s'agissait d'une chambre d'angle, presque en V. À une extrémité, il y avait le pied du lit, qui faisait face à une fenêtre, et au chevet du lit s'ouvrait une petite salle de bains. Selon l'informateur, « il semblait bien se souvenir de ce genre de détails ». C'est dans cette chambre que Smith allait prétendre avoir emmené la fille, un soir où « elle n'avait nulle part où dormir ».

Alors que Morrison se trouvait à San Francisco, dans un club de travestis, Smith l'avait entraînée dans la chambre, après une nouvelle séance de picole en compagnie du réceptionniste. Il avait acheté une bouteille avec ce qu'il avait gagné ce jour-là sur le boulevard en « allant harponner les clients », qu'il faisait monter dans les bus affectés à la visite des résidences de stars.

Smith décrivit la scène à l'informateur : elle était assise au bord du lit, et il avait pris place sur la chaise, près du petit bureau. Au début, selon ses souvenirs, ils n'avaient pas échangé un mot. Elle avait seulement exprimé sa surprise quand il lui avait dit qu'il comptait lui aussi dormir dans la chambre. Et il y avait quelque chose de « pas très formidable », selon lui… Smith avait ouvert sa bière, puis il était allé remplir au robinet de la salle de bains un demi-verre d'eau qu'il avait posé sur le bureau. Elle avait dit qu'elle n'en voulait pas.

Il avait voulu savoir si ça ne la dérangeait pas qu'il boive, lui, et elle avait répondu non. Il se rappelait lui avoir proposé de se servir de la salle de bains si elle le souhaitait. Elle avait décliné l'offre. Il avait déclaré qu'il allait profiter de la douche. Il s'était excusé et avait ajouté qu'il s'attendait à ce qu'elle soit partie au moment où il aurait fini. Enveloppé dans une serviette de bain, il était revenu dans la chambre pour reprendre sa bière. Elle était toujours là, sur le lit, mais entièrement habillée. Par-dessus le marché, elle s'était mise d'un côté, avait tiré à elle tout le couvre-lit, dans lequel elle s'était enveloppée, se tournant contre le mur, selon la description fournie par Smith à l'informateur.

Smith lui avait demandé si elle voulait se mettre à l'aise. Elle n'avait pas répondu, mais avec un mouvement des pieds, elle s'était débarrassée de ses chaussures. Il se souvenait qu'il y avait un grand trou dans l'un de ses bas. Il pouvait aussi voir, à travers les mailles, le rouge de ses ongles de pieds.

Il s'était mis sur le lit, mais elle n'avait pas bougé. Il raconta à l'informateur s'être approché, avoir passé le bras sur elle, ou autour d'elle, et l'avoir graduellement fait pivoter sur le dos. Ça n'avait pas été facile, parce qu'elle paraissait sans vie, comme si elle était ivre morte. Mais il savait qu'elle était éveillée. Quand il lui avait passé la main sur la poitrine, elle avait haleté avec une espèce d'exaspération. Il pouvait sentir ses seins à travers son pull.

Smith lui avait demandé ensuite si elle voulait se déshabiller, mais elle ne lui avait pas répondu. « Il m'a expliqué, raconte l'informateur, avoir eu plutôt l'impression qu'elle cherchait à s'éclaircir la gorge. Elle respirait maintenant à peine et restait parfaitement immobile. Il s'est alors dit, nom de Dieu, pourquoi s'embêter avec tout ça ; c'était le moment de glisser la main entre ses jambes et d'y aller. Mais, si elle ne dormait pas, elle avait toujours cette attitude de froideur délibérée. »

Il a alors avancé la bouche vers son visage, parce qu'elle s'était tournée un peu plus dans sa direction et qu'elle commençait à basculer vers lui. Tandis qu'il la déboutonnait, elle a regardé en l'air. Il a desserré sa jupe et relevé le pull qu'elle portait. Puis, d'après l'informateur, « il s'est amusé un peu avec la fermeture de son soutien-gorge, jusqu'à ce qu'elle pose les mains sur les siennes en lui disant qu'elle ne voulait pas faire ça. "Tu serais déçu, de toute façon", lui aurait-elle affirmé. »

Il a déclaré qu'il ne le ferait pas, si elle ne voulait pas qu'il le fasse. Il ne voyait rien en elle qui puisse le décevoir, a-t-il ajouté, approchant la bouche de son ventre, qu'il avait dénudé en relevant le pull. « Il m'a confié, explique l'informateur, que c'était vraiment gênant tout ça, le haut de son corps et le reste, son buste et sa tête qui bougeaient à peine. Elle était peut-être même complètement immobile – elle restait probablement étendue là, à fixer le plafond. »

Quelques jours plus tard, quand Morrison fut de retour à L.A., Smith le retrouva dans un bar minable, le Ace-Hi. Smith logeait toujours à l'hôtel et continuait de boire. « Il ne savait plus depuis combien de temps il y était, dira l'informateur. Ensuite, Morrison s'est pointé à l'improviste. Il avait annoncé qu'il repartait à San Francisco, ajoutant qu'il supposait que Smith avait deviné ce qui s'était passé. Morrison, d'après Smith, faisait référence au meurtre. »

Selon la police, on avait perdu toute trace d'elle à partir du 9 janvier au soir, jusqu'à ce qu'on retrouve son corps sur une parcelle de terrain, le 15 janvier, et, même si un certain nombre de pistes étaient apparues – des gens étaient censés avoir aperçu le Dahlia Noir –, aucune d'elles ne s'était vérifiée. Cependant, d'après le récit de Smith, le soir du 13 janvier, elle avait couché à l'appartement d'Henry Hassau, sur Sycamore. Hassau avait été arrêté, rappellera Smith, « en compagnie de deux ou trois autres gars de chez Greenberg ».

Ce qui suit est la transcription des propos tenus à l'informateur par Arnold Smith, conservée au LAPD et dans les dossiers du shérif du comté de Los Angeles :

> Elle a dit à Morrison qu'elle couchait chez Hassau, en bas, sur le canapé. Morrison l'avait repérée alors qu'elle marchait sur le trottoir, au coin d'Hollywood, en face du Roosevelt Hotel. Il lui avait dit : « Hé, qu'est-ce que tu fous là ? » Elle était montée dans sa voiture et ils étaient restés un moment comme ça. Ensuite, elle est ressortie et elle s'est éloignée.
>
> Mais elle a eu l'air triste et elle est revenue dans la voiture. Il a démarré et ils sont partis vers le sud, en prenant par La Brea. Elle voulait savoir où il allait, et il est descendu jusqu'à Washington, qu'il a pris pour aller vers l'est, plus loin que Flower. Ensuite, il a continué à rouler comme ça, descendant vers le sud en direction de San Pedro Street. Ils ont tourné dans San Pedro et roulé plus loin encore vers le sud, jusqu'à un autre hôtel sur la 29ᵉ Rue, qui s'appelait aussi le Roosevelt Hotel, mais sans rapport avec l'autre, celui d'Hollywood Boulevard.

Là-bas, on lui a donné la clé. Le gars connaissait la blonde – celle qui était à la colle avec le Chinois, c'est elle qui avait les clés. Ensuite, il l'a conduite à la maison du Chinois sur la 31ᵉ, mais là, il a pas pu rentrer.

Il y avait un problème avec la clé, si je me rappelle bien la situation, telle qu'on me l'a décrite. Morrison a dû rouler jusqu'à un genre d'atelier en tournant au coin de la rue, vers le croisement entre la 33ᵉ et Trinity, pour faire redresser la clé. Elle se plaignait d'être obligée de revenir, à cause de la femme d'Henry. Plus tard, j'ai dit à Morrison : « Tu crois pas qu'elle essayait en fait de revenir pour me voir, moi ? » Il est devenu rouge quand j'ai dit ça. Premièrement, en fait, on pouvait pas du tout la baiser, tu vois… Lui, il a dit qu'il l'avait baisée, alors je l'ai traité de menteur. C'est sûr que j'avais la queue raide dès que je voyais sa bouche. Mais je jure devant Dieu que je l'ai jamais mise, et je savais que ce fils de pute était un menteur.

Il y avait une bouteille rouge avec un bouchon en verre comme celles où on met du parfum. Il aurait pas pu se servir de ça pour lui faire sauter les yeux. Mais c'est ce qu'il a dit, et il faut le comprendre, parce qu'il avait plus toute sa tête. La moitié des truands dans son genre ont le cerveau bouffé par la syphilis. Je savais qu'il devait avoir perdu la boule pour avoir fait ce qu'il lui a fait. Sachant qu'il avait fait ça de A à Z, mais aussi qu'il ne pouvait tout simplement pas faire autrement, tu vois ce que je veux dire ? Donc il avait en partie une excuse, à cause de ça.

Je me souviens qu'il m'a dit avoir fait tourner la voiture dans cette rue en terre et l'avoir garée derrière la maison, près de l'incinérateur. Il l'avait mise là pour qu'elle soit tout près de la maison. Il est revenu vers l'entrée principale, puisque la porte de derrière était fermée.

C'est la maison du Chinois. Dans les blocs 200 et quelque, sur la 31ᵉ Rue Est, entre San Pedro et Trinity… Une vieille bâtisse marron à charpente en bois, sur deux niveaux, où il y avait des chambres et des locaux à louer.

Tu rentres là-dedans par des marches sur le devant, des marches en bois, et ça te conduit dans l'entrée où t'as tout de suite les escaliers qui montent. Dans l'histoire dont je te parle, il monte derrière elle jusqu'au deuxième étage. Il y a une mauvaise odeur. T'imagines aller là-bas et en fait ça sent comme si c'était fermé depuis très longtemps. Il ouvre sa bière direct et il s'assoit sur le canapé, mais il ne ferme pas les putains de rideaux. C'est ça qui va pas, à ce moment-là, parce qu'elle dit qu'elle arrive pas à respirer, à cause de la poussière partout. Mais lui, il dit rien – il reste juste là à attendre.

Il est obligé de lui dire de se tenir tranquille, encore une fois. Mais elle dit qu'elle doit passer un coup de fil et quand elle se met à décrocher le téléphone, il dit : « Non, tu peux pas. » Il raccroche. Elle dit quelque chose comme « Je suis prisonnière ? » Et il répond : « C'est ça. T'es prisonnière ». Elle dit qu'elle va aller appeler au magasin. Elle veut dire, là où ils sont passés juste avant. Elle attrape son sac à main, et il dit : « Non, tu bouges pas d'ici. » Mais elle était déjà partie pour sortir, elle s'en allait, c'est tout. Alors il est sorti dans le couloir et il l'a rattrapée en haut des escaliers, et il lui a dit : « Tu ferais mieux de revenir à l'intérieur. Je te conseille pas de sortir. »

Elle a rien dit et il a fait « OK ». Il est venu vers elle et il l'a attrapée par le bras, comme ça, et il a commencé à la tirer en arrière, mais elle s'est dégagée et elle a répondu à coups de sac à main. En balançant son sac, elle l'a touché sur le côté du visage. Il l'a frappée brutalement et il a senti que ses genoux flanchaient. Il l'a entraînée en arrière, dans la maison. Elle est restée appuyée contre la porte de la chambre pendant qu'il refermait la porte à clé. Elle se tenait là, simplement, comme si elle était pas tout à fait sûre de ce qui allait suivre, ou pas prête à l'admettre. Ensuite il m'a dit qu'il l'avait attrapée et qu'il l'avait poussée et qu'elle était tombée, contre ou sur le canapé. Après ça, elle s'est retrouvée avec sa jupe soulevée. Il m'a dit qu'il était debout au-dessus d'elle et qu'il lui a promis qu'il allait lui baiser le cul.

Elle a commencé à hurler, alors il s'est penché pour la frapper encore, très fort. Il m'a dit qu'il avait mis la main sur son cou et qu'il avait gardé comme ça sa tête immobile pendant qu'il la frappait deux ou trois fois. Elle a pas bougé. Maintenant, il savait plus ce qu'il allait faire. Sauf qu'il est ressorti de la pièce, par la porte qu'il avait fermée, et il est redescendu en bas, au rez-de-chaussée, vers l'arrière de la maison, là où il y avait la cuisine... Et là, il a compris ce qui allait se passer.

Quand il est sorti, il y a eu de drôles de bruits, des sons comme il en avait jamais entendu. Il pouvait pas dire si c'était des gens qui faisaient du tapage dans le rade ou si ça sortait de ces maisons pourries, là, de l'autre côté de la clôture. Il était pas sûr. Il arrivait presque à distinguer des voix, comme des gens qui parlaient, tu comprends ce que je veux dire ? Bref, il est allé vérifier s'il y avait assez d'essence dans la voiture et aussi regarder sous le siège. Il fallait qu'il reparte vers le nord. Il a remonté les escaliers de derrière. Il a repassé la porte et traversé l'arrière de la maison, là où ils mettaient du béton. Ils étaient en train de cimenter le passage et il a dû sauter au-dessus ou bien ses chaussures s'enfonceraient dans la saleté, la boue qu'il y avait là. Il se souvenait qu'il y avait un tuyau à cet endroit. Le tuyau fuyait et l'eau coulait à l'arrière de la maison, près de l'incinérateur.

Ça lui trottait dans la tête... Tout ce qui allait se produire. Il avait pas besoin de se poser de questions, parce que tout était là, étalé devant lui.

Il avait sur lui un petit couteau, ou bien il l'avait trouvé dans la véranda, une espèce de couteau à épluchures, et il y avait aussi dans la véranda une corde, une corde à linge. Ça correspondait à ce qu'il avait imaginé pour la serveuse. Ensuite, il a dit qu'il y avait aussi dans la cuisine un couteau plus grand, une sorte de grand couteau de boucher large de cinq centimètres, presque aussi large qu'un sabre à hauteur du manche. D'après lui, un couteau comme ça pouvait servir à découper son corps. Mais il a dit qu'il ne savait pas ce qu'il allait faire avec le couteau, sauf peut-être l'effrayer et l'obliger à rester au fond de la pièce. Il est remonté, et il l'a trouvée toujours par terre, elle s'était pas relevée. Elle était appuyée sur le coude ou sur un bras, et elle jetait des regards autour d'elle.

Après, elle s'est trouvée au bord du canapé, je pense qu'il l'avait prise par le bras – à ce niveau-là, cette partie du bras – et qu'il l'avait soulevée pour la mettre sur le canapé, mais c'était pas le genre de canapé qu'on imagine. C'était un divan avec un cadre en métal, un peu plus petit qu'un lit normal auquel on pense pour ce genre de choses. Il lui a dit : « Ça te suffit ou t'en veux encore ? » Elle a dit que ça suffisait, alors il a ouvert cette bouteille... C'est ce qu'il a dit – oh, en fait il l'avait ouverte en bas, là où il y avait l'évier, l'espèce de baquet, juste avant la porte de derrière. Elle arrêtait pas de dire : « Qu'est-ce que tu vas faire ? »

Déjà, il allait boire cette bouteille. Elle a dit que sa bouche lui faisait mal. Elle a eu peur du couteau, elle s'est levée et elle a commencé à bouger, alors il s'est jeté sur elle et il l'a de nouveau frappée, mais ça l'a pas calmée et ça a pas semblé l'arrêter. Donc à ce stade il a été nécessaire de lui montrer qu'il était prêt à la frapper avec le couteau.

Il a arraché ses vêtements, pas en les déchirant mais en les découpant avec le couteau. Je sais pas ce que... Il m'a pas raconté s'il avait dit quelque chose, mais en tout cas je me souviens de lui très effrayé, de son visage qui était blanc, et de ses yeux qui regardaient nulle part, presque comme si c'était pas de vrais yeux. Comme s'ils étaient en verre et qu'ils brillaient, et il avait froid mais il transpirait en même temps, et il a fermé les lumières... Il y avait cette lampe, une sorte de lampe de bureau qui brillait très fort, aussi fort que celle que tu vois, là. C'était comme les flashs de lumière quand on te frappe sur la tête. Après il lui a mis un chiffon dans la bouche. Il s'est servi de sa culotte, et puis il l'a assommée une ou deux fois. Elle était toute ficelée sur ce divan, elle était dépouillée de tous ses vêtements et elle avait été salement coupée.

Je pourrais même pas te raconter à quel point c'était moche. Tout ce que j'en sais, je veux dire, c'est seulement par les informations qu'on m'a données. Je savais que ça devait être un autre Chinois. Ils lui ont élargi la bouche. Il

275

y avait du sang sur le canapé. Il savait que c'est lui qui allait porter le chapeau et il fallait qu'il se débarrasse de ça.

Elle était nue, il l'avait seulement attachée par les mains et elles étaient relevées comme ça au-dessus de sa tête. Il lui a donné beaucoup de coups de couteau, pas très profonds, pas des coups assez forts pour tuer, mais il l'a plantée et piquée un grand nombre de fois et puis il a fait une entaille autour de l'un de ses nichons, et ensuite il a coupé son visage en travers. Dans l'axe de la bouche. Après ça, elle était morte.

Ses jambes étaient pas attachées à ce moment précis, mais il était clair qu'elles avaient été attachées avec la corde – le morceau qui avait été attaché était coupé, mais il restait relié au cadre, et il y en avait un bout, là.

Le couteau était par terre, près des bouts de corde, un petit couteau, le couteau à épluchures qui avait servi à la piquer. Je crois que c'était en voyant cette corde en bas, à l'arrière, et tous ces bouts de fil de fer, qui étaient plus gros. Pas la partie en fil de fer des cintres, je veux dire, mais l'autre type de truc, le crochet qui va sur la tringle où on suspend les vêtements. Mais c'était pas comme ça, c'était souple et passé autour de l'armature. C'est ça qui vient à l'esprit.

Il fallait trouver comment se débarrasser d'elle, et il y a probablement d'abord eu l'incinérateur, dehors, derrière. Brûler les vêtements et les machins et le couteau. Il avait eu l'idée de se servir du couteau au moment où elle avait eu la corde autour du cou, quand on l'avait maintenue comme ça sur le canapé. Maintenant, son slip ou sa culotte était toute coagulée avec du sang, ça faisait comme un tampon de sang mais c'était difficile à voir tout de suite, parce que le tissu était noir, mais le sang se voit quand même sur du noir, et il y avait aussi ces autres petits bouts de tissu qui probablement ne lui appartenaient pas et le problème, c'était qu'il fallait également les brûler. En fait, c'est plus facile d'essayer d'imaginer ce qu'il m'a raconté, comme quand tu regardes un film, tu vois ce que je veux dire.

Il s'est dit qu'il y avait un couteau plus grand qui pourrait aller. Mais il fallait qu'il retourne en bas, pour aller chercher dehors les planches dont ils se servaient pour couler les formes. Peut-être qu'il y en avait trois, ou peut-être qu'il en a remonté quatre. Il est retourné dans la chambre où elle était, qu'il a traversée pour aller dans la salle de bains, séparée par ce petit couloir. C'est pas vraiment un couloir mais... En fait il y a cette fenêtre par où tu peux voir le toit de la voiture et le coffre, si tu regardes dehors. Et de l'autre côté, du côté opposé, il y a la niche dans le mur, pas un placard parce que c'est pas fermé, mais c'est arrangé avec une tringle pour les vêtements, et il y a un genre de rideau qui est en fait un rideau de douche, là devant la tringle. Dans la salle de bains, les planches ont été mises en travers de la baignoire – disposées comme ça. Elle a d'abord été transportée dans la salle de bains, si je me rappelle bien les informations que j'ai eues. En partie portée, et en partie traînée jusque-là. Elle était par terre et il la regardait, c'est ce que j'ai compris. Il s'était amusé un peu avec son ventre, aussi. Il avait utilisé le couteau, il avait fait des décorations de cette manière-là. Il avait fait encore deux ou trois choses au corps, en imaginant qu'elle était toujours vivante, pour voir si elle pourrait supporter ça.

Autant que possible. Tu comprends, c'est...
Il y avait un but, en faisant ça : que ce soit
comme quand une personne subit tellement de
choses, que peut-être elle doit... Tu pourrais
parler d'une... anesthésie. C'est un mot dans
une grille de mots croisés.

Il y a eu aussi le morceau de muscle, ou la
partie de la mâchoire, au moment où elle était
en train de mourir... Mais ça, il s'en était
occupé, et maintenant il fallait l'allonger au-
dessus de la baignoire, en la mettant sur les
planches. Ensuite il a attaché les bras et attaché
les mains aux poignées du robinet et à la
douche. Ensuite il a soulevé une jambe, la première, celle qui penchait le plus près du côté
de la baignoire, pour la mettre au-dessus, sur la
planche où elle devait aller. Elle reposait avec
une planche juste sous son dos, une autre juste
sous ses hanches, là, sous son cul – tu vois,
avec une corde autour de chaque jambe. Les
cordes ont été tirées vers le bas, tirées pour les
accrocher au bas des chiottes – la cuvette des
toilettes, mais il y avait aussi le tuyau. Pas ce
qu'il y a sur le mur, sous le réservoir d'eau,
mais la conduite d'évacuation et le tuyau qui
apporte l'eau. Donc, il avait tiré et il avait fixé
le corps, parce que c'était pas possible d'aller
dans la baignoire avec ce genre de couteau. Ce
couteau-là en particulier.

L'idée c'était d'abord de couper les jambes
en haut des cuisses, mais il aurait fallu faire ça
en deux fois. Donc la bonne décision c'était de
séparer, de couper ça en deux, pour pouvoir
transporter plus facilement les deux morceaux...

Le vrai plan, c'était pas de brûler complètement le corps dans l'incinérateur à ordures,
mais plutôt de le séparer en deux pour faciliter

l'enlèvement, donc il fallait commencer avec une approche différente. Le corps était sur les planches, au-dessus de la baignoire. Sous la taille il y avait du vide, les planches étaient assez grandes en largeur mais il y avait quand même une ouverture à ce niveau-là. La coupure devait donc se faire au milieu. Bien serrée comme elle était, ça pouvait passer au travers, de part en part. Et comme ça le corps serait ouvert.

Le couteau, c'était le plus grand des deux. Je dirais qu'il devait faire environ vingt-cinq centimètres de long, la longueur d'une machette, il faisait cinq centimètres de large près du manche. Le couteau est allé plus loin que ce qu'il imaginait, il a pu le passer au travers de tout le corps en une seule fois. Ça s'est vidé dans la baignoire. Il y a du sang qui en sortant a coulé sur les planches, et même un peu qui a giclé vers le haut, d'une certaine façon. Mais c'était bien coupé de part en part. Après le problème ça a été : comment passer à travers l'os qu'il y avait là, dans le dos. Le truc important, c'était qu'il fallait finir ce qui avait été commencé. Si on voulait vraiment la séparer en deux de la façon dont on parle.

Quand la planche a été retirée, la partie basse est tombée dans la baignoire, mais elle est restée suspendue d'un côté, et elle s'est vidée comme ça. Même chose pour le haut qui est resté pendu dans la baignoire. Elle a eu des marques dans le dos. Les deux morceaux se sont vidés comme ça, penchés, on pourrait dire étendus dans la baignoire. Mais les hanches et les jambes suivaient la pente de la baignoire, tandis que le haut pendait presque tout droit. Pas aussi droit que le dos d'une chaise, mais plus que l'autre partie. Elle est restée comme ça dans la baignoire pendant que les planches étaient emmenées en bas, dehors. Les planches et tous les trucs sont allés dans l'incinérateur.

Il y avait un balai à franges avec le balai ordinaire et il s'en est servi, et des chiffons aussi, ensuite ces trucs sont repartis en bas, dans l'incinérateur, qu'il a allumé.

Les couvertures et le rembourrage du matelas – pas vraiment un rembourrage en fait, plutôt un truc comme du feutre épais, un tissu lourd –, tout ça était entièrement dégueulasse. C'était complètement salopé, mais ça a servi à faire des espèces de paquets, en les roulant en boule. Il y avait de l'eau dans la baignoire. La baignoire avait été remplie. Il a mis ça à l'endroit où il y avait ses mains, autour des robinets, et de cette façon ça ne trempait pas dans l'eau. Le sang s'est dispersé dans l'eau. Il y avait un bouchon avec une chaîne dans l'eau, il l'avait mis avant de remplir, et l'eau avait fait remonter le corps. Quand la baignoire a été remplie le corps était tout en haut.

Il était inquiet pour les endroits où il y avait des cordes, alors ensuite il les a coupées. Il a dit qu'il s'est assis sur les toilettes et qu'il a coupé la corde, d'abord les morceaux qui s'enroulaient autour de la cuvette et du tuyau. Ensuite il les a enlevés des parties du corps attachées avec. Le corps avait été dans l'eau mais cette eau-là avait été vidée, et la baignoire avait été encore remplie : le corps était à nouveau dans l'eau à ce moment-là. Le corps en remontant avait eu tendance à flotter plus haut. En coulant, l'eau avait fait du mouvement dans la baignoire. Toutes les traces de contact qu'il y avait pu y avoir sur la peau étaient parties avec l'eau.

Et il les avait fait partir à fond en les essuyant. Il y a eu aussi cette idée qu'elle était pas morte, parce que ses yeux étaient ouverts et qu'ils avaient une expression comme si elle était pas morte. Ce qui voulait dire, je pense, qu'il avait peur, qu'il était de plus en plus effrayé et donc, à partir de là, il savait qu'il fallait qu'il s'en débarrasse. Je crois que c'est à cause de l'eau, quand elle s'était écoulée, quand elle était entrée dans les parties ouvertes du corps et qu'elle avait fait des remous… C'était pas vraiment de l'excitation ou ce genre de sensation, mais comme pour le bout de mâchoire dont j'ai parlé avant, ça rendait nécessaire de s'occuper du reste.

Le problème des contacts avec la peau avait été réglé, et pour la suite, en bas, il y avait la toile cirée sur la table de la cuisine. Mais ça suffisait pas, alors il y avait ces rideaux et aussi le rideau de douche dans le couloir, là-haut. Elle a été enveloppée dans les rideaux. La nappe aussi a été tirée. Le rideau de douche a servi je crois pour transporter les deux morceaux en bas. Le sac a été mis au fond du coffre. C'était le sac de ciment qu'il y avait à l'arrière de la maison.

Elle a été placée dans le coffre de la voiture, et ensuite il a roulé jusqu'à atteindre l'endroit où il pourrait mettre le corps – la sortir de la voiture. La partie du haut, il l'a tirée par les bras et l'a laissée sur l'herbe. La partie du bas, elle était sur le sac de ciment et il l'a transportée comme ça. Le bas a d'abord été déposé par terre, ensuite il a été déplacé en tirant sur une jambe dans ce sens-là, un peu plus loin du trottoir. Ensuite le haut a été ramassé et mis comme il fallait.

Le sac de ciment a été laissé là où il se trouvait au moment où le bas a été éloigné du trottoir en tirant sur la cheville. Le rideau de douche et la nappe sont restés dans le coffre. Tous ses vêtements avaient été entièrement découpés, mais pas ses chaussures et son sac à main. Son carnet était par terre dans la voiture. Il a été mis dans une bouche d'égout. Tout ça est allé dans un égout.

18

— Racontez-moi encore de quelle manière il a placé le cadavre dans la baignoire, demanda Saint John.

Saint John et un autre inspecteur écoutaient avec une grande attention l'informateur, qui leur répétait les détails fournis par Smith.

— Vous étiez présent quand il a dit ça ?

Il répondit par l'affirmative, précisant que Smith ne faisait que relayer, d'après lui, les propos d'Al Morrison.

— J'ai terriblement besoin de parler à ce type, reprit Saint John, mais vous comprenez bien dans quelle situation nous nous trouvons... Impossible de se lancer à sa poursuite à travers la ville sans savoir qui il est vraiment et où il se trouve... Si, de votre côté, vous avez la moindre possibilité de le convaincre de venir nous voir, ou si pouvez obtenir un tuyau qui nous permette de le localiser, je serai en mesure de faire quelque chose. Dès qu'on tiendra une piste sur ce personnage, nous pourrons agir à partir de vos informations.

L'informateur n'avait qu'une mince idée de l'endroit où Smith pouvait traîner : les environs du Cromwell Hotel, près de la 7e Rue. Il expliqua à Saint John la difficulté d'entrer en contact avec Smith, qui, en général, lui passait un coup de fil dans un café chinois sur la

7ᵉ Rue ou y laissait un message. Parfois, il appelait d'une cabine à pièces et demandait à l'informateur de le rappeler dans une autre cabine qu'il lui indiquait.

— Ça ne se passait pas comme ça, au départ, quand on prenait des verres ensemble au Cromwell ou dans les bars qu'on fréquentait, ajouta l'informateur.

Saint John l'interrogea de nouveau au sujet des planches. À quelle distance avaient-elles été placées les unes des autres? Il semblait s'intéresser tout particulièrement à la manière dont les deux morceaux du corps avaient été disposés dans la baignoire et laissés un certain temps en position inclinée. L'informateur répéta les détails fournis par Smith.

Tout en restant en contact régulier avec l'informateur, Saint John eut des entretiens sur le sujet avec d'autres inspecteurs. Il rapporta les informations données par Smith à celles qui figuraient dans les dossiers de la police, puis il revit l'informateur. La police avait la conviction, lui dit-il, que Smith utilisait le personnage d'Al Morrison comme un écran de fumée. Smith leur balançait ce Morrison en guise d'appât vivant.

— Il prétend qu'un autre type lui a décrit ce que lui-même ne ferait ensuite que vous répéter. C'est toujours le même vieux truc. Vous dites : « Écoutez ce qui est arrivé à un copain à moi… », alors que c'est en fait de vous-même que vous parlez. En réalité, Smith diffuse de possibles informations de première main en les mettant dans la bouche d'un autre, comme s'il s'agissait de propos rapportés, si vous voyez où je veux en venir.

Selon les inspecteurs, Smith était présent durant le meurtre. Il devait y avoir pris part, d'une manière ou d'une autre, et il savait pour quelle raison le corps avait été abandonné à l'endroit précis où la police l'avait retrouvé. Il connaissait certains détails dont personne d'autre, excepté les inspecteurs ou le coroner, ne disposait.

Saint John accumula pas moins de quatre-vingt-huit pages de transcriptions, plus cet enregistrement capital sur cassette audio. Après avoir soigneusement examiné l'ensemble, il entreprit de confronter les déclarations de Smith avec celles d'une femme qui avait fréquenté de près Elizabeth Short, contenues dans les dossiers confidentiels de la police. Elle fut en mesure de confirmer la plupart des détails intimes que Smith semblait tout naturellement connaître. Beaucoup de pièces du puzzle s'assemblaient.

Mais Smith avait structuré son récit de façon à ne paraître rapporter le meurtre que par ouï-dire.

— Même s'il s'agit peut-être de l'homme que nous attendons depuis des années, avertit Saint John – et je donnerais n'importe quoi pour résoudre cette affaire –, comment lui faire endosser le crime sans lui mettre d'abord la main dessus?

Une suggestion sortit du bureau du capitaine : attirer Smith dans un piège. Le jeune coéquipier de Saint John, Mellecker, pourrait être présent incognito, en civil, dans un bar où l'informateur retrouverait Smith, et se placer à côté d'eux. Mellecker engagerait la conversation avec l'informateur et proposerait de leur offrir une tournée. Dans ce cas, précisa l'informateur, il faudrait être prêt à agir très rapidement. Il ne savait jamais exactement à quel moment Smith allait le contacter, même si c'était toujours quand il avait besoin d'argent.

La semaine suivante, le petit jeu du chat et de la souris se poursuivit, mais Saint John apprit par l'informateur que Smith commençait à avoir la frousse.

— Maintenant, c'est à vous de lui fixer une date, dit le policier. Je veux absolument arrêter ce type... J'en crève d'envie, de plus en plus.

Un rendez-vous avec Smith, au Harold's 555 Club, fut arrangé pour la fin du mois de janvier. L'informateur en avisa Saint John et Mellecker. Enquist s'en réjouit. « Ils vont l'avoir, ce fils de pute ! »

L'inspecteur Joel Lesnick, des services du shérif, devait bientôt faire le rapprochement avec le meurtre de Georgette Bauerdorf. Il s'aperçut qu'« Arnold Smith » n'était en fait qu'un pseudonyme parmi la douzaine utilisée par un certain Jack Anderson Wilson, un type d'1,90 mètre, émacié, alcoolique, infirme d'une jambe et ayant fortement tendance, malgré ses craintes, à évoquer de vieux secrets enfouis depuis longtemps.

L'inspecteur Lesnick avait participé aux « opérations de maintien de l'ordre » en Corée, où il était sergent de première classe, dans les tanks. Il avait ensuite rejoint les services de police du comté. Il avait travaillé comme agent en uniforme, puis à la prison du comté de Los Angeles, avant d'être affecté aux secteurs de Firestone Station, Watts, Willowbrook et Carson, et enfin d'intégrer la division d'enquêtes, en tant que policier en civil.

« J'avais fait plusieurs arrestations au Harold's 555 Club, sur Main Street, pour des histoires de drogue. On bossait sur tous types d'affaires, dans toutes les *incorporated cities* du comté[1]. Avant d'aller à L.A. City, on informait les Stups, au LAPD, puisqu'il s'agissait de leur juridiction. Il y avait beaucoup d'échanges entre le LAPD et les services du shérif chargés des affaires de meurtres non résolues. Grâce au "211" du Mocambo, le vol avec violence concernant le gang de McCadden dont on s'occupait et qui dépendait du shérif, j'ai eu

---

1. Villes « sous contrat » avec le comté : la police y est assurée par les services du shérif. Voir note 1, p. 226.

des informations toutes fraîches. L'un des bandits mesurait 1,90 mètre, il était très mince et avait le visage marqué.

« Il semblait y avoir un lien possible avec le meurtre. Connaître la psychologie des différents protagonistes est alors devenu vital.

« Si Smith était impliqué dans le "211" du Mocambo et s'il nous avait glissé entre les mains alors qu'on avait arrêté les autres, peut-être fallait-il y voir, d'après ce qui disait le shérif, la véritable raison pour laquelle il avait démoli Elizabeth Short. En fréquentant Smith, elle aurait pu avoir eu connaissance du hold-up. D'autant qu'on allait se retrouver en fin de compte non pas face à un simple "211", mais devant une longue chaîne conduisant à quelques personnages assez puissants dans le crime organisé.

« Elizabeth Short était dans une mauvaise passe, elle n'arrivait apparemment pas à décrocher un job et elle en était réduite à vivre aux crochets de ses amis... Elle ne poursuivait pas un objectif à long terme ; à mon avis, elle ne faisait que rebondir. D'où les très nombreux appartements ou chambres qu'elle a occupés. Était-elle réellement l'amie des ivrognes et des parias ou jouait-elle la comédie ?

« À la longue, elle a fini par rencontrer Smith, qui, selon nous, était déjà un assassin : il avait violé et tué une précédente victime. Concernant le gang du Mocambo, Smith était en réalité un *outsider*. Il haïssait certains traits de caractère du Dahlia Noir, dans lesquels il se reconnaissait peut-être, mais il se croyait beaucoup plus malin qu'elle et avait l'impression de voir clair dans son jeu. Elle avait appris le hold-up. La détestant pour des raisons qu'il était seul à comprendre, il en est venu à ce qu'il devait appeler un "crime de confusion mentale". C'est la meilleure explication de ce meurtre.

« Après son acte, Smith n'a pas semblé éprouver beaucoup de remords. Il craignait avant tout de se faire coincer *à la fois* pour le "211" et pour le meurtre, et il a été extrêmement étonné de passer à travers les gouttes. Un type vivant sous une telle pression pouvait bien devenir violent et complètement alcoolo... Qu'avait-il encore à perdre ? »

Si l'on se base sur les transcriptions versées aux dossiers secrets du shérif, Smith, alias Jack Anderson Wilson, était « le possible et probable meurtrier non seulement de Georgette Bauerdorf, mais aussi d'Elizabeth Short ».

« Au fil des années, expliquera Sesnick, l'ego de Smith l'a poussé de plus en plus, non pas à se confesser, mais à vouloir raconter à quelqu'un, de façon détournée, ce qu'il avait réussi à faire sans être puni, essentiellement grâce à sa chance. Et si au passage ça pouvait lui rapporter quelques dollars, c'était tant mieux. »

Même avec son long casier judiciaire, émaillé de nombreux faits de violence, Smith resta pour les enquêteurs une énigme. Parmi ses antécédents judiciaires, on trouvait des actes de délinquance sexuelle et plusieurs arrestations pour sodomie, alors même qu'il prétendait ne connaître aucune de ces « pédales » avec qui Morrison faisait copain-copain ou qu'il croisait dans les bars à travelos.

Selon Lesnick, la naissance de Smith s'était accompagnée de circonstances inhabituelles. « Le père a refusé de donner un prénom à l'enfant, si bien que dans le certificat de naissance, daté du 5 août 1920, la case prévue à cet effet est restée vide. En face du nom de la mère, Minnie Buchanan, on a écrit celui du père, Alex F. Wilson, qui fut ensuite barré. Plus tard, on a ajouté un autre nom pour le père, Grover Loving, et pour l'enfant celui de Grover Loving Jr., tout en inscrivant "Wilson", entre parenthèses, à côté du nom de la mère. »

Le docteur Atlee R. Olmstead avait fait accoucher la mère à 8 heures du matin, dans une maison située sur Francis Street, à Canton, dans l'Ohio. Autre correction sur le certificat de naissance, le « non » dans la case « enfant légitime » avait été rayé, avant qu'un autre « non » soit gribouillé sur le document. Quelques informations, au mieux sommaires, referont ensuite surface. Qu'ils aient été légalement mariés ou non, les deux parents venaient de Newland, en Caroline du Nord. Le père, s'il s'agissait bien d'Alex Wilson, était machiniste dans l'Ohio ; il travaillait dans une usine de la société Timken, spécialisée dans les roulements à rouleaux, à Canton.

« Grover Loving Jr. a été élevé à Canton, dans un quartier un peu délabré, à côté des installations industrielles. Dans cette partie de la ville, les maisons ne portaient pas de numéros ; les rues n'étaient pas non plus pavées, et il n'y avait pas l'électricité.

« Son père a continué à travailler chez Timken, tandis que sa mère, Minnie, restait au foyer. Elle avait vingt-trois ans lors de la naissance de l'enfant, et Alex en avait vingt-six.

« Il semble que la mère, soit de Minnie, soit d'Alex, ait quitté la région de Newland pour venir habiter à Canton, dans leur maison, quand ceux-ci sont allés s'installer au sud de la Californie, laissant le petit garçon derrière eux. Il serait resté à Canton avec sa grand-mère. Même si on l'a plusieurs fois fait venir en Californie puis renvoyé dans l'Ohio, c'est à Canton qu'il aurait passé l'essentiel de ses premières années. »

Lesnick parvint à obtenir des renseignements selon lesquels Smith, incarcéré à l'automne 1958 sous le nom de « Wilson » à la prison d'Oakland, en Californie, avait raconté à un codétenu une histoire de « tête de pédé » exhibée dans une boîte de verre, à Cleveland, Ohio. Ce souvenir remontait, disait Wilson, à l'époque où il avait vu Johnny Weissmuller jouer Tarzan au cinéma. « La référence, observera Sesnick, semble coller avec une déclaration de Wilson affirmant qu'Elliot Ness aurait trouvé plus fort que lui en la personne d'un tueur de Cleveland que personne n'a jamais réussi à attraper. »

Paul Cassinelli, psychologue en médecine légale, attirera l'attention sur une autre déclaration de Wilson à propos de la stripteaseuse Sally Rand et de son numéro artistique : il s'était « branlé sous son pantalon » en la regardant danser, à Cleveland. Sally Rand figurait au programme de l'Exposition des Grands Lacs qui s'était tenue en 1936 à Cleveland. On pouvait également y admirer, dans une sorte de ballet aquatique, la nageuse Esther Williams et Johnny Weissmuller, lui-même champion de natation. Enfin, la police avait son propre stand d'exposition, consacré à un assassin, le Boucher de Cleveland ; une réplique de la tête de l'une de ses victimes y était visible, dans une boîte de verre.

Si Wilson attribuait cette tête décapitée à un homosexuel et, généralement, dénigrait les homosexuels, son casier judiciaire fait état de plusieurs arrestations pour « crimes contre nature » (sodomie) et il avait, semble-t-il, une préférence marquée pour les bars homosexuels des quartiers pourris et les *juke joints*[1].

« Apparemment, dira Lesnick, Wilson appréciait la compagnie des voyous, des tapeurs professionnels et des travestis de deuxième zone. Il a évoqué un lien entre l'un de ces types et un meurtre commis à Indianapolis, signalant que cet individu travaillait dans un bar, le Pair of Jacks, ainsi que dans un autre rade de la même zone, le Jud Logan's Bar. Il a aussi fait allusion à cette chambre dans les blocs 7000 et quelque de la 10e Rue Ouest, à *downtown*, où se seraient déroulées

---

1. Petits bouges de fortune, implantés en marge des villes ou au bord des routes, associant l'alcool, la musique, la danse, voire le jeu et la prostitution.

des activités louches, celles des pires quartiers. À quoi il fallait ajouter toutes ces histoires de viols et de meurtres : les méthodes mentionnées par Wilson se rapprochaient particulièrement des circonstances réelles de l'assassinat de Georgette Bauerdorf. Ce qui s'est révélé évidemment d'un grand intérêt pour la brigade des Homicides des services de police du shérif. »

Le docteur Jonathan Pincus, directeur du département de neurologie à la faculté de médecine de Georgetown, consulté au sujet de Jack Wilson, souligne son sérieux problème d'alcool et ses antécédents violents, reflet de sa personnalité, celle d'« un individu violent de façon répétitive » qui a pu commettre un premier meurtre entre vingt et trente ans, mais qui, auparavant, aurait déjà participé à une agression criminelle avec intention de violer, blesser gravement ou tuer. « La différence entre une agression criminelle et un meurtre n'est qu'une question de chance, très souvent », note le docteur Pincus.

« De toutes les drogues, l'alcool est le premier facteur, chez un individu au passé comportemental violent, de déclenchement ou d'aggravation des épisodes de violence. L'état d'intoxication pathologique ne peut être confondu avec l'ébriété ordinaire ; c'est un état dans lequel l'individu, après avoir bu, commet un acte de violence. » Selon Pincus, la prise d'alcool ou de drogue est suspectée chez l'assassin quand la victime est « surtuée », comme ce fut le cas pour Elizabeth Short et pour Georgette Bauerdorf, massacrées l'une et l'autre.

« D'après les documents en notre possession, dira Lesnick, Smith, alias Grover Loving Jr., aurait fait une première apparition à Los Angeles à la fin des années 1930 pour n'y revenir qu'en 1942, sous le nom de Jack Anderson Wilson. Il avait obtenu une déclaration écrite sous serment, prétendument signée par sa mère, attestant que le certificat de naissance au nom de Grover Loving Jr. était inexact : son nom officiel était Jack Anderson Wilson, et Alex Wilson, mort depuis plusieurs années, était son véritable père. Il est possible que le père et la mère de Jack Wilson se soient mariés à l'hôpital, juste avant qu'Alex Wilson ne décède.

« Muni de ce papier prouvant son identité "légitime", Wilson s'est donc pointé à L.A., où il a travaillé chez Coger Brothers, sur Bixel Street, à la pose de panneaux et d'enseignes. Il s'est fait ramasser par la police pour avoir voulu échapper à la conscription, a abandonné son job et est parti pour Indianapolis. Là-bas, il a apparemment recommencé à frayer avec le même travesti, jusqu'à ses vingt-quatre ans, fêtés en août 1944. Et, alors qu'il traîne à Indianapolis, une jeune femme, une militaire du WAC, est assassinée dans un hôtel du centre-ville. Il semble que Wilson ait alors immédiatement quitté Indianapolis pour faire une nouvelle réapparition à Los Angeles. »

Wilson aurait ensuite habité chez Minnie, sa mère, dans la 31e Rue, près de San Pedro. Pendant une brève période, en 1944, il se serait peut-être engagé dans l'armée, mais c'est discutable et cela aurait duré moins d'un an. Et cette année-là en particulier, 1944, se révélera significative pour les services du shérif.

À propos de la photographie que Smith montrera à l'informateur sans l'autoriser à la manipuler, d'après Lesnick, « il est possible qu'il y ait eu une inscription au dos. De plus, elle a peut-être été réalisée par un photographe professionnel, comme ceux qui vous mitraillent dans les restaurants et développent très vite les photos pour vous les revendre. Souvent, leur nom ou celui de leur société se trouvent au dos du cliché, avec un numéro de téléphone, au cas où vous voudriez des tirages supplémentaires. Si Wilson avait payé pour cette photo, il en existait peut-être d'autres copies. »

Les services du shérif purent obtenir des photos d'identité judiciaire de Jack Wilson par l'intermédiaire de la police de Medford, dans l'Oregon, prises à l'occasion de l'une de ses nombreuses arrestations. Employé comme cuisinier à l'hôpital des Vétérans, il avait été appréhendé pour ivresse publique. L'inspecteur Louis Danoff, travaillant aux Homicides sur les affaires non résolues, compila les comptes rendus et les documents concernant le suspect. Le rapport du shérif conclura que « Jack Anderson est un possible et plausible suspect pour le meurtre de Bauerdorf et celui de Short [...]. Pour l'inculper comme suspect ou le disculper, il est nécessaire d'obtenir ses empreintes digitales, afin de les comparer à celles [...] qui ont été recueillies.

« Les renseignements obtenus auprès d'un informateur indiquent que les deux victimes, Bauerdorf et Short, se connaissaient ; qu'elles ont travaillé à la même cantine USO ; et que Bauerdorf a mentionné Short, en la désignant par son nom, dans son journal intime [...]. L'une et l'autre étaient des jeunes femmes séduisantes, d'apparence presque semblable.

« Dans le cadre de l'affaire Bauerdorf, l'enquête s'est révélée très difficile à cause de l'influence de la famille, qui a tout fait pour y mettre une sourdine [...]. Un possible suspect a été identifié : un soldat de 1,90 mètre, boitant d'une jambe ; la victime aurait exprimé des craintes à son sujet. »

Les dossiers du shérif identifiaient ce suspect comme étant :

« JACK A. WILSON, MW, DOB : 5/8/20 OU : 5/8/24

AKAS[1] : Jack Anderson Wilson ; Jack Olsen ; Hans Anderson von Cannon ; Jack A. Taylor ;

---

1. MW (*male white*) : Blanc de sexe masculin ; DOB (*date of birth*) : date de naissance ; AKAS (*also known as*) : aussi connu sous le nom de...

John D. Ryan ; Eugene Deavilen ; Jack McCurry ; Jack H. Wilson ; Grover Loving ; Grover Loving Wilson ; Jack Anderson McGray ; Jack Smith ; Arnold Smith... »

Quand l'informateur proposa à Smith de se donner rendez-vous au 555 Club le dernier jour du mois de janvier, il lui parla également de deux ou trois petites choses qui intéressaient Saint John : quelques pièces de vêtement et un gant de toilette. Smith avait-il souvenir d'objets de ce type ?

— Oui. Certains de ces trucs ont été fourrés dans une bouche d'égout, à environ trois kilomètres au sud de San Pedro. Il y avait du sang sur les vêtements, sur ses vêtements. Il avait enlevé tout le maquillage sur son visage avec un gant de toilette. Il a jeté ça avec le reste des vêtements.

L'informateur déclara à Smith qu'il avait de l'argent pour lui, un petit extra...

— Pas si *extra* que ça en fait, précisa-t-il, en plaisantant autour de ça. Mais j'ai quand même quelques billets pour toi dans ma poche, alors on va aller boire deux ou trois coups chez Harold, OK ?

Smith donna son accord. Puis il ajouta :

— Tu sais, je vais te dire un truc... Si tu regardes un plan et que tu vois où on l'a mise, là où le corps a été placé, c'est le seul quartier dans toute la ville qui a la même forme que la chatte d'une femme.

19

« Alors que le LAPD, racontera Joel Lesnick, se voyait offrir le plus beau suspect de toute l'affaire du Dahlia Noir, celui-ci restait hors de portée des flics. Comme dans une partie de base-ball, il avait touché les trois bases avec son étrange confession, si on pouvait parler de confession, et il était revenu tranquillement dans son camp… »

Un manque de preuves concordantes peut être comblé au moins par un faisceau de présomptions. Rétrospectivement, Smith semblait l'avoir bien compris. « Même s'il voulait faire connaître la vérité, dira Lesnick, il n'était pas pour autant prêt à se laisser pendre. Donc, comme l'avait deviné Saint John, Smith a voulu leurrer la police en collant le meurtre sur le dos d'un autre. »

Louise Sheffield, ancien shérif adjoint, a été *criminal investigator* pour le compte de l'État de Californie, avant d'être recrutée par le Monterey Park Police Department. En tant qu'inspecteur de police, elle effectuera de nombreuses missions confidentielles, conjointement avec la brigade des Stupéfiants du LAPD.

Après avoir mené des investigations, sur commission du pouvoir législatif de Californie, concernant des fraudes à la conciliation matrimoniale, elle est entrée au service du fisc et a participé à des enquêtes secrètes sur le crime organisé. Robert Kennedy, à l'époque attorney general[1], l'a engagée ponctuellement pour conduire d'autres enquêtes confidentielles sur le même sujet, ailleurs aux États-Unis.

« Robert Kennedy m'a recrutée sur une base contractuelle, expliquera-t-elle, parce qu'à cette époque le gouvernement américain n'avait pas de quoi financer l'embauche de fonctionnaires de sexe féminin. »

Peu après avoir quitté son poste d'enquêteur criminel en Californie, Sheffield fut contactée par William Herrmann, ancien du LAPD qui avait exercé à la brigade des Homicides de la Division métropolitaine, pour rechercher d'éventuelles associations de malfaiteurs en lien avec « l'individu alors connu sous le nom d'Arnold Smith ».

« Je n'ai pas retrouvé en lui quelqu'un que j'aurais déjà croisé, dira Sheffield. Et je n'ai pu découvrir la moindre piste conduisant à un travesti du nom d'Al Morrison. »

Incognito, Sheffield fut présente lors d'une rencontre avec Smith, juste avant le rendez-vous qui devait permettre un contact entre ce même Smith et Saint John. « Il était question de parler de Mickey Cohen[2] et de relations entre Cohen et Al Morrison, évoquées par Smith. Il était grand, émacié et déjà assez âgé. Il venait voir l'homme avec qui je me trouvais, c'est-à-dire l'informateur du LAPD. Il avait l'air nerveux, mal à l'aise. Il a eu une réaction négative envers moi. Il a déclaré s'appeler Arnold Smith, ajoutant qu'il était venu parler

---

1. Équivalent du ministre de la Justice.
2. Mickey Cohen (1914-1976) fut l'un des chefs de la mafia californienne. Lieutenant de « Bugsy » Siegel, le parrain du jeu, il lui succéda après son assassinat en 1947.

à l'autre personne. Il a dit deux ou trois mots d'Al Morrison, prétendant que les services de police de San Francisco et d'Oakland le connaissaient. Il n'a pas mentionné le nom d'Elizabeth Short.

« Il semblait avoir la soixantaine, et il m'a fait une impression extrêmement désagréable. Je me souviens avoir dit quelque chose, après son départ, sur le fait qu'il paraissait infirme d'une jambe. Il est reparti presque aussitôt, malgré les invitations de l'homme avec qui je me trouvais.

C'est grâce à William Herrmann que j'ai pu faire le rapprochement entre ce type et le meurtre du Dahlia Noir, auquel il le croyait lié, via Al Morrison. Par la suite, on devait l'identifier comme étant Jack Anderson Wilson, mais je n'ai pu découvrir aucun lien entre cet individu et un membre quelconque du crime organisé. »

Selon l'inspecteur Herrmann, et d'après Sheffield elle-même, il fut bientôt clair qu'Al Morrison n'existait pas. Tout ce qui aurait pu être découvert, tout ce qui aurait pu permettre de retrouver sa trace, fut examiné : ses prétendues origines à Indianapolis, ses rapports avec tel ou tel club de travestis, ses contacts dans la rue ou dans le milieu, les fichiers du San Francisco Police Department... Il n'y avait absolument rien.

Pour le psychologue Paul Cassinelli et le docteur Walter Finkbeiner, chef du service des autopsies au centre médical de l'université de Californie à San Francisco, parmi toutes les observations de Smith, la référence laconique à la zone du croisement entre la 39e Rue et Norton présentait des aspects intéressants. « En un certain sens, dira Cassinelli, on peut rapprocher le dépôt du corps à cet endroit précis à la déficience attribuée à Mrs Short, dont le vagin aurait été insuffisamment développé : c'est un espace vide, un "blanc". Et si l'on pousse un peu plus loin l'examen de la zone en question, son tracé évoque en effet des organes génitaux féminins – comme l'a fait remarquer le suspect, lorsqu'il a déclaré : "C'est le seul quartier, dans toute la ville, qui a la même forme que la chatte d'une femme."

« On ne peut toutefois pas prétendre expliquer les motivations de Smith ni parvenir à une conclusion logique sans en discuter avec lui, dans la mesure où il s'agit de quelque chose de complètement subjectif. »

Smith connaissait les lieux, il s'était familiarisé avec la ville à l'époque où il posait des panneaux et des enseignes, lorsqu'il vivait sur la 31e Rue. La société qui l'employait, Coger Brothers, est allée s'installer sur Exposition Boulevard. De là, le chemin était direct (« en droite ligne », selon l'expression d'Aggie Underwood) jusqu'au lieu de dépôt du cadavre et, dans l'autre sens, jusqu'au domicile de Smith. Coger Brothers se trouvait exactement au milieu de ces deux points.

D'après Cassinelli, « Smith a d'une certaine façon découvert une "imperfection" chez Elizabeth Short. Quand, au cours de l'un des entretiens, il évoque cette soirée à l'hôtel, cela ressemble à une mise en scène préfigurant la suite. Il laisse entrevoir le futur corps sans vie, ou une partie choisie de ce corps avant une certaine forme de "séparation", comme il le dit lui-même, voire *après* une telle opération. »

Elizabeth Short souffrait d'une déficience qui lui interdisait des rapports sexuels normaux, rappelle le psychologue. « Néanmoins, elle aimait les hommes, être avec eux, les côtoyer ; elle faisait une joyeuse compagne, toujours prête à sortir et à prendre du bon temps. Mais sans jamais aller jusqu'aux relations sexuelles, en particulier la pénétration. Si elle se rangeait du côté des parias, des "oubliés de la fête", malgré sa vivacité et sa beauté naturelle, c'est qu'elle se sentait elle-même exclue.

« Smith connaissait son problème. Il a bien souligné qu'on "ne pouvait pas la baiser" et qu'il n'y avait "rien à cet endroit". Il a eu l'idée de sélectionner un lieu particulier où placer le cadavre, bien en vue, suggérant ainsi qu'il avait remédié à la situation.

« Ce qu'il qualifiait de "décorations" sur le corps, c'est-à-dire les coupures entrecroisées sur le pubis qu'il a pratiquées après la mort, représente de toute évidence une sorte de quadrillage.

« Il est bien possible que les lacérations de l'abdomen et la profonde incision aient été destinées à un usage sexuel, sans rapport avec les marques dans la région pubienne. Entre la déficience physique dont souffrait Short et les organes génitaux féminins évoqués par l'endroit même où on l'a retrouvée, poursuit Cassinelli, l'hypothèse d'une coïncidence est peu probable. En pratiquant cette ouverture dans la région pubienne, il a "corrigé le problème", en quelque sorte, et peut-être utilisé cette retouche dans un but sexuel. Même si, en raison du nettoyage intensif qu'a subi le corps, on n'a pu retrouver aucune trace de sperme. »

Le docteur Finkbeiner s'est penché sur certains passages du rapport d'autopsie et a comparé les faits avec les propos tenus par Wilson. « Sa description du meurtre, estimera-t-il, est cohérente avec les informations fournies par le témoignage du pathologiste. »

La légère déviation de l'épine dorsale, telle qu'elle a été notée par le médecin légiste, correspondait à la manière dont la partie supérieure du corps, selon Smith, aurait été placée dans la baignoire, appuyée sur la région située au-dessus des omoplates, juste sous l'épaule, le torse étant légèrement incliné, tandis que la partie inférieure du corps se serait trouvée, elle, à demi allongée.

Avant que Lesnick ne parvienne à rassembler les pièces du second puzzle, celui du meurtre de Georgette Bauerdorf, le docteur John Money, directeur du laboratoire de recherches sur le système psychohormonal à la Johns Hopkins University School of Medicine, avait reçu une copie de la transcription des propos de Smith, qui l'avait vivement intéressé.

Pour le docteur Money, Smith avait le profil d'un meurtrier obéissant à une pulsion de désir sexuel, qui avait probablement passé un certain temps à faire socialement connaissance avec sa future victime, et qui n'aurait pas harcelé une inconnue. Selon le docteur Money, la relation peut au départ se confondre avec une simple « affection » entre deux personnes qui sortent ensemble. Ce lien d'affection a pu être consommé à travers un rapport sexuel classique ou d'autres pratiques érotiques mettant en jeu les organes génitaux, à plusieurs reprises, avant une dernière rencontre, fatidique, dont le point culminant est le meurtre sous l'impulsion du désir.

Le docteur Money a lu les entretiens et pris connaissance du rapport du coroner alors qu'il se trouvait à bord d'un avion pour Berlin, où il devait se rendre à une conférence. Neuf jours plus tard, en rentrant à Baltimore, il écrivait : « Il n'y a pas suffisamment d'informations dans ces documents pour que je puisse me prononcer sur l'état des organes génitaux de Mrs Short. Si elle était atteinte du syndrome d'insensibilité aux hormones androgènes, cela n'aurait pas nécessairement rendu impossible toute pénétration sexuelle. Dans la mesure où, chez certaines patientes dont le vagin est aveugle mais bien présent, même s'il est court, il peut s'allonger de manière progressive, au fil du temps, à la suite de pénétrations répétées, le pénis jouant alors le rôle d'un dilatateur.

« Malgré les incohérences entre certaines parties des transcriptions, leur contenu général me paraît compatible avec l'hypothèse d'un meurtre impulsé par le désir sexuel, désigné en termes scientifiques sous le nom d'érotophonophilie. [...].

« Lorsqu'un meurtrier qui agit sous l'emprise du désir répète plusieurs fois son geste, comme c'est parfois le cas, ces meurtres se déroulent en général toujours de la même façon.

Je pense qu'il est très probable qu'Arnold Smith soit lui-même l'assassin de Mrs Short. »

Après l'examen du cas d'Elizabeth Short par le docteur Money, Joel Lesnick établit une comparaison avec celui de Georgette Bauerdorf, dont s'occupait un inspecteur, le sergent Louis Danoff, en charge des homicides non résolus dans les services du shérif. Le dossier rassemblé par Danoff sur le second meurtre comportait une classification des empreintes de Jack Wilson, des photos d'identité judiciaire, les procès-verbaux de ses arrestations, ainsi que d'autres rapports le concernant.

Dans les deux cas, le corps avait été placé dans une baignoire remplie d'eau et la victime avait été étouffée, ou partiellement étouffée, à l'aide d'un élément introduit dans sa bouche ou sa gorge, plutôt que par une pression externe exercée sur son cou. Et si, dans l'affaire Short, on avait relevé des traces de liens sur le cou, l'intérieur de la gorge n'avait subi aucun dommage.

Chez Bauerdorf, le tissu enfoncé dans la gorge avait été déchiré au niveau des dents ; les mâchoires s'étaient refermées sur lui. Dans l'affaire Short, le slip noir avait été retiré de la bouche de la victime alors que celle-ci était inconsciente. Ni dans la gorge, ni dans le larynx, on n'avait trouvé de sang, malgré l'hémorragie provoquée, selon le coroner, par les lacérations du visage.

En réalité, parmi les informations dont on disposait dans l'affaire Short, la plus saisissante et la plus significative contredisait clairement les déclarations du coroner quant aux causes du décès. L'absence de sang dans la gorge correspondait à ce qu'avait prétendu Smith : il avait inséré dans sa bouche un morceau de tissu faisant office de « bâillon ». Smith avait évoqué le sang absorbé par cette pièce de tissu. C'est ce bâillon qui devait avoir plongé la victime dans l'inconscience, en l'asphyxiant ou en l'étouffant, comme dans l'affaire Bauerdorf, alors même que l'autopsie d'Elizabeth Short niait qu'elle fût morte de cette façon.

« La mort s'est produite lorsque le corps a été coupé en deux, ce qui est attesté par les ecchymoses relevées le long de la ligne d'incision ainsi qu'à l'endroit où, comme l'a précisé Smith, le sang a jailli, complétera Lesnick. La lame du couteau a tranché une artère et la mort est survenue presque instantanément en raison d'une hémorragie, mais une hémorragie à *cet* endroit. La section du corps en deux s'est faite très vite, quasi simultanément.

« Que Smith l'ait crue morte ou non, il a été surpris de voir le sang "gicler". C'est donc bel et bien une hémorragie qui a entraîné la mort, non pas due aux lacérations du visage, mais intervenue au moment où le tronc a été tranché en deux. »

Ces conclusions ne laisseront aucun doute quant aux similitudes entre les deux meurtres, quoique, d'après Lesnick, dans l'affaire Bauerdorf, l'intention du meurtrier n'était peut-être pas de tuer ; la mort serait arrivée au cours de l'agression. La façon dont Georgette Bauerdorf avait été battue, enfin, rappelait fortement les coups portés à Elizabeth Short.

Alors même que Smith faisait un suspect très sérieux pour l'affaire Bauerdorf, comme le prouvait la comparaison entre ses empreintes et celles qu'on avait relevées à la fois sur le lieu du crime et sur la voiture de la jeune femme, le LAPD devait peiner à rassembler des preuves matérielles pour l'impliquer dans le meurtre du Dahlia Noir. Il n'existait que des présomptions. « Si Smith a souhaité divulguer des informations pertinentes sur l'affaire Short – tout en se servant d'un leurre –, il n'a cependant mentionné qu'une seule fois le Hollywood Canteen », rappellera Lesnick.

Les inspecteurs du LAPD, bien que réticents à unir leurs efforts à ceux des hommes du shérif, recherchèrent avec une grande application le moindre indice qu'aurait pu négliger Smith, dans sa manœuvre pour effacer tout lien matériel entre lui et ce meurtre qu'il ne prétendait connaître *que* par ouï-dire.

Selon un autre inspecteur, Saint John « retourna toutes les pierres une à une ». Il fixa obstinément son œil implacable et concentra ses talents d'enquêteur perspicace sur la vue d'ensemble dont il disposait, mais elle restait incomplète. C'était comme une mare boueuse où apparaissaient et disparaissaient de temps à autre quelques formes brillantes, précisément ces fragments que seul, selon certains enquêteurs, le meurtrier pouvait connaître. Saint John avait besoin d'un élément matériel, n'importe lequel, déclara-t-il à l'informateur, « une note de blanchisserie, un cliché les montrant tous les deux ensemble, *quelque chose* qui indiquerait un lien concret entre Short et Smith. Avec ça, je pourrais aller de l'avant, mais, *sans ça*, je suis coincé par cette histoire de propos rapportés et de présomption de preuves. Je ne veux pas dire par là que c'est insuffisant pour résoudre ce fichu meurtre, mais avant de pouvoir effectivement le faire – et avec ce suspect, je crois que je le peux –, j'ai besoin de cette bon Dieu de "note de blanchisserie" avec leurs noms à tous les deux, ou de n'importe quoi qui établisse un lien entre eux... Si vous pouviez avoir, par exemple, cette photographie qu'il vous a montrée dans le bar et les affaires qu'il y avait dans cette boîte, cela pourrait convenir ; la clé qui nous permettrait de boucler cette affaire est peut-être là. »

Le *Herald-Express* et l'*Examiner* ne formaient plus qu'un seul journal, l'*Herald-Examiner*, mais il avait gardé tout son flair pour le sensationnel. Effectuait des recherches à partir de diverses rumeurs, puis grâce à des informations transmises par la police et le bureau de liaison du shérif, le journal réussit à obtenir de quoi écrire un article fondé sur les révélations de l'informateur du LAPD. Il fut publié en première page. Le *Herald-Examiner* prétendit au passage que « l'autre personne », à laquelle Smith faisait allusion, tenait un bar dans le Nevada.

Saint John contacta l'informateur. Il craignait qu'une telle « fuite » effraie Smith et que, s'il avait commis le meurtre avec un complice, on ne puisse plus désormais le retrouver. « Mis en alerte », il disposait maintenant d'un avantage déterminant.

— Non, je ne suis pas furieux contre vous, dit Saint John à l'informateur, je suis simplement très inquiet. Je veux garder ça sous le couvercle. La presse préférerait l'étaler au grand jour mais cela pourrait mettre en péril tout notre travail d'enquête. Localiser ce type risque même de devenir impossible.

Smith ne répondit plus aux appels passés dans le café chinois. L'endroit, simultanément, fut mis sous surveillance dans l'espoir de l'identifier et de le suivre à la trace jusqu'à son lieu de résidence, où on espérait récupérer les preuves du lien avec le Dahlia que Saint John cherchait à obtenir.

Enfin, un soir très tard, Smith appela l'informateur depuis une cabine à pièces située sur Hill Street, lui déclarant qu'il devait se rendre à San Francisco et qu'il avait besoin de davantage d'argent. Ils se donnèrent rendez-vous pour la semaine suivante. Jusque-là, Smith n'avait plus qu'à passer ses journées à boire, dans sa chambre d'hôtel sur la 7ᵉ Rue, là où il vivait depuis quatre ans en solitaire, telle une ombre. Deux ou trois jours après ce coup de fil, Smith perdit connaissance alors qu'il était couché dans son lit et, quelques instants plus tard, il fut avalé par les flammes.

20

Aussitôt que le feu s'est déclaré, un résident du Holland Hotel s'est précipité au coin de la rue, a traversé et a couru jusqu'à la caserne 11 pour donner l'alarme. Neuf autres compagnies répondirent elles aussi à l'appel. Le feu ne concernait qu'une seule pièce, mais il menaçait l'ensemble du bâtiment.

Dès leur arrivée, les pompiers comprirent que l'incendie s'était déclenché depuis un certain temps déjà. Le brasier avait gagné toute la chambre, et les vitres des deux fenêtres qui donnaient sur la 7ᵉ Rue avaient explosé.

« L'intérieur était carbonisé, dira le capitaine des pompiers. Le revêtement mural, une sorte de plâtre, et la structure qui le supportait avaient totalement brûlé, laissant à nu les murs et le plafond. Les meubles étaient partis en fumée, ainsi qu'une grande partie du matelas. La moquette avait été protégée par les débris de plâtre tombés des murs et du plafond. »

Les pompiers découvrirent un corps dans la pièce alors qu'ils tentaient de maîtriser le feu. Comme les flammes étaient encore très fortes, ce ne fut qu'environ trente-cinq minutes plus tard, une fois l'incendie complètement éteint, qu'ils purent déclarer le décès.

Le gérant de l'hôtel leur affirma que la chambre 202 était louée par un certain Jack Wilson, un homme grand et très mince, qui boitait. Wilson, expliqua-t-il, venait de recevoir par la poste un chèque d'aide sociale et était allé le toucher. À son retour à l'hôtel, il tenait des bouteilles dans un sac en papier. D'après le gérant, cela faisait environ quatre ans qu'il vivait là. Gros buveur et gros fumeur, il avait déjà provoqué quatre départs de feu dans sa chambre, apparemment dus à sa négligence.

Le corps reposait du côté droit du lit, qui s'était effondré sur le sol. La tête était rejetée en arrière, les jambes étaient pliées au niveau des hanches et des genoux, et les pieds courbés. Le bras droit était lui aussi plié, au niveau de l'épaule, dans la position « du boxeur », selon les pompiers ; et le bras gauche, étendu dans l'axe de l'épaule, était couvert de morceaux de plâtre. La peau avait disparu, brûlée sur tout le corps jusqu'aux muscles, excepté sur une petite partie de la fesse gauche. La partie supérieure du dos, côté gauche, ainsi que l'épaule, avaient été relativement épargnées par les flammes.

La victime était un homme de race « caucasienne », mesurant un peu moins d'1,95 mètre, probablement très mince, avec une jambe plus courte que l'autre. Au niveau de la mâchoire supérieure, des dents restaient présentes, mais celles du devant semblaient avoir été gravement endommagées par le feu.

Tout dans la chambre avait brûlé, sauf deux clés attachées à un anneau de métal, une sorte de chaîne de montre, les restes d'un billet de un dollar et des fragments de vêtement de couleur rouge retrouvés par endroits sous le corps, là où le feu n'avait pu les consumer.

Le cadavre carbonisé fut scellé dans un sac spécial et remis à la nouvelle morgue du comté de Los Angeles, où on l'enregistra sous le nom de « *John Doe Numéro 51* ».

Le « formulaire de signalement d'une personne décédée non identifiée », le « rapport d'examen scientifique délivré par le centre médico-légal », et quelques « documents de travail confidentiels à l'usage de plusieurs services », permirent de brosser un portrait composite de *« John Doe Numéro 51 »*, dont « l'identité probable » était Jack Anderson Wilson, également connu sous le nom d'Arnold Smith. L'un des documents de travail confidentiels émettait l'hypothèse que sa mort pût « ne pas être d'origine accidentelle ».

Au LAPD, Douglas Stark chargea Thomas Derby, un enquêteur spécialisé dans les incendies criminels, d'examiner la chambre pour y rechercher des indices. Mais celui-ci ne trouva rien qui laisse penser à un geste volontaire : « Tout avait brûlé et, de plus, Wilson avait des antécédents, puisque on lui attribuait déjà quatre départs de feu accidentels. Mais c'était surtout parce que la pièce était entièrement carbonisée qu'il fut impossible de déterminer une éventuelle origine criminelle. »

L'individu décédé figurant comme suspect dans une affaire de meurtre non résolue, la question fut renvoyée aux Homicides.

Informé de l'hypothèse selon laquelle il ne s'agissait peut-être pas d'un accident, Saint John laissa entendre qu'il n'y croyait pas :

— Si ce n'est pas un accident, alors c'est un suicide. Et s'il buvait autant que nous le pensons, la distinction entre suicide et accident devient très difficile à faire.

Bien que déçu par l'annonce de la mort du suspect, Saint John continua à croire qu'il existait encore une chance de boucler l'affaire, et il ne cessa de creuser à la recherche d'un lien entre Wilson et Elizabeth Short.

Dans les cinq pages du casier judiciaire de Wilson, on trouvait de multiples arrestations pour des motifs variés, allant du cambriolage à l'agression criminelle avec une arme pouvant donner la mort, du vol à main armée à la sodomie en passant par l'agression sexuelle, et de l'ivresse publique au refus d'obtempérer. « Rien d'inhabituel chez certains tueurs en série », devait commenter Cassinelli.

Wilson avait été arrêté dans plusieurs États, s'était servi de plus d'une douzaine de pseudonymes et avait utilisé pas moins de trois numéros de Sécurité sociale. Ses chèques d'aide sociale lui étaient envoyés par une caisse située en Caroline du Nord. Ils cessèrent d'arriver dès que sa mort fut connue.

À la morgue, les adjoints du coroner s'efforcèrent de reconstituer les particularités de la denture du cadavre et cherchèrent à faire des comparaisons avec les données conservées par l'administration des vétérans, à des fins d'identification concrète. Mais ce processus restait très délicat, étant donné l'état de carbonisation du corps.

Le suspect était venu au monde avec un point d'interrogation en guise de nom, et c'est avec un point d'interrogation qu'il était arrivé à la morgue. Sa chambre, au Holland Hotel, était à peine plus grande qu'une simple cellule. Elle comportait une toute petite salle de bains, avec une baignoire-sabot de moins de deux pieds de large, sans douche.

Les tentatives de Saint John pour établir un lien probant entre Wilson et le meurtre du Dahlia Noir s'étendirent encore sur huit mois, laps de temps pendant lequel le cadavre fut conservé à la morgue, jusqu'à ce que des dispositions soient prises.

Le docteur George E. Bolduc, médecin légiste assistant, réalisa l'autopsie du cadavre embaumé. « Sur la tête, le cou, le tronc et les membres, fit-il observer dans son rapport, la peau est brûlée en profondeur, voire carbonisée. Cependant, de la peau a été préservée sur la face postérieure de l'avant-bras gauche, ainsi que quelques poils, et il reste des lambeaux de peau sur la face latérale de la cuisse gauche, qui se prolongent vers la face antérieure. Il en reste également, à partir de ce point, le long de la cuisse gauche vers le bas de la jambe, sur la face latérale. On remarque une large portion de peau préservée au niveau du dos, côté gauche. Les coudes sont contractés des deux côtés, ainsi que les genoux, et les poings sont serrés, les doigts étant recroquevillés.

« Sous l'effet de la chaleur, le coude droit et le gauche se sont fracturés, comme le tibia et le péroné des deux côtés, ainsi que la cheville droite. La verge est réduite à l'état de moignon. Les deux testicules sont visibles, descendus l'un et l'autre. Le scrotum s'est contracté sous l'effet de la température. De nombreuses boucles de l'intestin grêle dépassent de l'abdomen, déchiré à droite comme à gauche. Ces boucles laissent voir une coagulation de la séreuse due à la chaleur. Sur la face antérieure de la poitrine, les tissus mous ayant été carbonisés, les deux poumons sont visibles à travers les espaces intercostaux.

« Il manque une large partie du crâne, brûlé côté droit, ce qui laisse apparaître la dure-mère et l'encéphale, qui se sont eux aussi contractés sous l'effet de la chaleur. Une autre lacune plus petite s'observe sur le côté gauche du crâne, due à une fracture provoquée par la chaleur. À cet endroit également, la dure-mère et l'encéphale, contractés, sont visibles. La plupart des tissus mous recouvrant le crâne ont été détruits par la chaleur, et sa surface externe a été carbonisée. »

Le docteur Bolduc attribua la mort à une « intoxication aiguë par la fumée et le monoxyde de carbone », associée à de « larges blessures corporelles sous l'effet de la température, allant jusqu'à la carbonisation » et à une « asphyxie par la fumée et le monoxyde de carbone ».

« C'est comme s'il était là, et que, tout à coup, il avait disparu, dira Joel Lesnick. À mon avis, si on l'avait arrêté, il aurait fait une confession complète et comblé tous les vides. Non seulement pour le meurtre de Bauerdorf, mais aussi dans l'affaire Short. »

Les transcriptions, les documents, les photographies, le rapport d'investigation indexé qui retraçait sommairement les origines de Wilson et le milieu où il avait vécu jusqu'à sa mort, ainsi qu'un résumé du contenu des dossiers du shérif, furent examinés par Ronald Frankle, chef adjoint de la police, par Robert Vernon, chef assistant, par John White, commandant la brigade des Homicides et Vols avec violence, et par le capitaine William O'Gartland, des Homicides.

Quelque temps après, le comté autorisa la crémation du cadavre. Le permis fut transmis au bureau du district attorney de Los Angeles, après avoir été visé par le chef adjoint de la police, le chef assistant et le commandant des Homicides et Vols avec violence. Les services du D.A. exprimèrent leur avis en ces termes :

La mort de l'individu considéré comme suspect ne peut en principe suffire à clore l'affaire. Bien qu'il semble, d'après les documents, qu'on puisse établir un lien entre cet individu et l'assassinat d'Elizabeth Short, son décès fait cependant disparaître la possibilité de corroborer ce lien en l'interrogeant. [...] Par conséquent, toutes les conclusions qu'on peut tirer quant à son implication dans le crime ne reposent que sur des présomptions et, malheureusement, le suspect ne peut plus être ni inculpé ni traduit devant la justice. Toutefois, malgré l'absence de conclusions probantes, les présomptions de preuves sont d'une nature telle que si le suspect était toujours vivant, nous aurions recommandé une enquête approfondie.

Et, à l'issue de cette enquête, [...] on peut concevoir que Jack Wilson aurait peut-être été poursuivi pour le meurtre d'Elizabeth Short, alias le Dahlia Noir.

Elle descendait le boulevard, à grandes enjambées, dans une robe fourreau noire ornée de roses, qui la faisait légèrement osciller. Puis elle s'est assise dans un café, le regard rayonnant. Il y avait dans ses yeux bleus quelque chose de déconcertant. Son regard n'était pas exactement impersonnel, il ne vous jaugeait pas tout à fait. Mais il ne paraissait pas assorti à son sourire. Il marquait une distance. Elle avait la tête tournée de côté et le dos contre la vitre. Derrière elle, dans la rue, le trolley jaune est passé.

Elle vous a fixé, et elle vous a paru douce. Son regard était doux. Elle devait s'en aller, a-t-elle dit. Elle a souri. Elle ne savait pas quand elle reviendrait. En fait, elle n'était même pas sûre de l'endroit où elle allait ! Elle a eu un petit rire.

Et elle est partie, quittant le café avec ce souple mouvement du corps. L'espace d'une seconde, elle a regardé autour d'elle, puis par-dessus son épaule, baissant un peu la tête, les yeux tournés, en levant délicatement la main.

Postface
par John Gilmore

Un crépuscule étouffant, en pleine vague de chaleur, à L.A., quelques jours avant Thanksgiving. Une nuit sans lune s'installait, et les immeubles avaient l'air aussi plats qu'un décor de cinéma. J'étais sur Main Street et j'allais retrouver l'homme qui, trente-cinq ans plus tôt, avait connu le Dahlia Noir. Cela faisait longtemps que j'essayais de le revoir. Il m'avait souvent téléphoné par le passé pour me proposer un rendez-vous, dans le hall d'un hôtel minable ou dans un bar du même acabit, mais la moitié du temps, il ne venait pas.

Depuis deux ans, je me demandais si la rencontre allait finir par avoir lieu. Cette fois, il m'avait dit au téléphone qu'il voulait parler du meurtre. « J'ai des informations pressantes », avait-il ajouté.

Il me faisait courir d'un bout à l'autre de la ville, sans que je puisse deviner qu'il m'amènerait tout près du tueur d'Elizabeth Short, mieux que n'importe qui avant lui, ou après lui.

Lorsque je l'avais eu en ligne, il m'avait dit que s'il n'était pas au Anchor Café, un rade étroit et miteux où l'on s'était déjà vus, coincé dans une rangée de bars sombres, le Philippin saurait où le trouver. Sur Main Street, l'air était saturé par la fumée des pots d'échappement. Je dépassais des bureaux de prêteur sur gages, des boutiques de tatoueur, des pas de porte puants.

À travers la vitre du Anchor, j'ai vu les murs décrépis, le comptoir graisseux, le papier tue-mouches jaune devenu noir qui se balançait sous un ventilateur électrique. Un Philippin décharné était assis sur un tabouret, le dos voûté. Il avait un œil clos, comme si sa paupière supérieure était cousue à sa pommette. Il ne connaissait aucun Arnold Smith. Il l'appelait Jack, « Jack Arnold », m'a-t-il dit, en tirant sa cigarette avec une sorte de chuintement. Jack Arnold était l'un des nombreux pseudonymes de l'homme que j'espérais revoir une fois de plus.

Le Philippin m'a fixé de son œil valide, puis il a regardé derrière moi, comme pour s'assurer que j'étais bien seul. Il a souri. Sa bouche était édentée.

— Jack m'a dit que tu me donnerais dix dollars.

J'ai acquiescé et j'ai sorti le fric. Il a avancé vers les billets une main maigre et tordue. La peau de son crâne était parcheminée et tendue à l'extrême, pareille à celle d'un tambour. Il a pris les dix dollars et m'a déclaré que Jack se trouvait au 555 Club. J'ai dit OK, et ses lèvres se sont refermées comme des moules au fond d'un tonneau.

Dehors, un grand type barbu, vêtu d'un manteau noir en lambeaux rafistolé avec des épingles de nourrice et des vieux bouts de scotch, pressait son front contre un mur de brique. Il s'adressait à « Dieu » en jetant les bras en l'air, par saccades.

En 1947, l'angle sud de l'immeuble du Harold's 555 Club abritait le Majestic Malt Shop, un bar sans alcool fréquenté par le Dahlia Noir. Le 555 était signalé par un grand néon, orange, blanc et rose, sauf au niveau des branchements électriques carbonisés. Les vitres avaient été obscurcies de l'intérieur à l'aide d'une laque en partie écaillée, qui laissait s'échapper un peu de lumière tamisée.

L'intérieur ressemblait à une caverne, avec un plafond si haut qu'on ne pouvait le distinguer dans la pénombre, d'où émergeait un dédale d'énormes conduites et autres tuyaux de métal. Une musique plaintive, proche du halètement d'une femme en train de se noyer, filtrait des haut-parleurs montés au-dessus du bar, qui occupait toute la longueur du mur côté sud. *You're My Thrill*, une vieille chanson du milieu des années 1930, redevenue populaire durant la guerre, faisait entendre ses sonorités grinçantes et vaporeuses. Des lumières roses illuminaient le bar et ses rangées de bouteilles superposées. Quelques hommes se tenaient penchés sur des tables de billard, d'autres affalés au comptoir. Certains riaient et parlaient, mais leurs voix semblaient étouffées ; les plus silencieux se contentaient de fixer leur verre. On distinguait dans les recoins sombres deux ou trois formes humaines. La porte des toilettes s'encadrait d'un rai de lumière jaune qui tombait sur le sol de ciment.

Pendant presque une demi-heure, je suis resté assis sur une banquette, deux bouteilles de bière posées devant moi. Et puis Arnold Smith est entré dans le club, en boitant. Il faisait au moins 1,90 mètre, il était maigre comme un râteau, avec la tête en biais, et son corps émacié se courbait en forme de S. Sa longue face mal rasée semblait avoir été pressée dans un étau ; sa bouche n'était qu'une fente sans lèvres, tendue comme par un fil de fer noué dans sa nuque.

Ses cheveux noirs, mal coupés, étaient décoiffés. Il portait une chemise bleue sur un pantalon trop large, et les talons de ses chaussures étaient éculés. D'abord, il est longuement resté dans l'entrée, puis il est venu vers ma table. Il s'est assis sans rien dire, se contentant de poser les yeux sur moi. Maintenir son regard plus haut que la ligne de mes épaules semblait lui coûter un effort. Dans ses yeux noirs, injectés de sang, on ne lisait rien du tout. Il avait un visage de carton. J'étais surpris qu'il soit venu. Je restai sur mes gardes : j'avais peur, par une parole déplacée, de le renvoyer clopiner dans l'ombre.

J'ai fait glisser l'une des deux bières vers lui. C'est seulement alors que j'ai remarqué le sac en papier brun froissé qu'il tenait contre lui, assez étroit et long d'une trentaine de centimètres. Il a bu sa bière sans le relâcher une seconde. Il ressemblait à un cadavre.

— Comme j'ai dit à ton ex-femme, m'a-t-il fait, je t'ai vu à la télé, quand t'as parlé de ce gamin, Hinckley, qui a tiré sur le Président[1].

— C'était il y a un bon moment déjà...

— Il a pas vraiment touché sa putain de cible, hein ?

Ses doigts étaient sales et jaunis par la nicotine.

— Ils l'ont attrapé, ce gros, a-t-il repris. Il est mort, le gros, là ?

— Non. Pour autant que je sache, il est toujours vivant. Une tentative d'assassinat, ce n'est jamais facile.

Il a esquissé un sourire – un petit sourire narquois, ou bien un simple réflexe –, avant de coller une cigarette entre ses lèvres. Même pour frotter une allumette, il a gardé le poignet droit posé sur son précieux paquet. Il m'a demandé si j'avais été payé pour parler d'Hinckley à la télévision.

— Non, ai-je répondu. C'était dans les actualités.

— T'as un peu d'argent ?

Il a versé de la bière dans son verre, faisant tomber de la mousse sur la table. Il l'a essuyée du revers de sa manche. Levant le verre pour boire, il a légèrement rejeté la tête en arrière, mais ses yeux son restés baissés sur moi. Je lui ai assuré qu'effectivement j'avais un peu d'argent. Il a reposé son verre et a placé le paquet sur la table.

---

1. John Hinckley Jr. (né en 1955) a tenté d'assassiner Ronald Reagan le 30 mars 1981.

— Il y a une photo que je voudrais te faire voir, m'a-t-il déclaré en dépliant le sac.

Il a plongé la main à l'intérieur pour en retirer une vieille boîte de bonbons See's, retenue par des élastiques pourris. L'un d'eux s'est cassé quand il les a fait glisser.

Il m'a demandé d'aller chercher à boire. Il voulait un whisky, et de la bière pour le faire descendre.

Quand je suis revenu du bar, il avait ôté le couvercle de la boîte de bonbons, qu'il avait placée sur la banquette, à côté de lui. À l'intérieur, il y avait de vieilles photographies, des papiers pliés en morceaux, des coupures de journaux et une sorte de tissu noir que, sous le faible éclairage, je n'ai pas bien pu distinguer.

Le visage d'Elizabeth Short est soudain apparu, rayonnant, presque lumineux sur la photo qu'il venait de retirer de la boîte. Je l'avais devant moi, le Dahlia Noir. Elle semblait être la seule, sur ce cliché de groupe, à vraiment fixer l'objectif.

J'ai tendu la main, mais il m'a dit « je te montre », tenant la photo face à moi, par les bords. Apparemment, il ne voulait pas que je la manipule ou que je voie ce qu'il y avait au verso. C'était un cliché noir et blanc, rayé et fendillé, qui semblait avoir été longtemps trimballé dans un portefeuille. J'ai reposé ma bière et je me suis penché en avant.

— Ça a été pris où ?

— Ici même, m'a-t-il répondu en formant une espèce de sourire. À peu près à l'endroit où t'es assis.

Tournant la tête, il a baissé les yeux vers le sol. J'ai suivi son regard, croyant qu'il avait laissé tomber quelque chose. Il m'a expliqué qu'on voyait par terre une ligne correspondant à l'emplacement d'un mur, abattu depuis.

— Tu vois, sur l'image, le mur est pile là. Et ça, c'est les chiottes du bar. Y a plus le même signe et la même lumière pour l'indiquer. Peut-être vers 1953, après la guerre de Corée, ils ont enlevé le mur et ils ont tout réuni pour faire un seul bar au lieu de deux. Il y a quelques années, a-t-il continué en levant les yeux, ils ont fait sauter le plafond qui était là depuis bien avant Pearl Harbor. On le voit pas bien sous cette putain de lumière, mais on est assis juste là où la photo a été prise.

De nouveau, j'ai examiné la photo. Sur la droite, de trois quarts, se tenait une version plus jeune du sac d'os que j'avais en face de moi. À la droite d'Elizabeth Short, il y avait une fille qui ressemblait à cette figurante, Ann Toth.

— Ouais, a-t-il fait. Elle est venue en voiture. Ce jour-là, elles ont pas pris le tramway. C'est elle qui l'a amenée ici, dans le centre. Tu reconnais pas l'autre gars ? Pas le marin de la Navy, mais l'autre, celui qui a une tête de pédé ?

— Non, je ne peux pas dire…

Il n'a rien ajouté, posant simplement la photo sur le couvercle de la boîte, sans la retourner. Puis il a soigneusement déplié le morceau de tissu noir : un mouchoir de femme avec un liseré de dentelle rouge et un tout petit drapeau américain, brodé de la lettre E. Il a ensuite attiré de nouveau mon attention sur la photo.

— Regarde son chemisier, sur la droite.

J'ai pu discerner quelque chose qui ressemblait au même mouchoir, attaché au chemisier par une broche en forme de fleur.

— Il était à elle, ce mouchoir. C'est celui de la photo.

— Comment as-tu réussi à te le procurer ?

— Facile… C'était dans son sac à main le jour où elle a été assassinée…

Le mouchoir lui avait été donné, prétendait-il, par l'homme sans visage dont il m'avait si souvent parlé, celui qui était au courant de tout, à propos d'*elle*.

Mais comment ce type, cette simple silhouette, aurait-il pu en savoir autant ?

— Ça, c'est la question jackpot à 64 000 dollars, m'a dit Arnold Smith – ou Jack Arnold.

Pour avoir la réponse, il fallait débourser un petit quelque chose... Ce qui nous amenait, selon lui, aux raisons pour lesquelles il m'avait fait venir ici. Le plus important était, premièrement, de bâtir un scénario pour empêcher que les informations qu'il possédait « se retournent », selon son expression, contre lui. Il ne voulait pas être compromis par certains éléments de cet assassinat « soi-disant non résolu ».

Ce qu'il me raconterait ne serait, techniquement, que des preuves par ouï-dire :

— Autrement dit, ce que je te raconte, c'est quelque chose qu'on m'a rapporté. Je fais que transmettre.

On était dans le même genre de situation, m'expliqua-t-il, que dans mon bouquin sur Charles Schmid, le garçon qui avait assassiné trois filles avant de les enterrer dans le désert.

— Son copain l'a balancé pour pas se trouver en position d'être impliqué dans les manigances de Schmid. Preuves par ouï-dire, quoi... C'est la garantie que mes droits seront pas menacés, mes droits selon le Cinquième Amendement.

Quand il a refermé la boîte de bonbons, un autre élastique a claqué. Il en a ramassé les morceaux et les a fichus dans son verre vide. De nouveau, il m'a gratifié d'une espèce de sourire en forme de grimace. Il m'a ensuite parlé d'un autre bar de l'autre côté de la rue, le Toro, qui d'après lui s'appelait autrefois le Dugout.

— Un jour, elle a taillé une pipe à un marin sur une des banquettes du fond, et personne y a prêté la moindre foutue attention... Enfin, presque personne.

Quelqu'un, a-t-il ajouté, l'avait vu et s'était senti trahi.

— Ça allait contre ce que ce quelqu'un avait dans la tête, a précisé Smith en remballant la vieille boîte de bonbons dans son sac. C'est pour ça qu'elle a pas vécu plus longtemps.

Durant de multiples semaines, cet homme, lui-même multiple, à la fois retors et précis, a étalé devant moi toute une histoire qui, effectivement, était trop « pressante » pour être ignorée, notamment par la police. Il rejetait le meurtre sur quelqu'un d'autre, mais était au courant de détails que seul le tueur pouvait connaître.

Son interprétation de l'assassinat d'Elizabeth Short, telle qu'on la trouve dans la prétendue « confession » de l'introuvable Al Morrison – à qui les flics, les hommes du shérif et les *feds* n'ont jamais pu véritablement donner un visage –, brossait un tableau du crime dont les détails étaient si précis que l'équipe du LAPD en charge de l'affaire fit aussitôt appel à toutes ses ressources pour tenter de coincer Smith dans un réseau de « présomptions » suffisantes.

Ma visite chez l'inspecteur John Saint John, *« Badge Number One »* du LAPD, a suivi mes derniers rendez-vous avec Arnold Smith. Les diverses pièces du puzzle qui entourait la mort d'Elizabeth Short s'assemblaient de manière assez étonnante. J'étais allé aussi loin que possible dans ma propre enquête. Jusqu'à ce que les flics puissent examiner mes découvertes et les comparer avec ce dont ils disposaient, Smith resterait le personnage équivoque qu'il semblait être : un homme qui en savait peut-être plus qu'il ne voulait en dire, un type qui prétendait connaître le tueur et qui maintenant le livrait. Soumettre à John Saint John sa version du meurtre offrait une chance de la corroborer, ou au moins de la documenter officiellement – ce qui se révélerait très important pour mon propre travail. Toutefois, je n'avais pas anticipé la réaction de « Jigsaw John ».

— C'est à *ce type-là* qu'il faut que je parle ! Où Smith a-t-il pu obtenir ces renseignements ? Il vous fait marcher avec cette histoire de deuxième gars qui lui aurait confessé des détails que personne d'autre ne connaît. En réalité, ce type en sait plus que moi-même !

Saint John s'est rapidement persuadé que Smith utilisait le personnage d'Al Morrison comme un écran de fumée derrière lequel il pouvait reconnaître sa participation au meurtre.

— Il faut absolument que je lui parle. Où puis-je le trouver ? Est-ce qu'il serait prêt à venir nous voir ? Pouvez-nous nous l'amener ?

Impossible.

Arnold Smith, d'abord franc avec moi, est très vite devenu méfiant comme un rat, s'arc-boutant derrière cette histoire de deuxième homme et de « preuves par ouï-dire », comme s'il tentait de consolider un mur en train de s'écrouler avec des fétus de paille.

Saint John a obstinément étudié sa version du meurtre et les trois cassettes audio dans lesquelles Smith évoquait Short et son assassinat. Il était convaincu que ces informations répondaient à une question, mais une et une seule : elles indiquaient qui avait fait ça. Soumis à une souffrance lancinante, une véritable torture, son ego ne pouvait trouver le repos sans la reconnaissance d'un acte aussi dévastateur. Mais comment, alors, échapper aux conséquences ? Pour Smith, le dilemme était là.

— Il rejette l'homicide sur un autre tout en étant au courant de détails que seul l'assassin peut connaître... ou que seul l'assassin peut lui avoir confiés, m'a dit Saint John. Soit il nous fait avaler son joker, soit c'est celui qui écope, pour le meurtre... C'est la chance que j'attendais. Il me suffit d'établir une connexion entre Smith et Short, de trouver un moyen de les faire se rejoindre dans le temps... L'élément de preuve parfait, ce serait cette photo qu'il vous a montrée. Avec ça, nous pourrions le faire condamner et mettre un point final à cette affaire. Je pourrais me retirer après cinquante ans de boulot sur ce genre de saloperies en ayant au moins bouclé ça.

Ce n'est pas l'inspiration qui m'avait conduit à m'intéresser à l'affaire du Dahlia Noir, même si la curiosité et la fascination ont joué leur rôle. Il s'agissait plutôt d'une nécessité financière. C'était en 1963, je vivais des temps plutôt difficiles, et Tom Neal, acteur et type très dur, voulait produire un film sur le sujet, dans lequel il jouerait. Je vivais à Hollywood, où j'écrivais des scénarios et des nouvelles, en essayant de garder la tête hors de l'eau. Le deal avec Tom, c'était du cash d'avance et une grosse carotte quand il aurait le financement, « pour mettre les suceurs sur la bonne pente », comme il disait.

Tom connaissait un flic à la retraite qui lui avait parlé de mon père, de ses contacts au LAPD et de ses liens avec Fletcher Bowron, l'ancien maire de L.A. Je suis ainsi entré au LAPD « par la petite porte » et j'ai pu fréquenter des agents et des inspecteurs des Homicides. Après bien des hauts et des bas, le projet de Tom a fini par capoter deux ans plus tard, quand il a lui-même tué sa propre femme, à Palm Springs, avant d'être reconnu coupable de meurtre et envoyé en prison.

L'acteur et réalisateur Jack Webb, rendu célèbre par la série policière *Dragnet*, qui travaillait en étroite collaboration avec le LAPD, m'a encouragé dans ma volonté de ne pas abandonner, me poussant à « continuer à battre le fer » en insistant sur les faits.

J'ai rencontré Elizabeth Short à la fin de l'année 1946, quand j'avais onze ans. Elle était passée chez ma grand-mère avec deux garçons, deux figurants, en quête d'informations sur une branche de la famille « Short ». La sœur de ma grand-mère portait ce nom. Ils sont arrivés dans une grande et vieille Studebaker, une conduite intérieure avec de gros phares ovales chromés. Beth Short était entièrement vêtue de noir, gants compris. Elle s'était poudré le visage à l'aide d'une préparation blanche qui la faisait ressembler à une geisha et elle portait du rouge à lèvres couleur sang. Nous avons parlé de magie tous les deux – l'une de mes passions d'enfant – et je lui ai montré mes posters de magiciens célèbres, ceux que j'étais allé voir au Shrine Auditorium ou ailleurs.

À peine quelques mois plus tard, elle était retrouvée morte. Mon père, policier en tenue affecté à la division de Rampart, reçut pour mission de faire du porte-à-porte en demandant aux gens s'ils avaient entendu des « cris » durant la nuit du meurtre. Il transportait dans sa sacoche une pile de photos de la victime : la version retouchée, réalisée d'après un cliché pris à la morgue. Ma grand-mère m'a fait garder le secret sur la visite que nous avions reçue. Je ne devais rien dire à mon père. D'après ce que j'ai compris, si la police apprenait que cette fille était passée chez nous quelques mois avant son assassinat, mon père risquait d'être inquiété. Cette rencontre fortuite avec elle pouvait nuire à sa carrière. Il n'allait l'apprendre que bien des années plus tard.

Et à cette époque, je « battais le fer » depuis trop longtemps pour revenir en arrière. Un grand nombre de personnes liées d'une manière ou d'une autre au Dahlia Noir étaient encore en vie. Je n'étais pas flic. Ceux que j'interrogeais pouvaient me parler sans craindre que leurs propos « puissent être utilisés contre eux ».

Un an plus tard, dans l'Arizona, je suis intervenu, en tant que journaliste, dans l'affaire Charles Schmid.

Mes rapports avec l'assassin lui-même, Schmid, m'ont conduit à me rapprocher d'un avocat, F. Lee Bailey. C'est par mon entremise qu'il s'y est intéressé et, par la suite, il est devenu le défenseur de Schmid dans un second procès pour meurtre. J'en ai tiré mon premier polar basé sur des faits réels, *The Tucson Murders*.

Mon éditeur, Dial Press, s'est montré intéressé par mon travail sur le Dahlia Noir, et c'est comme cela qu'est née l'idée de ce livre. Jamais je n'aurais imaginé qu'il me faudrait plus de vingt ans avant de voir les nombreuses pièces du puzzle s'assembler pour commencer à former une image – une étude tout en ombres. La véritable histoire se trouvait sur la face cachée de la lune. C'est de ce côté-là que je devais chercher.

Dans l'affaire du Dahlia Noir, les évènements aussi bien que les individus semblaient progresser dans la nuit vers un but incertain. Les motivations, la psychologie de telle ou telle personne, souvent criblée d'ambiguïtés, s'entrecroisaient, entraient en collision, s'affrontaient pour se disperser ensuite, comme si elles rebondissaient les unes contre les autres. Où tout cela menait-il ?

« Peut-être vas-tu trop loin là-dessus, m'a dit Jack Webb, au-delà de ce qui est vraiment utile du strict point de vue du divertissement. Bien sûr qu'il faut battre le fer, mais tu dois t'arrêter dès que tu as réussi à forger quelque chose et vendre le foutu truc. Passe à autre chose. Ne laisse pas ça devenir une obsession. Si tu le prends trop au sérieux, tu vas te retrouver englué dans un bourbier qui est bien capable de t'aspirer vers le fond. »

Mais j'étais accro. Je me suis mis à jongler avec ces formes bizarres et ces étranges fragments de vérité. J'avais sauté dans le bourbier, dans ce trou où il n'y avait pas grand monde, et j'allais tout droit vers le fond sans savoir ce que j'allais y trouver. Tout ce que je savais, c'était qu'il me fallait continuer. Il s'agissait bel et bien d'une obsession, comme le disait Webb, parce que je poursuivais quelque chose sans savoir ce que c'était. Je savais seulement que ça se cachait là-bas, quelque part.

La première fois que j'ai rencontré Jack Arnold (qui m'a dit plus tard avoir changé son nom en Arnold Smith), c'était lors d'une petite soirée entre *losers*, à Hollywood. Notre hôte, Eddie, qui faisait dans le recel de matériel électronique, était suspecté par le FBI d'avoir participé à un kidnapping quelque temps auparavant. Les agents du FBI continuaient à renifler autour de lui, à la recherche de preuves. Eddie m'a présenté à Jack Arnold :

— Ce mec a connu la gonzesse dont tu nous as parlé, là, le Dahlia Noir. Il a fréquenté deux ou trois gars avec qui elle sortait.

Arnold était un type émacié, avec une jambe plus courte que l'autre, qui était alcoolique et vivait reclus. Il avait passé son temps à entrer et sortir de prison pour des motifs allant de la sodomie à la tentative de meurtre. Sur Elizabeth Short, il m'a affirmé :

— C'était une sacrée allumeuse. Et elle avalait les bites comme personne d'autre.

— Elle t'a sucé, toi ?

— J'ai pas dit ça. Elle connaissait des gens que je connaissais... T'as qu'à leur poser la question.

Je l'ai fait. Et je lui ai demandé de m'en dire plus, encore et encore. Il ne voulait pas parler, et il fallait qu'il soit complètement bourré pour me lâcher quelques sobres indications. Il ne faisait jamais référence à elle en la désignant par son nom : jamais de « Beth », jamais d'« Elizabeth », pas même « Short » ou « le Dahlia ». Il disait *elle*. « Elle, tu sais qui », et nos petites conversations sporadiques se terminaient toujours abruptement, quand il se levait pour partir en titubant.

Le même motif se répétait chaque fois que mon nom était cité dans l'actualité, quand j'apparaissais à la télévision, ou lorsque j'intervenais sur le plan journalistique dans telle ou telle affaire de meurtre. L'affaire Sharon Tate, par exemple, avec les onze assassinats commis par Charles Manson et ce qu'il appelait sa « *Family* ». Arnold ne se faisait alors pas prier pour m'appeler. On parlait meurtre au téléphone ou on se fixait l'un de ces rendez-vous à la « je viens-je viens pas » dans tel bar pourri ou tel club délabré, près d'Hollywood. Plus il était torché, plus la conversation boitait, elle aussi, mais elle revenait invariablement vers « elle... tu sais de qui je veux parler ». Se projetant plus de vingt ans en arrière, Arnold était capable de tracer quelques esquisses rapides mais précises, dont beaucoup reflétaient certains faits jamais rendus publics. Ces petits bijoux se corroboraient presque infailliblement. Il savait non seulement de quoi il parlait mais aussi de qui il parlait. Il la connaissait, « elle », mais n'a mentionné qu'une seule fois « l'autre, là », sans la nommer, en disant simplement qu'on l'avait retrouvée « dans une baignoire ».

De petites pièces m'arrivaient d'un peu partout, mais le puzzle était encore vague. Elles ont commencé, peu à peu, à s'insérer parfaitement dans l'ensemble, m'offrant quelques aperçus, de brefs gros plans sur un monde jusque-là plongé dans l'ombre. Des bars louches, des meublés crasseux, des figurants de cinéma et tout un défilé de soldats ivres passant par Hollywood et Long Beach, la Floride et Chicago... Des petits matins où l'on ne se rappelait plus le nom de l'autre. Des silhouettes qui dansaient dans la pénombre, pour disparaître ensuite on ne sait où. Des mystères et des ombres.

Puis, plus de douze ans après ma première rencontre avec lui dans le repaire miteux d'Eddie-le-kidnappeur, à Silver Lake, sur le flanc de la colline, Jack Arnold ou Arnold Smith m'a passé un appel pour me dire :

— Il est probablement temps qu'on se revoie et qu'on discute du meurtre.

— Quel meurtre ?

— Son meurtre à *elle*. Tu sais de qui je veux parler...

Oui. La magnifique, la ravissante Elizabeth Short, et son charme solitaire qui éveillait le désir en chaque homme. Même si quelque chose de sacré semblait lui interdire tout rapport vaginal. Paradoxalement, elle allait être sacrifiée à une espèce de serpent maléfique, un type de haute taille, très mince, qui marchait en boitant. L'artiste et rêveur horriblement frustré qui sommeillait en lui a imaginé le tableau le plus épouvantable possible pour le jeter à la face de ce monde qui ne l'appréciait pas à sa valeur. Non sans y imprimer une obscure signature. La déchiffrer par un raisonnement normal était difficile, sinon impossible.

— Qu'est-ce que vous pensez de l'idée de prendre au piège ce salopard ? m'a demandé John Saint John aux Homicides de Parker Center.

J'ai répondu que ça ne me posait aucun problème, sauf que le « suspect » comprenait très vite ce qui était en train de se passer.

– Pouvez-vous toujours le voir ? Le persuader de nous rencontrer ?

Je n'en étais pas sûr. Il fallait que j'appelle à l'endroit convenu et que je lui laisse un message. Je ne connaissais pas d'autre moyen de le contacter. J'ai dit à Saint John que j'avais quelqu'un sur sa trace.

— Il faut que vous réalisiez à quel point ceci est important pour vous comme pour nous, m'a dit l'inspecteur. Je veux boucler cette affaire, et celle-là plus qu'aucune autre. Je sens déjà le goût de la victoire, bon Dieu... Vous voulez écrire ce livre. Ça peut vous apporter beaucoup de choses, et à nous aussi, si nous sommes capables de jouer les bonnes cartes. En coopérant, nous pouvons obtenir l'un et l'autre ce que nous attendons de tout ça. Mais j'ai besoin de l'avoir ici. Il faut qu'il vienne s'asseoir ici, et ça va être chaud pour lui. Je connais ce salopard aussi bien que moi-même... Il tire dans les deux sens : d'un côté, il vous parle, de l'autre, il entend une petite voix qui lui dit de la fermer. Son ego, pourtant, va continuer à le faire parler. Quand vous vous êtes aventuré aussi loin, vous ne pouvez plus vous taire. Si j'arrive à l'avoir ici, on a gagné la partie.

Mais quelques jours seulement avant l'arrestation prévue, comme par un ultime tour de cartes, le suspect idéal, celui qui avait toutes les bonnes réponses, le premier de ce type à émerger, plusieurs décennies après les faits, est mort dans les flammes. Il a rôti comme un vulgaire animal, et avec sa disparition s'est évanoui tout espoir de clore officiellement l'affaire du Dahlia Noir.

S'agissait-il d'un incendie volontaire ? d'un accident ? d'un homicide ? d'un suicide ? Quelle différence cela faisait-il, de toute façon ?

— Je l'avais à portée de main, dira Saint John. Je pouvais déjà le sentir... Nous l'avions, mais nous l'avons perdu... C'était une chance comme on n'en a qu'une fois dans sa vie.

Les huiles du LAPD, le coroner, l'équipe d'investigation chargée des incendies, le bureau du district attorney, tous ont décidé de garder le silence là-dessus. On ne pouvait ni inculper ni poursuivre un homme mort.

Les enquêteurs ont retenu le corps carbonisé à la morgue pendant des mois, bien plus qu'ils n'auraient dû le faire, essayant d'établir rapidement le plus de liens possible afin d'obtenir assez de présomptions de preuves pour classer l'affaire.

Saint John, bien que récalcitrant, n'a pu poursuivre plus loin son combat contre la machinerie administrative.

— Les temps ont changé, m'a-t-il expliqué. Il y a trente ans, je l'aurais fichu au frigo jusqu'à ce qu'on puisse brancher la bonne piste sur lui, puis je l'aurais bien démoli, et j'aurais pu m'en sortir la tête haute.

Mais bientôt, le corps brûla une seconde fois, réduit en cendres à l'initiative du comté, et la porte se referma sur cette affaire. Elle pivota simplement sur ses gonds usés et fatigués, et le pêne glissa dans la serrure, presque sans bruit.

Le rêve de John Saint John, qui aurait voulu être le flic ayant « officiellement » résolu l'affaire du Dahlia Noir, est parti en fumée avec Arnold Smith. Après avoir passé plus d'un demi-siècle dans la police et avoir été, peut-être, le dernier des vrais inspecteurs divisionnaires de L.A. – l'égal de ceux que l'on voit dans les vieux films –, John Saint John a enfoncé sur sa tête son feutre à bord relevé, lui a donné un pli et s'en est allé, sans avoir à rougir. Considérant que ça suffisait comme ça, il a pris sa retraite peu avant le 50e anniversaire du meurtre prétendument « non résolu » d'Elizabeth Short.

REMERCIEMENTS

L'auteur souhaite souligner tout ce qu'il doit aux nombreux représentants des forces de l'ordre, journalistes et rédacteurs de la presse écrite, pour leur aide et leur courageuse sincérité ; et aux experts en médecine légale, qui lui ont, eux aussi, apporté leur assistance désintéressée durant les longues années nécessaires à l'achèvement de ce livre. Je voudrais notamment remercier le capitaine Hugh Brown, du LAPD Homicide, les inspecteurs Danny Galindo, Finis Brown, William Herrmann, Floyd Phillips, John Saint John, Kirk Mellecker, Mervin Enquist, Sam Flowers ; avec mes remerciements tout particuliers à l'inspecteur Joel Lesnick, des services du shérif du comté de Los Angeles.

L'auteur s'est bien entendu conformé à la demande de ceux qui ont vécu assez longtemps pour voir paraître ce livre et qui n'ont pas souhaité y figurer sous leur vrai nom. Les souvenirs d'enfance de Mary Pacios ont été utilisés avec son accord. J'adresse également mes sincères remerciements à mon ami Tony Mostrom, à Russell Miller pour sa précieuse contribution, à Natalie Nichols pour son aide dans la mise au point de la postface, à Karen Davis pour sa relecture approfondie des épreuves, à Mary Kay Stam, et aux personnels du département des Collections spéciales de la Bibliothèque de recherche de l'université de Californie à Los Angeles, des Archives Delmar Watson (Los Angeles), et du Musée de la mort (San Diego), pour leur assistance dans la recherche des photographies.

John Gilmore
Los Angeles, 1998

*Cet ouvrage a été composé
par Atlant'Communication
aux Sables-d'Olonne (Vendée)*

Impression réalisée sur CAMERON par

BRODARD & TAUPIN

GROUPE CPI

*La Flèche (Sarthe)
en octobre 2006
pour le compte des Éditions de l'Archipel
département éditorial
de la S.A.R.L. Écriture-Communication*

Imprimé en France
N° d'édition : 989 – N° d'impression : 38016
Dépôt légal : octobre 2006

Avertissement : Les photos contenues dans ce cahier sont, de par leur extrême violence, réservées à un public adulte.